新潮文庫

サイレント・ゲーム

上巻

リチャード・ノース・パタースン
後藤由季子訳

上巻　目次

下巻　目次

リンダ・グレイとクレア・フェラーロに

サイレント・ゲーム

上巻

主要登場人物表

トニー・ロード…………刑事弁護士
ステイシー………………トニーの妻。女優
クリストファ……………　〃　息子
サム・ロブ………………レイクシティ高校の教頭。トニーの昔の親友
スー………………………サムの妻
アリスン・テイラー……トニーの高校時代のガールフレンド
ジョン……………………アリスンの父親
キャサリン………………　〃　母親
マーシー・コールダー…殺害された女子陸上部員
フランク…………………マーシーの父親
ナンシー…………………　〃　母親
アーニー・ニクスン……高校時代のトニーのチームメイト
ジェニー・トラヴィス…エアロビクスのインストラクター
ソール・ラヴィン………弁護士
ステラ・マーズ…………検事補

プロローグ　トニー・ロード〔現在〕

ジーナ・ベルファンテが夫を殺したのは、火曜の午前一時十五分だった。火曜の午後まで、ジーナは警察にうそをついていた。木曜までに、警察と検死官は、就寝ちゅうのドナルド・ベルファンテを撃ち殺したのは外からの侵入者ではないと結論を下した。月曜になってようやく、ベルファンテ夫妻が結婚前にとり交わした契約書が発見された。万一離婚する場合、ジーナに渡る金は雀《すずめ》の涙ほどという内容だ。翌日の火曜日、ジーナが殺人罪で起訴されると、以前離婚の相談を受けた弁護士が保釈金を積んで、彼女をアントニー・ロードのもとへ回してきた。

サンフランシスコは小さな街で、ベルファンテ夫妻が出入りした富裕な社会はさらに小さかったが、トニー・ロードはジーナを知らなかった。しかし、もちろんジーナはトニーを知っていた。アカデミー賞授賞式でお見かけしましたわ、と彼女は明るく言った。トニーの魅力的な妻であるステイシー・タラントが助演女優賞を受賞した晩のことだ。

トニーはデスクに向かって座り、じっくり観察していることを表には出さずに、ジーナが落ち着きなく語るに任せた。やがて、いくつか質問した。数時間後――ジーナ・ベルファンテが夫の頭に弾丸を撃ち込んだことを涙ながらに認めてからずいぶん時間がたっていた――彼女が夫から虐待《ぎゃくたい》を受けていて、それを証明する医師の記録もあることを突き止めた。これを弁護の盾にしよう、とトニーは決めた。

それは簡単なことではない。ドナルド・ベルファンテが目を覚まさずに死んでしまったため、ジーナが切迫した身の危険を感じたことを主張するのはむずかしかった。結婚前の契約書の存在が、さらに事態を悪くしていた。つまり、金銭的に見ると、離婚するより殺すほうが得なのだ。目撃者は、ひとりもいないと言っていい。暴力をふるう夫の例に漏れず、ドナルド・ベルファンテは妻の体を残酷かつ密《ひそ》かに痛めつけたが、顔は傷つけなかった。暴力を受ける妻の例に漏れず、ジーナ・ベルファンテは担当医以外の人間に真実を打ち明けなかった。そして、二千五百万ドルを相続する立場にある上流階級の女は、大半の陪審員の目には、眠っている夫を恐怖と絶望のあまり撃ち殺すほど無力とは映らない。トニーに唯一《ゆいいつ》残された道は、死亡した夫を裁判にかけることだった。

ドナルド・ベルファンテは大男だった。そして、みずからの創造物――この場合は、コンピューターのディスクドライブを製造する会社――に対して絶対的権力を持つ多くの事業家と同様、魅力にあふれ、自己中心的で、侮辱されることには我慢がならず、威張り屋だった。ジーナの話がほんとうだとすれば、ドナルドは妻にしょっちゅう、しかも気まぐれに暴力をふるった。死ぬ前にも四時間、妻を殴り続け、夜中に目を覚ましかけたときにジーナが殺さなかったら、そのときも殴っていただろう。ドナルド・ベルファンテは怒りっぽく、おのれの怒りを楽しむ男だった。ジーナは新たな暴力が加えられるのをいつも怖《おそ》れ、いつの日か度を超した夫に殺される自分の姿をまざまざと想像して、恐怖に震えた。結婚前の契約書が動機なのではない、と彼女は涙をこぼしながら言い張った。あれは、妻に逃げられる可能性を考えただけで異常なほど激昂《げっこう》する彼の性格を表わしたものなんです。ドナルド・ベルファンテは妻に次のように請け合っていた。もしおまえが逃げようものなら、見つけ出して殺してやる、と。ジーナは当然、そして心の底から、その言葉を信じた。

以上のことを、ジーナは陪審員たちに語った。以上のことを、弁護側の精神分析医は陪審員たちに語った。そして、トニー・ロードは、ジーナ・ベルファンテが感じたにちがいない思いを、想像力のかぎりを尽くして想像し、陪審員たちに伝えようと努めた。

四十六歳になるトニーは、ひとに信頼されやすい、いかにもアメリカ人的な外見をしており——適切な長さにカットされたブロンドの髪、強さはあるが威圧的ではない若々しい顔だち、率直さの現われた青い目——陪審員に対しては、その外見を裏切らない態度をとった。決して横柄《おうへい》にならず、皮肉を言う場合は節度を保ち、あからさまに自分の技量に酔って一部の陪審員に嫌悪感《けんおかん》をいだかせるような、弁護士にありがちな行動に注意した。

陪審員たちはトニー・ロードを信用した。そして数秒前、トニーが深く安堵《あんど》したことに、おかげでジーナ・ベルファンテは無罪となった。


法廷内が急に騒がしくなった――傍聴人たちは顔を見合わせ、記者たちはテレビカメラやコンピューターのほうへ走り、陪審員たちは裁判の終了を純粋に喜んで抱き合い、そして、ドナルド・ベルファンテの老いた母親は、苦悩のうめきを思わず漏らした。ジーナ・ベルファンテがトニーの腕に倒れ込む。

体はきゃしゃで、今にも壊れそうだった。ひとりの記者が「ロードさん」と呼びかけたが、トニーは振り向かなかった。

「ありがとう」ジーナが何度も何度もつぶやく。「ああ、トニー、ありがとう」

ジーナは贈られた自由を全身で吸収しているのだった。赤く泣きはらした目でトニーを見上げる。

「あなたに惚《ほ》れたみたい」

「既婚の弁護士に？」トニーは微笑《ほほえ》んだ。「既婚と弁護士と、どっちのほうがまずいだろう？　あなたは、これからはもっと賢い選択をすると約束しましたよ」

「じゃあ、そうするわ」ジーナは笑ったが、声そのものにびっくりしたかのように、震えた笑い声だった。「ああ、これからどうすればいいの?」

トニーはまじめな顔になった。「静かにこの状況に身を置くことです。しばらくしたら、助けが欲しくなるかもしれません」

「そうね」ジーナが急に屈託のない笑みを浮かべ、きらきらした目のすみにしわが寄る。「わたしはお金持ちで、やりたければ、どんなとほうもないことでもできるわ」

トニーは首を横に振った。「なんでもというわけではありませんよ」

ジーナが蛍光灯の寒々とした明かりに照らされた殺風景な法廷を見回して、ふたたび物思わしげな表情をする。「今やりたいことは、ここを出て、二度と戻ってこないこと」

ジーナの背後にいるボディガードに、トニーは合図を送った。

まもなく、彼らは裁判所の玄関を出た。春の風は冷たいが、空は晴れ渡り、カメラのレンズが雲母《うんも》みたいにきらきらと陽光を照り返す。トニーは依頼人に代わって話をしようとしていた。片手を挙げ、記者たちが突き出してきたマイクに向かいながら、しみじみ思う。間違いなく無実だと思われる依頼人に弁護士がしてやれるのは、負けが予想された裁判に勝つことぐらいだ、と。

質問はすばやく進んだ。答えかたは違うが、それらの質問には過去のいくつもの事件で答えていた。あなたを雇えるだけの金があったから、ジーナ・ベルファンテは勝ったのかとCNNにきかれると、トニーは切り返した。「それはつまり、ミセス・ベルファンテのような金持ちは暴力を受けて当然ということですか？　それとも、ほかの被告たちには事実上、無罪の推定はなされないようだから、彼女もそうあるべきだ、と？　そんな事態になったら、この国はほんとうに検察官の天国に――」

「検察の話が出ましたが」チャンネル・ファイヴが割り込む。「たった今、サリナス氏のコメントが手に入りました。地区検事長が語ったところでは、この評決は〝感情的〟で、ミセス・ベルファンテが〝危険の急迫という正当な恐怖を覚えた確たる証拠はひとつもない〟とのことです」

隣りのジーナをさらに引き寄せ、トニーは口をはさんできた若いアジア系の女を見つめた。穏やかに言う。「それは、あまり好意的な反応とは言えませんね。しかも陪審員たちに対してかなり不公平だ。だが――陪審員たちと違って――サリナス氏はここ三週間、この法廷にいませんでした。ミセス・ベルファンテが夫に殴られているとき、その場にいなかったのと同じように……」

もうじゅうぶんだ、とトニーは突然自分に言い聞かせた――ヴィクター・サリナスとは今後も仕事をしなくてはならない。残りの質問を手で振り払いながら言う。「ミセス・ベルファンテには今、休息が必要です。彼女を休ませてあげてください」

すばやくジーナ・ベルファンテの頬にキスをした。「すてきな人生を」と、小声で言う。ジーナが笑顔をトニーに向け、一瞬後、ふたりのボディガードが彼女を、待ち構えているリムジンへ、これからの人生へと急《せ》きたて、いっぽうトニーのほうは、ジーナとの複雑なきずなが断たれたことに喪失感と安堵を覚えながら、ふたたびみずからの人生を手にした。

玄関の石段を降りたところで、自分の黒いリンカーンが停まっているのが目に入った。運転手の顔は見えない。しつこい記者たちのあいだを擦り抜け、後ろのドアを開けた。不透明なウィンドーに隠されて、ステイシーが運転席に座っていた。彼女らしくないふるまいに、トニーは、彼女の意図どおり、笑い声をあげた。後ろのドアを閉めて、前部座席の、彼女の隣りに腰を滑らせる。

青緑色の目でトニーの目を覗《のぞ》きながら、ステイシーがキスをした。じっくり時間をかけてキスをしてから、驚いている夫に満足して、体をもとの位置に戻す。

「ここにはよく来るの？」彼女がきいた。

つかの間、トニーは満たされた気持ちでステイシーを見た。細身で、髪は蜂蜜色《はちみついろ》。すっきりした線と角からなる顔には、いくつかの矛盾が混在していた——明るく微笑んではいても、目には慎重さが残っており、少女のようなみずみずしい肌は、口のすみでしわが刻まれ、笑うと、自分の妻が四十一歳になることをトニーに思い出させる。化粧はほとんどしていなかった。広く世間に顔が知られた、歌手であり女優である彼女が、ふだん他人にどう見られようと気にしないこの態度は、わがままであると同時に彼女のひととなりを表わしている。しかし、妻が裁判所に現われたことに大いに驚いた理由は、彼女がつねにトニーの裁判を避けてきたからだ――ステイシーは法廷をきらっていたし、この建物には悪い思い出があった。

十二年前、恋人のジェイムズ・キルキャノン上院議員が民主党の大統領候補としてカリフォルニアの予備選に臨んだとき、ステイシーは資金集めのコンサートを開いた。並んでステージに立つキルキャノンを、ヴェトナム帰還兵のハリー・カースンが撃ち殺した。カースンは心的外傷後ストレス障害に強く苦しめられていた。あるいは、そのようにアントニー・ロードは主張した。カースンの弁護士として。

最初、ステイシーはふたりを等しく憎悪した。今でも、なぜトニーを依頼人と区別するようになり、やがて愛するようになったのか、完全には説明できない。だが、そうなった。

「おめでとう」と、ステイシーが言った。

その視線には、愛情と無言の問いが混ざり合っている。「けれど」トニーは言った。「わたしがなんの罰をのがれたのかと、きみは考えているんじゃないか？」

ステイシーは小さく微笑んだが、目は笑っていなかった。依頼人を守るため、ときとしてトニーが非情な態度に徹する理由を、受け入れ、さらには理解するまでになったものの、けっして分かち合うことはできなかった。「あなたが、じゃないわ」しばらくしてから言う。「でも、なんと言っても、ジーナ・ベルファンテはご主人を殺したのよ。神経がまいっていたのはわかるけれど、夫から逃げるのは不可能だと〝合理的に〟思っていたのかしら？」

トニーは肩をすくめた。「精神状態を基にした弁護において、弁護士にできるのは、陪審員に決めさせることだけだ。今度の件では、陪審員たちは、ジーナ・ベルファンテの真の姿を見たのだと思いたい。あるいは、次に彼女の旦那《だんな》になる人物はじゅうぶん安全だろうし、ドナルド・ベルファンテは死んでも惜しくない人間だという結論を出したのかもしれない」これは口にすべきではなかったと、トニーはすぐに気づいた。「こう言ったら慰めになるかな、ステイシー。わたしが殺人罪から救った依頼人はひとりとしてその後殺していない。少なくともわたしには、それは多少の慰めになる」

ステイシーは無言で夫を見つめた。「とにかく」と、ようやく口を開く。「終わってよかった。あなたがいなくて寂しかったわ」

トニーは妻を引き寄せ、その首に顔を埋《うず》めた。ステイシーの髪と肌はさわやかなにおいがした。「こんなのじゃだめ」と、ステイシーがささやく。「うちへ帰りましょう」

パシフィックハイツの彼らの家は、湾を眺望する、一般人立入禁止のブロックにあった。車とその運転手と同様、家にも安全とプライバシーに対する配慮がなされている。そうする金銭的余裕がステイシーにあるのはいいことだ、とトニーはさらりと言ったことがある。ステイシーはストーカーに悩まされた経験があるし、トニーの依頼人にはきわめて評判の悪い者もいるからだ。だから、たとえふたりにある種の教訓を学ばざるをえない過去がなかったとしても、ふたりとも自分たちの安全に、そしてトニーの息子であるクリストファの安全に気を配る純粋な理由があった。

これは有名税のひとつにすぎなかった。ふたりは有名人であることをとくに望んでいるわけではないが、たとえばレストランでは他人が視線を向けてくるし、たいした知り合いでもないのに親しいふりをしてうわさ話を流す輩《やから》はいるし、〝名声〟そのものに惹《ひ》かれて手っとり早く友情を結ぼうとする人間も出てくる。しかし、少なくともトニーとステイシーはどちらもそういうことがきらいだった。そしてまた、ほかの忙しいカップルにはストレスとなる事柄と、なぜか無縁だと誤解されるのもきらった。彼らとて、自分たちのキャリアに疑問を覚えるし、結婚生活の新鮮さを保つ必要性も感じるし、互いに働き過ぎだとわかっているし、ステイシーが子どもを産めない体なので養子をとるべきかどうかという問題にずっと答えを出せずにいるし、クリストファの大なり小なりの変化にときとして頭を抱える。とりわけ、あることでは、多くのカップルと違って、ふたりの意見は一致していた。つまり、幸福はもろいもので、幸運は天からの贈りものだと、どちらもよく理解していた。

なるほど、ふたりに金の心配はないし、ステイシーの成功のおかげで、今後も心配する必要がない。しかし、もしふたりが幸せだとすれば——じっさい、たいていは幸せだ——それは金のおかげではなく、クリストファを、お互いを愛し、それでいながら相手を個として尊重しているからだ。たぶんこれが、ふたりがいつまでも親密であり続ける理由を説明するのに役立つだろう。ステイシーはトニーに、街の外の事件を引き受けないよう頼んだことはないが、トニーはそうした。ステイシーもまた、以前より役を選ぶようになった。アカデミー賞をとって五年、ロケ撮影が要求する、現実から、そして生活からの完全な分離を受け入れるのを年々きらうようになってきた。そこで最近は、ふたたび作詞やレコーディングをするようになっていた——ボニー・レイットやカーリー・サイモンほどではないが、彼女も人気を保っていた——けれど、今現在は、めずらしく自分の年齢の女性にふさわしい——と、ステイシーは顔をしかめてトニーに言った——脚本を読んでいる。すなわち、ヌードシーンもカーチェイスも恐竜も子役もなし。ベルファンテ裁判の期間、夫婦水入らずのつかの間の食事は、この話題に費やされた。トニーとクリストファはステイシーの生活に核を与えていたので、ステイシーはそこから離れることに乗り気でなかった。

ふたりがリビングルームに入ると、クリストファがいた。ナイキのシューズをはいた足がカウチに載り、残りの部分は衣類の山のように見えた。だぶだぶのジーンズ、だぶだぶのスエットシャツ、野球帽。野球帽の下から、十七歳のころのトニーそっくりの顔がうれしそうにふたりを見た。

「やあ、おふたりさん」体を動かさずに言う。「調子はどう？」

野球の練習から帰ったばかりだと、トニーにはわかった。そして、豊かさのなかでのこの怠惰な態度は、今の息子の表面的人格の現われだった。クリストファは自分の幸運な環境を手の込んだジョークとみなし、日没とともに終わってもおかしくないと思っている。それは、息子の生来の用心深さを反映していた。決して口にはしないものの、クリストファは、人生の最初の六年のごたごた――金を巡る両親のいさかい、父親の野心、母親の不平――と、離婚後、母親が愛からというよりも、どうやらトニーに向ける武器にするために息子の養育を主張した三年間を憶《おぼ》えているようだった。それがクリストファの人生の揺るぎない部分になっている。トニーは息子を心から愛していた。だから、マーシャがなぜクリストファを育てる喜びと責任を譲って、ロサンゼルスへ引っ越し、トニーの目には底の浅い第二の夫と底の浅い生活を始めたのか、どうしても理解できない。しかし、マーシャはそうしたし、トニーは深く感謝した。

トニーはステイシーの隣りに立って、腰に手を当てながら、無気力を装《よそお》う息子をじっと見た。「上々だ」と、クリストファに伝える。

「よかった」と、息子は陽気に言った。「じゃあ、今晩、車を借りていい？　アーロンと期末試験の勉強をするんだ」

義理の息子を見つめながら、ステイシーが頭をぐいとかしげる。「それだけ？　なぜお父さんがこんな早くに帰ってきたのかきかないの？」

トニーが見守るなか、クリストファがぽかんとステイシーを見て、それから状況を呑《の》み込み始める。「ああ、そうか——裁判だ。ごめん」トニーを見て、「勝ったの？」

「ああ」

「最高」ようやくクリストファは体を起こした。「彼女は殺《や》ったの？」

「もちろん殺ったわ」ステイシーがそっけなく言う。「でも、大事なのはそこじゃないって、あなたのお父さんが教えてくれた」

クリストファはおもしろがっているような目つきでふたりを交互に見た。立ち上がり、リビングルームを三歩進んで、ぎこちなく父親を抱きしめる。「おめでとう、神父《パードレ》さん」

トニーはここぞとばかりに息子を強く抱いた。体を離し、にっこり笑って言う。「わたしの人生に自発的に興味を持ってくれて、ありがとう」

クリストファが歯を見せて笑う。「どういたしまして」そして、父親の髪をくしゃくしゃにした。「とにかく、父さんはぼくがいなくてもちゃんとやってるわけだ」

そう言い残して、クリストファ・ロードは父親の車のキーを探しに行った。

トニーはピッチャー一杯ぶんのマティーニを作ると、ステイシーの隣りに座って、それぞれのグラスに飲み物を注いだ。湾に点のように浮かぶヨットを、ふたりで眺める。

トニーは口を開いた。「クリストファが大学へ行ったら、わたしたちはどうするんだろうな」

ステイシーが腕時計を見て、「そうね、あと十五分ぐらいしてやっているのと同じことをするでしょうね」トニーに笑顔を向けて、付け加える。「今晩はマルセラにお休みをあげたの」

それを聞いたとたん、トニーはグラスを置いた。「お先にどうぞ」と言う。「わたしは見るのが好きなんだ」

ステイシーが先に立って階段を上り、主寝室へ向かった。

五、六歩行ったあたりで、服を脱ぎ始める――セーター、それからブラ、それからブルージーンズ。妻の細い体が階段を上るのをトニーが見守っていると、上り切ったところで、ステイシーは背中を向けたまま立ち止まった。誘うようにからかうように腰をひと振りして、パンティーを床へ落とす。

「最高だな」とトニーは言い、おふざけはそこでおしまいになった。

「愛している」トニーは言った。ステイシーが目で微笑《ほほえ》む。

ふたりは寝室の暗がりで横になっていた。ステイシーは満足してトニーの下におり、愛の行為による湿り気がふたりの肌を冷やし始めていた。胸と胸を合わせた状態で、トニーはまだステイシーのなかの自分の温《ぬく》もりを感じていた。手足のだるさが心地よい。

「これまで何回」と、ステイシーが尋ねる。「わたしたち、愛し合ったと思う?」

トニーは微笑んだ。「まだ足りないな、最近は」

ステイシーがトニーにキスをして、「裁判のあいだ、まるであなたは別の場所にいるみたいだった。演じているような感じで」

「少なくとも俳優は、ほかのみんなが何を言うのかわかっている。それに、話の結末も」トニーはキスをしながらステイシーのなかから出て、ベッドに降り、彼女の胃のあたりに頭を置いた。ステイシーが顔を窓へ向け、夕方の淡い色の空を何とはなしに眺める。

「あの脚本のことをずっと考えていたの」

「それで?」

「わからない」

トニーは頭を上げた。「きみのかわりにわたしが決めることはできないよ、ステイス。意見も言いたくない」

ステイシーが枕《まくら》から頭を上げて、トニーを見る。「自分自身のためにでも?」

トニーはステイシーから目を離さずに、首を横に振った。「きみは脚本を気に入った。めずらしいことだ」

「それはわかっているし、向こうは返事を待っている」顔をしかめる。「返事をするのは、わくわくするようなこととは言えないわね。あなたがやっと戻ってきたという感じなのに」

にっこり笑って、トニーは言った。「二日ほど休みをとるよ。それで決心がつくだろう」

「あなたがそうしたって、わたしはきっと決心がつかない」寝室の閉じたドアのほうを向く。「冷蔵庫に襲撃をかけて、ここに持ってくるというのはどうかしら。ワイン、チーズ——なんでもいい。あなたの好きなものを」

「牡蠣《かき》の燻製《くんせい》」

ステイシーが顔をしかめたそのとき、電話が鳴った。

それは非公式の回線で、親しい友人か緊急の電話しか掛かってこない。トニーは緊張した。

「ほうっておきましょう」ステイシーがつぶやく。

「できないよ。十七歳の家族が車で走り回っているんだから」

ステイシーがわかったという顔をして、電話のほうにうなずく。トニーは三回めのべルでとった。

「ロードさん」男の声が言う。「電話応答サービスの者ですが……」

「やれやれ」トニーはいらついてつぶやいた。

「長距離電話が二度かかってきました」男が続ける。「スー・ロブというかたからです。緊急だとおっしゃるので……」無意識にステイシーから顔を背けるように、トニーは体を起こしてベッドの端に座った。「待ってもらっています。折り返し電話があると伝えてよろしいでしょうか？」

トニーはためらった。「いや」と、オペレーターに言う。「つないでくれ」

トニーは窓辺に立っていた。ベッドから、ステイシーが見つめている。

「あそこへ帰ったら、何もかもがふたたび甦《よみがえ》ってくる」ステイシーが言った。

その言葉が真実であると感じ、トニーはしばらく口を開かなかった。「わかっている」

「あなたに対するわたしの理解が正しいとしたら、トニー、あなたは大人になってからずっと、あのころを過去のものにするために努力してきたのよ。でも、あなたは相変わらず悪夢にうなされる。いまだに。あなたを見ていて、ここではなく向こうにいるみたいに思えることがあるわ」

トニーは答えなかった。「サムとスーは、いちばんの友人だった」と、ようやく言う。

「わたしの一部分は、ああして離れたことに罪悪感を覚えている」

「わたしが聞いた話じゃ、ひとりとは友人以上の関係だったはずよ」より穏やかな声で、「離れたのは生きのびるためでしょう、トニー。ときどき、あなたがあの一件をよく切り抜けたと思う」

トニーは向きを変え、ベッドに戻った。「今起こっていることで、彼らはふたりとも破滅させられる可能性がある。あのとき、わたしには弁護士が必要だったし、今は彼らが弁護士を必要としている」

ステイシーが動揺して首を横に振る。「今度の件は気味が悪い。あまりにも前と同じで……」

「そして、あれはわたしに公平なことじゃなかった。今度の件は彼に公平なことじゃないかもしれない。あの町がどんな町か、わたしはいやというほど知っている」トニーは言葉を切り、自分の動揺と闘った。「行かなければならないんだ。少なくとも二日ほど。たとえかかわりたくないと思っていても」

ステイシーがベッドに視線を落とし、ゆっくりとうなずく。

トニーはこの状況がたまらなかった。「どうしても説明できないけれど……」

ステイシーがベッドから起き上がり、トニーの首に腕を巻きつけた。「説明する必要なんかないわ、トニー。脚本の返事は何日かのばせるから」間をおいて、「だから、クリストファの世話も任せて。実生活には実生活が要求するものがあるのよ。そして、わたしと出会う前の生活にも、それが要求するものがつねにある」

青春時代を過ごしたオハイオ州レイクシティへ二十八年ぶりに向かう機内で、トニー・ロードは、ふと気づくと、アリスン・テイラーが死んだ晩の一瞬一瞬を映画のこまのように思い出していた。

映像は消えなかった――アリスンの映像だけではなく、今危機にさらされているサムとスーの映像だけでもなく、アリスンが死んだあとの月日までもが映し出される。これほどはっきり目に浮かぶのは、テイラー家の裏庭の草のなかに見つけたものと、断層線のように自分の人生を二分したあの瞬間から感じたもろもろのことのせいだと、トニーにはわかっていた。それに比べて、あれ以前の自分を思い出すのはずっとむずかしかった。悲劇が、愛情と同じように、なんの脈絡もなく生まれるものだとまだ知らなかった自分……。

彼らはクリストファと同い年、十七歳だった。

第一部　アリスン・テイラー

〔一九六七年十一月～一九六八年八月〕

1

トニー・ロードは光の降り注ぐ競技場に立っていた。

夜の空気は冷たく、さわやかだ。かすかに紅葉と行儀芝のにおいがし、観客席からポップコーンの油の香りが漂ってくる。クリーグ灯の下、フットボール競技場は青みがかった黄色に輝き、周囲を闇《やみ》が包んでいた。木製の観客席からの声援や足を踏み鳴らす音は、人口一万三千人の独特な雰囲気を持つ町のエネルギーを伝えている。五十キロほど離れたところには、かつて好景気に沸いた工業都市、スティールトンがあるが、そこへ行くのは、職場に向かう父親たちぐらいで、家族はめったに行かない。

町の住人の半分が、ここに集まっていた——両親や祖父母やそのほかの大人たち、それにハイスクールの生徒の大部分はもちろん、彼らの弟や妹たちもが、うろついたり、おしゃべりしたり、知り合いを見つけたりする口実を求めて、応援に来ている。しかし、ほかの人間、オーバーと毛糸の帽子と革手袋で身を固めた者たちにとって、エリー・カンファレンス選手権大会は、学校の名誉と、町の歴史と、ロータリークラブの会合や仕事の電話やエルクスクラブの喫煙者たちの雑談で自慢する権利とに関わるものだった。彼らのしわがれた叫び声には、不安が刻まれている。というのも、十対七でレイクシティ高校は負けており、リヴァーウッド高校が五十ヤード・ラインでボールを持っていて、残り時間は一分四十秒だからだった。サードダウン、残り五ヤード。レイカーズが勝つための最後のチャンスは、このプレーを止めることにある。

リヴァーウッドがハドルを解き、赤のジャージと白のパンツ姿の七人が、自分たちの影といっしょに、ラインのほうへ来た。クォーターバックとフルバックとふたりのハーフバックが、その後ろで位置につく。クォーターバックのジャック・パーラムが、センターの脚のあいだに手を構え、それと同時に、フィールドの中心を示す白線にかぶさるように、七つの体が前屈《かが》みになる。彼らと向かい合っているのは、レイクシティの青に身を包んだ四人の大男たち——ディフェンスライン——で、その後方にラインバッカーたち、そしてその後方に、ボールを手に守備をかいくぐった敵やパスを阻止するためのハーフバックがふたりとセーフティーがふたり。ハーフバックのひとりはトニー・ロード。もうひとりはサム・ロブ、トニーの親友だ。

ジャック・パーラムが合図の声を出す。トニーは視界のすみで、サムがじわじわと前に体を動かすのを捕らえた。猫のようだ。

センターがボールをスナップした。

パーラムがそれをフルバックの胸に投げ込む。フルバックが敵のラインを越えようとしたとき、パーラムがボールをとり戻し、右腕で抱えるのをトニーは目撃した。クォーターバックによるスウィープ。つまり、自分で走って残り五ヤードを獲得し、ついでに貴重な時間を進める気だ。

すでにパーラムのほうへ向かっているサムに、トニーは叫んだ。「スウィープ……」パーラムは味方ラインの右側をひとりで走っている。しかしサムは誰よりも速くパーラムに近づいていた。パーラムが進行方向を変えようとして、十ヤード離れたところから向かってくるサムに気づいた。

トニーはサムのあとを追いながら、パーラムがフィールドの外へ走ろうかどうか迷うのを目撃した。だが、外へ出れば、時計が止まる。一瞬のためらいののち、パーラムは速度をゆるめ、棒立ちになった。

トニーはサムを熟知していたから、これが間違いだとわかっていた。パーラムまであと三フィートの距離から、サムは跳んだ。体がのび、ヘルメットがパーラムのフェイスマスクにぶつかる。

胸が悪くなるような、がつんという音がして、パーラムの首が反り、ボールが手から離れた。観衆が悲鳴をあげるなか、ボールは回転しながら芝生の上に落ちた。トニーの五フィート先に。

トニーは跳んだ。顔が芝地にぶつかると同時に、両腕でボールをかき寄せ、抱きしめる。赤のユニフォームの三人が突っ込んできて、トニーの背骨とあばら骨をきしらせ、腕や手をつかんでボールを奪おうとする。三人の汗のにおいが嗅《か》ぎとれた。

ホイッスルが鳴った。

ヒステリーに近い声に包まれて、トニーはゆっくりと立ち上がり、腕にできた傷がひりひりするのを感じながら、無理に冷静さを装《よそお》って主審にボールを手渡した。サムはしかしレイクシティの観客席のほうを向いて立ち、両腕を上げている。一方の手でヘルメットを持っているので、まっすぐな金色の髪がクリーグ灯の光に輝く。ジャック・パーラムが動かなかったのを知っているようすはない。

観客も一体となってサムを支持しているようで、喝采《かっさい》が暗闇へ昇っていく。パーラムが動かず、リヴァーウッドのコーチとトレーナーが駆け寄るに至って、ようやく騒ぎが静まった。

トニーは観客席もパーラムも見ず、時計を見た。残り時間一分十九秒と知って、味方チームのフルバックの攻撃目標と、試合に勝つための作戦と、サムに勝手な動きをさせない方法を考える。

攻撃側に回ると、トニーはクォーターバックなのだ。しかし次の一分、ふたりのフットボール人生の最後の時間は、トニーとサム両方のものだった。

この瞬間を、彼らは高一のときから待っていた。トニーがホーリーネーム――ポーランド系カトリック教徒の両親が可能なかぎり行かせた教区学校――から公立高校に転校して二週間後、サム・ロブが自分のものだと考えていた役割を、コーチたちがトニーに与えたときからだ。

十四歳にして、サムはすでに背が高く敏捷《びんしょう》で、その強肩《きょうけん》と自信満々の態度によって、多くの少年から敬意を払われ、気の短さによって、一部の少年に幾分怖《おそ》れられた。ポジション争いなどは考えたこともなく、ましてこのカトリック教徒の新入りが相手とは予想だにしなかった。

数日間、ふたりは隣り同士で練習をし、ほとんど口をきかなかった。トニーの見るところ、サムのほうが運動能力はあった。一方トニーには反応の速さと、自分ではよくわからないがコーチが気に入ったらしい何かがあった。チーム内の空気は明らかに張りつめていた。学校のスポーツが話題の中心になるような小さな町では、エリス・コーチが選ぼうとしているのが単なる高一のクォーターバックではなく、レイクシティ高校のクォーターバックになるべく仕込まれる人物だ、と誰もが知っていた。

最後の練習のとき、一軍チームをコーチするジョージ・ジャクスンが、サイドラインから見学していた。

サムは、自分の強肩と走りを見せられるプレーを好んで、いつもよりチームを酷使した。練習の終わりに、エリス・コーチがサムをわきへ連れていった。

トニーがクォーターバックに選ばれた。

ロッカールームでトニーはみんなに祝福されたが、サムからの言葉はなかった。サムはどこかに姿を消してしまったようだった。その後、ひとりで観客席へ行って座り、とまどいを覚えながら自分の幸運について考えた。厚板を踏む重々しい足音がして、顔を上げると、サム・ロブが見えた。いかにも彼らしい横柄《おうへい》な物腰でこちらへ上がってくる。

何も言わずにサムが隣りに座った。俺のじゃまをするなと言われるのではないかと思って、トニーは身を固くした。

「コーチたちは何もわかっちゃいない」しばらくしてサムが言った。「おまえはまだ後ろ足から投げてる」

トニーはサムのほうを向いた。「それはどういうこと？」

サムが目を狭めてトニーを見る。「俺んちに広い裏庭がある。教えてやろう」

一瞬遅れて、トニーはうなずいた。「いいよ」

ふたりはブックバンドでくくった本を持って、サムの家までの数ブロックを無言で歩いた。

トニーはサムの生活について、直接本人から聞いたことはほとんどない。しかし、レイクシティでは、何も知らずにいるのは不可能だ。ロブ家は、トニーの両親が招かれたこともないカントリークラブに所属しているが、世間のうわさでは、サムの父親の金物屋はつぶれかけているらしい。だから、オークの木に縁どられた広い敷地に建つ、サムの白い木造の家が、大きいながらどことなく薄汚れているのを見ても、トニーは驚かなかった。それに、ロブ家の居間の炉棚に、サムの兄のジョーがもらったいくつかのトロフィーが目立つように飾られているのを見ても、驚かなかった。レイクシティ高校一九六二年度最優秀運動選手に選ばれたジョーは、その翌年、ヴェトナムで戦死した。たしか、長身でやや腹の出たサムの父親も、昔はスポーツマンで、レイクシティ・スポーツ後援クラブの元会長だった。トニーがびっくりしたのは、サムの母親だ。

ドティー・ロブはブロンドで、滑らかな顔とし し鼻と浅葱《あさぎ》色《いろ》の目はサムとそっくりだけれど、顎《あご》と二の腕のわずかなたるみに、加齢による影響がかすかに見られた。派手な、似合わないサンドレスを着てカウチに横になり、視線はぼやけた感じだ。トニーを無視して、彼女はサムに言った。「きょうは芝を刈る約束だったわよ」

おもしろい口調だった。不明瞭《ふめいりよう》で、きつくて、やや不機嫌。サムの体がこわばった。

「裏庭へ行って、練習するんだ」

ドティー・ロブが眉《まゆ》を上げる。「ああ」あざけるような調子。「フットボールのね」

トニーは体重を一方の足からもう一方の足に移しながら、ウィスキーらしき液体が半分入ったタンブラーが、カウチのそばの側卓に置かれているのに気づいた。前に進み出る。「トニー・ロードです」奥《マ》さん《ーム》、という言葉は付け加えないほうがいいだろうと、用心深い本能が告げた。

ドティー・ロブが、トニーを、上から下へゆっくりと眺めた。そして、わりあい滑らかな動作でカウチから立ち上がると、優雅な手をのばした。その手は冷たく、乾いていて、視線は露骨で、どことなくからかっているようだ。「ドティーよ。サムの母親」

さらにいっときトニーを観察してから、サムに近づき、頬にキスをした。サムは逃げもしなければ、受け入れもしない。母親に抱きしめられたとき、サムの目は無表情だった。

サムは無言でトニーを裏庭へ案内した。

芝生はのびていて、花壇は手入れされていなかった。栃《とち》の木の枝から、ロープにつながれて、古いトラックのタイヤがぶら下がっている。

唐突にサムが「俺の足を見ろ」と言い、タイヤから二十フィート後ろに下がった。両足の指の付け根に体重を載せて調子をとってからボールを投げたとき、体重が前の足にかかるのをトニーは見た。ボールはタイヤをくぐり抜けた。

「おまえの肩はそんなに悪くない」サムが言う。「だけど、ジョーが――俺の兄貴が言ったように、体重を正しくかけないと、腕をのばし切らないで投げちまう。勢いも出なけりゃ、距離も出ない」

その言葉が十四歳の少年のものではなく、死んだ彼の兄の言葉だとわかり、トニーは、サムの家族がサムの成功に並々ならぬ関心を持っているにちがいないと気づいた。そしてはじめて、サムの心の広さを感じた。クォーターバックのポジションを失ったことは、彼の家族においては、トニーの家族においてよりも、ずっと大きな問題だろうから。

「おまえの番だ」サムが言った。

トニーは投げ始めた。サムが腰に手を当てて隣りに立ち、簡潔な指示を出す。十球中七球がタイヤをくぐった。

最後にサムは何も言わずにうなずき、ボールを下手投げでトニーに返した。「今度はサイドライン」と言って、数フィート離れ、庭の左側に沿った薔薇《ばら》の花壇のほうへ走る。

トニーは投げた。

ボールはサムの頭をふらふらと越えた。サムがそれをとろうと速度を増し、それから突然足を止め、薔薇の茂みの間近で跳び上がったが、ボールはサムの向こうの地面に鈍い音をたてて落ちた。

ふたりの背後で、網戸がきしりながらあいた。ドティー・ロブの金切り声が響く。

「薔薇に注意してちょうだい――大事な花たちなのよ」

ふたりは振り返った。ドティー・ロブが、両手で戸枠にもたれ掛かって、ふたりを見ていた。花壇の前のサムは、母親を見つめながら、返事をせず、顔を赤くしている。

「うるせえ」と押し殺した声でサムがつぶやくのが、トニーだけに聞こえた。ドティー・ロブは満足して、戸を閉めた。彼女はいつから見ていたのだろう、とトニーは思った。それに、いつから飲んでいるのだろう？

「もう一度」と、サムが声をかける。「もう少しゆるい弧を描くように投げるんだ、いいな？　それから、おふくろの胸くそ悪い花をだめにしないように」

連帯意識と誇りをにじませた声で、トニーは答えた。「いざというとき、ぼくは頼りになるよ」次の四つのパスは完璧《かんぺき》に近かった。

「よし」サムが突然言う。「あとは本番を待つだけだ。高校生活のなかで、大事な試合で競《せ》り合いになることがあるだろうが、そのとき、勝敗は俺とおまえの肩にかかる」そこで言葉を切り、トニーを見据えたまま、はじめてにこりと笑った。「俺は、レイクシティ高校始まって以来の名エンドとなって、パスをとりまくるぞ。おまえは俺が必要になる」

冗談を言っているのではないかと思って、トニーはサムをじっと見た。サムが微笑《ほほえ》むのをやめて、「ほかのやつらはおまえを気に入ってる」と、ぶっきらぼうに言う。「連中はおまえのためにプレーするだろう。だが、おまえは俺が必要になる」

相手を認めるサムの言葉に、そして照れ隠しの大言に、痛みが混ざっているのを、トニーは感じた。「サイドラインの動きをやってみよう」ようやく口を開く。「今みたいに。

今度は、きみをマークする敵を引きつけてから、いきなり中央へ戻るんだ、深く」

サムがトニーにボールを投げて返す。

トニーは間をおき、求める映像を思い浮かべようとした。陽射《ひざ》しが弱まり、芝生と木々の緑が濃くなってゆく——そんな午後が周囲から消えた。心の目にあざやかに見えるのは、求めていた瞬間だった。

サムが、理解しているかのように、じっと待っているのが感じられた。「行くぞ」トニーは言った。

サムが左の薔薇のほうへ走る。トニーは、今度は足に体重をかけずに、すばやく後ろへ下がり、想像上の敵を避けるために右手へ走る。

突然、サムが庭の中心をめざした。トニーはすぐに止まり、サムの頭の向こう、右側にボールを投げ上げた。サムはボールを追って懸命に走った。ゆっくりと落ちるボールに向かって、最後のダッシュをし、指の先で捕らえる。

足を滑らせながら止まると、高くボールを持ったまま、向き直った。一瞬、サムがもはやそこには存在せず、想像上の観衆に名を呼ばれるのを聞いているかのように、トニーには思えた。サムの目はなかば閉じられている。

唐突にその目が開いた。「タッチダウン」サムが大声で伝える。「上出来だ」

ふたりが待っていたときが来た。

観客席からアリスンが、ついでに両親が、見守っている事実は、トニーにはなんの意味もなかった。ジャック・パーラムの怪我《けが》は、ありがたくも試合が一時中断したというだけの意味しかなかった。サイドラインへ走り、チアガールたちのそばを通りすぎたときも、スー・キャッシュがボンボンを振って励ますのにも、彼女のカールした茶色の髪や明るい笑顔にも、彼女が音頭《おんど》をとって声援を送るさいにかすかに漂う香水の香りにも、トニーはほとんど気をとられなかった。「われらがレイカーズ、強いぞ、強いぞ、レイカーズ……」

サイドラインでは、ジャクスン・コーチが煙草《たばこ》が吸いたいとひたすら望みながら、時計をにらみ、行ったり来たりしていた。四十五歳のコーチは、すでに心臓発作を起こしたことがあり、喫煙だけが胸板の厚い体の体重増加を抑えていた。赤くごつい顔から、蛇を思わせる細い目がトニーを見据える。

「どういう作戦にするつもりだ?」コーチがきく。

トニーは話した。

ジャクスン・コーチの目が大きくなる。相手を威嚇《いかく》するときの表情だ。「今夜、サムはマークされっぱなしだぞ」

トニーは肩をすくめた。「だから、向こうは予想しないはずです」

ジャクスンの顔に、おもしろがるような表情が浮かんだ。目の前の少年への深い愛情、ひとを見る目に対する自負。この瞬間をジャクスン・コーチは生きがいにしている、とトニーは実感した。

「とにかくこの試合に勝て」ジャクスンが言った。

トニーがオフェンス・チームを率いてフィールドに向かうのとは対照的に、リヴァーウッド側は、選手のひとりとトレーナーがジャック・パーラムに手を貸してサイドラインへ向かっていた。サムが小走りにやってきて、言った。「うまくやっただろ――ファンブルと試合中断」

サムの声には純粋な喜びが混じり、アドレナリンが湧《わ》き出ているのが感じられた。オフェンス・チームがハドルを組むと、トニーは間をおき、選手のひとりひとりを見た――ラインマンたち、サム、ホーリーネーム時代からの友人で筋骨たくましいジョニー・ダブルーツィ、ハーフバックでハイスクール唯一《ゆいいつ》の黒人、アーニー・ニクスン。どの顔も不安に満ち、張りつめている。トニーはそっけない口調を保った。

「この攻撃で最後だ。ファンブルや反則はなし。平常心をなくしたり、ヒーローになろうとしたりするのもなし。必要なことをやれば、試合はこっちのものだ。時計の心配はぼくがする」

全員が落ち着いたように見えた。トニーが作戦を告げると、選手たちはハドルを解き、自信を持ったようすで位置につく。彼らの後ろに立って、トニーはディフェンス陣を見た。時計はまだ一分十九秒のままだ。センターがボールをスナップするまで、針は動かない。

センターの後ろへ歩み寄った。観衆の叫び声は遠い雑音にしか聞こえず、ジョニー・ダブルーツィが背後に、アーニー・ニクスンが右にいるのを感じる。トニーは合図の咆《ほう》哮《こう》をあげた。

ボールがすばやく手渡された。肩パッドのぶつかる最初の音、ラインマンたちの痛みと怒りと攻撃のうなりを耳にしながら、くるりと向きを変えて、アーニー・ニクスンにボールを渡す。

アーニーはなやめ左に進んで敵のラインを越えようとし、それから穴を突き進んでさらに五ヤード得たところで、リヴァーウッドのラインバッカーのヘルメットを胸に食らい、地面に倒れた。

次のプレーでは、ジョニー・ダブルーツィが走り、ほとんど前進できなかった。

「タイム」トニーは主審に叫んだ。そのときになってはじめて時計を見る。

残り四十四秒。とれるタイムはこれで最後だ。

選手がトニーのまわりに集まる。ジョニー・ダブルーツィが「もう一度俺にボールをくれ……」と頼み込んでいる。サムが、狼《ろう》狽《ばい》といらだちでゆがんだ顔で進み出て、トニーのジャージをつかんだ。「俺はマークされてない。そろそろ俺に投げろ――時間切れになるぞ」

トニーは自分の怒りを抑えながらサムの手を見た。「時間はたっぷりある」と言う。その口調は別のことを告げていた――まだそのときじゃない。

ふたりはにらみ合い、やがてサムが手を下ろした。トニーは、まるで何事もなかったかのように、ほかの選手のほうを向いた。心臓が早鐘を打っている。

「よし」ジョニー・ダブルーツィの真剣な目を見つめ、結論を出す。「もう一度、ジョニーに走ってもらう。今度は左サイドをだ。それから、ぼくがオプションプレーをする」

サムがびっくりし、アーニー・ニクスンががっかりするのがわかった。ふたりを無視して、トニーは次の二回のプレーの数字を告げる。だが、ハドルが解けたとき、アーニーの袖《そで》をつかんだ。「ラインバッカーの左側を切り開いてくれ、頼んだぞ」

「まかせてくれ」

向きを変えると、トニーは何気ないふうを装《よそお》い、センターの後ろへゆっくりと歩いた。そして突然、「ハット・スリー」と声をあげ、手もとに来たボールをジョニー・ダブルーツィの腕のなかへ移した。アーニー・ニクスンを露払いにして、ジョニーが左側へ走る。アーニーは、美しいとさえ言える猛々《たけだけ》しさで、敵陣に突っ込んだ。体を丸め、リヴアーウッドの右のラインバッカーに肩からぶつかり、相手を後方へ倒す。そこを走り抜けようとしたジョニーが、倒れるラインバッカーの脚に、唐突に、そして完璧につまずいた。

「ちくしょう」トニーは声を殺して言った。残り時間は、三十一秒、三十秒、二十九秒……。エンドゾーンまで、まだ二十ヤードある。

青いユニフォームが駆け足で自陣に戻り、スクリメージライン沿いに並び直す。二十二秒……。

センターがトニーにボールをスナップした。

アーニー・ニクスンを後方に従え、トニーは横に走った。選べる手段は、自分で走るか、アーニーにボールをパスするかだ。

観衆が声をかぎりに叫び始めるなか、トニーの前にブロッカーたちの波ができた。アーニーは後方外側にいる。横パスを投げるには適当な位置だ。しかしトニーは、前方に可能性が開けているのに気づいた。サイドライン沿いに十ヤード進み、そこでフィールドの外に出れば、また時計が止まる。高まる叫び声を耳にしながら、トニーはスクリメージラインを越えた。

どこからともなく、トニーの視界のすみに赤いジャージが現われた——レックス・ストルワース、敵の最も俊足なラインバッカーだ。ストルワースのヘルメットが顔の横にぶつかる音を聞いた瞬間、体に衝撃が走り、トニーは闇《やみ》に落ちた。

次にやってきた感覚は、土と草のにおいだった。上体を起こして、膝《ひざ》をつく。時間が失われていく。

「トニー！」サムが叫んだ。

無意識に、トニーは時計を見上げた。

十六秒、十五秒、十四秒……。ふらふらと立ち上がり、フィールド中央へ走って戻った。「一でスパイクだ」大声で伝える。

ラインマンたちがふぞろいに並んだ。「十」と、リヴァーウッドのファンたちが声をそろえて唱え始める。「九……」

「一」トニーは叫んだ。ボールが渡されるとすぐ、地面にたたきつけた。パス不成功で、時計停止。

残り五秒。

トニーは深呼吸をしながらスクリメージラインから下がった。吐きそうだし、目が回っていた。頭ががんがんする。

サムが真っ先に駆けつけた。「だいじょうぶか？」

「ああ」

「俺にパスしろ。頼む」

選手たちがふたたびトニーを囲んだ。トニーは頭を振ってはっきりさせ、誰にともなく言った。「まいったな。もう少しで、パーラムといっしょにおねんねだった」

選手たちの無言の安堵《あんど》が伝わってきた。サムだけが緊張しきっている。

「いいか」トニーは言った。「残り五秒、二十ヤード、タイムはなし。試合に片をつけるときが来た」言葉を切って、サム以外の全員を見る。「三十五、リヴァースパス」

ハドルが解けた。声を殺して、トニーはサムに言った。「いよいよだぞ」

サムが覚悟を決めた顔でうなずく。ふたりは選手たちといっしょに最後のスクリメージラインへ歩いた。

トニーはひと息つき、すべてをとり込んだ――観衆、明るさと暗さ、チームメイトが形作る青い列、冷やかしやあざけりの言葉を投げつける赤い敵陣。それから、今からするつもりの行動以外は念頭から追い出した。

時間が速度を落とした。自分の声がどこかほかの場所からやってくるような気がする。しかし、トニーがいたい場所はここだけだった。

「ハット・ツー……」

ボールがぽんと渡された。

トニーはそのボールをアーニー・ニクスンの懐《ふところ》に滑り込ませた。アーニーが前屈《かが》みになって、決意を固めたふりをしてラインに突き進む途中で、トニーはボールをとり戻し、くるりと向きを変え、ジョニー・ダブルーツィの胸にそれを押しつける。

しかし、一瞬のあいだだけだった。

ジョニーが上体を起こし、まっすぐトニーめがけて突っ込んでくるラインバッカーに肩からぶつかる。ひとりになったトニーは、ボールとともに右サイドを駆けた。

前方に選手がどっと集まるのが見えた――ラインバッカーがふたり、トニーがエンドゾーンへ向かうものと信じて、進路を塞《ふさ》ごうと平行に走っているし、味方もそれを阻止しようと前を走っている。

見るとはなしに、サムが左のサイドラインへ向かうのが目に入った。トニーたちからずっと離れているので、プレーとは関係のない、おとりのように見える。

すると突然、サムが向きを中央へ変えた。彼をマークする後衛が三フィート引き離される。

完璧だ、とトニーは胸の奥でつぶやいた。

トニーは急に立ち止まり、ボールを投げようと腕を上げた。観衆が警告の声を発する。

トニーには見えない方向から、ストルワースが頭を下げ、突進してきた。

トニーは前進しながらボールを後ろへ引いた。同時にストルワースが跳びかかり、のばした手でトニーの足首をつかむ。

トニーはバランスを失って、よろめいた。次の瞬間、左手で地面を突きながらも、転ぶのを食い止める。

前方では、さらにふたりのラインマンが駆けてくる。トニーは進路を絶たれた。サムの姿は見えなかった。ここでパスを投げようとすれば、敵のタックルの餌食《えじき》になるかもしれない。

トニーはまっすぐに立ち、腕を上げて、投げた。前足に体重を乗せ、サムが持ち前の脚力でたどり着くはずの場所へ。ボールがトニーの手を離れた一瞬後、一番乗りの敵がトニーの無防備のあばらを打った。

内臓が動くのが実感できた。痛みに体を貫かれながら、地面に倒れる。トニーは無意識に横に転がって、上体を起こした。

ボールが弧を描いて、なすすべもなく見守る選手たちの頭を越える。その飛びかたはゆっくりしたものに見えた。エンドゾーンの後方部分へ向けて、希望と不安の叫びを引き連れて、明かりと暗がりのなかを抜けていく。

遠くへ投げすぎた、とトニーは心の内でつぶやき、それからサム・ロブの姿を目にした。

絶体絶命に見えたが、サムは落ちるボールに向かって全力疾走していた。ボールまで三フィート、エンドゾーンが終わる二フィート手前で、間合いを計って跳ぶ。

足が芝地を離れるとすぐ、手と体がのびて、地面と平行になり、指の先がボールを捕らえた。サムはエンドゾーンの向こうに落ちながらも、足を地面に引きずらせて、ゾーン内に残る最後の努力をした。トニーには、サムの足が残ったかどうか見えなかった。見えたのは、サムが立ち上がって、主審のほうを向いたとき、その手にボールがあったことだけだ。

トニーは立ち上がった。主審を見つめるあいだ、痛みのことは忘れ、頭のなかで無言の祈りを唱えていた。

ゆっくりと主審が両手を高く上げる。

トニーの喉《のど》がつかえた。

タッチダウン。やった、タッチダウンだ。トニーはサムのもとへ走った。

サムは両腕を上げ、片手にボールを持って、エンドゾーンに立っていた。彼の上方のスコアボードが、レイクシティに六点追加する。サムのヘルメットは脱げている。クリーグ灯の下、彼の顔に涙があるのをトニーは認めた。

サムは身じろぎせずに立っていた。そして、突然、トニーに気づいた。

向きを変え、ボールを放って、トニーのほうへ走る。

ふたりはゴールライン上で出会った。一瞬、動きを止め、それから互いに腕をのばして抱き合った。

無言で、サムがトニーを引き寄せる。その瞬間、トニー・ロードがサム・ロブ以上にいとおしく思う人間は存在しなかった。

「タッチダウン」トニーはかすれ声で言った。「上出来だ」

2

チームメイトたちがゴールラインに押し寄せてきて、歓声をあげ、抱き合い、たたき合った。脈絡のある会話は交わされない。今というときは、自分たちだけが分かち合える瞬間であり、言葉は要らなかった。無言の合図を機に、選手たちは解散し、出口の門を抜けて、トニーが高校よりも工場みたいだと常々感じている、黒ずみ、色褪《あ》せた煉瓦《れんが》造りの建物へ向かった。観客席からあふれ出たファンが、門から戸口まで両側に列を作って祝福する。

建物に入ると、トニーは狭い廊下で立ち止まり、歩調をゆるめて通り過ぎるチームメイトたちと握手しながら、ジャクスン・コーチを待った。例によって我関せずという態度で、まるで何事もなかったかのように、コーチが選手たちの最後尾を歩いてくる。感情は選手たちのためにとっておくのだ。

戸口に来ると、ジャクスンはトニーが待っているのに気づいた。

ジャクスン・コーチは、仕事の最中にじゃまが入ったかのように、迷惑そうなふりをした。「何か用か、ロード?」

「あいつにボールをやってください、お願いします」

ジャクスンがトニーの肩に片手を置く。顔は笑っていない。「俺は俺のやりたいとおりにする」と言って、ロッカールームへ向かった。

トニーはいぶかった。なぜコーチは、サムが心から認められたがっているのに、こんなささいなことでも、認めてやらないのだろう? サムはコーチのために懸命にプレーし、表面では強がっていながら、ほかの大多数の生徒と同じように彼を怖《おそ》れている。コーチの態度は、どこかおかしい。サムにはなんとしても聞かせたくないうわさが思い出された――ジャクスン・コーチがサムの母親と寝ているといううわさだ。トニーは、コーチの心臓が持ちこたえるよう願った。

向きを変え、ロッカールームへ行った。

選手たちは、今はおとなしくなって、へこんだ灰色のロッカーの前に置かれた木製ベンチに座り、頭を垂れていた。ジャクスン・コーチが短い祈りを唱える。コーチがここ何年も教会に行ったことがないと、トニーは自信を持って言えた。

「神よ、ありがとうございます」コーチの祈りが終わる。と、唐突に頭を上げ、ベンチの上に立った。神さま気どりだ。

「さてと」ジャクスンがぶっきらぼうに言う。「ここで、ありきたりの感想を言うつもりはない。これまで指導したなかでいちばんのチームだったとか、いまわの際《きわ》におまえたちを思い出すだろう、なんてことはな。うんと長生きして、おまえたちのことはすっかり忘れたいよ。

重要なのは、そんなことじゃなくて、おまえたちが何を持ってここを去るか、それだけだ。

競技場の得点はやがて消される。この選手権は、おまえたちが勝利を味わう最後のものかもしれない。だが、今夜、おまえたちはみごとにやってのけた。勝つということではなく、なし遂げるということを。

おまえたちは精いっぱい戦った。ほかの仲間と力を合わせた。自尊心を持った。それを持ち帰れ。そうすれば、何事もうまくいくだろう」

汗ばんだ顔がいっせいにジャクスンに向けられる。トニーも思わず心動かされた。ジャクスンのおかげで、落ち着いて物事にとり組めばよい結果が得られることを学べた。これは試合のボールよりもありがたかった。なぜなら、いつでも持っていられるものだから。

ジャクスンは助手からボールをつかみとると、捧《ささ》げ持った。

トニーはサムを見た。友がジャクスンを見上げる姿から、切実な欲求がはっきり伝わってきて、目をそらす。

ジャクスンが言った。「そうは言っても、このボールは存在する。これを受けとるにふさわしい者はおおぜいいる。まあ、なかには、とりそこなうやつもいるだろうが」

何人かの笑い声。だが、サムは口もとをゆるめもしなかった。目はジャクスンに釘《くぎ》づけになっている。

ジャクスンがトニーのほうを向いた。「だから、俺はこれをトニー・ロードに渡そうと思う。理由を言う必要はないだろう。おまえたちはこのシーズンずっと、いっしょにプレーしてきたんだから」

トニーが進み出ると、選手たちは手をたたき、歓声をあげた。ジョニー・ダブルーツイが立ち上がり、アーニー・ニクスンが立ち上がり、全員が立ち上がる。トニーはサムを見なかった。

何を言うべきか。このボールをサムと分かち合いたいというようなたわごとを、トニーはすぐさま却下した。ほかの仲間を軽んじる発言だし、サムに対して恩着せがましい。ベンチの、ジャクスンの隣りに上がって、仲間の顔に目をやりながら考えをまとめ、それから重々しい口調で話し始める。

「このボールがぼくの手にあるのは、ここにいるひとりひとりのおかげです。だから、みんなと分かち合いたい」にやりと笑った。「面会時間は九時から五時です」

選手たちがびっくりして笑う。

それに勇気づけられて、トニーは続けた。「けれど、考えてみると、もしサム・ロブのキャッチがなかったら、今ごろはどこかの病院でジャック・パーラムがこのボールを持たされて、これがフットボールなのか地球儀なのか頭を悩ませていたことでしょう。そこで、ジャック・パーラムの健闘をたたえて、週末はサムがボールと寝る権利を有します」

笑い声が湧《わ》き上がるなか、若者たちの顔がサムに向けられた。「いいぞ、サム」誰かが声をかけた。サムは、うれしさと驚きとで、歯を見せて笑っている。トニーは笑い声が静まるのを待ってから、下手投げでボールをサムに投げた。

「ナイスキャッチだ」トニーは言った。「今度も」

チームの面々がトニーに向き直った。今、トニーの声は低かった。

「みんな、最高だよ。ジャクスン・コーチはみんなのことを忘れるかもしれない――頭にものがいっぱい詰まっているから。けれど、ぼくは決して忘れない」

拍手喝采《かっさい》が起こらないうちに、トニーはベンチを降り、近くにいた何人かの選手と抱き合った。しかし、サムのところへ行ったときは、こうきいただけだった。「ガールフレンドたちはどこに隠れている?」

頬をゆるめながら、サムは指の先端でフットボールを地球儀みたいに回した。目はボールを一心に見つめている。「駐車場だ」そう答え、ボールをトニーに投げ返す。

三十分後、オクスフォード・シャツとチノパンツに着替えたふたりは、いっしょに建物を出た。

外では、生徒とファンが数人と、地方紙の記者ふたりがまだ帰らずに、寒い夜空の下をうろついていた。ぱらぱらと拍手が起こり、声がかかる。トニーは喜びととまどいの両方を覚えた。まるで有名人のような扱いだが、これはひとシーズンだけのことであり、しかも、しみじみ実感するには若すぎるときに起こって、あっという間に過ぎ去ってしまう。すでに、二年前の英雄たちは、チームに顔を見せに来ても、半ば無視されている。彼らが目当てのものを得られず、手ぶらで帰るのを、トニーはしばしば見てきた。この栄光がしょせんは借りものだということが、彼らにはわかっていなかったのだ。

だが、今は自分たちのシーズンだ。自分とサムの。記者の一方は若く、もう一方は中年だったが、そのふたりがメモ帳を手に進み出たとき、サムの顔にある種の自負が宿った。それは、トニーの目には、素朴さの現われに近いものとして映った。

「もっとくっついて、トニー」若い記者が声をかけ、ふたりの写真を撮る。「きみたち、兄弟みたいに見えるね」

そうでないことを、トニーは知っていた。サムの髪は白に近く、トニーのはキャラメル・ブロンドだ。サムの滑らかな顔は彼を歳《とし》より若く見せているのに対し、トニーの顔は角張っており、鼻は筋が通っていて高めだ。サムのほうが筋骨たくましく、百八十三センチの身長はトニーよりゆうに三センチ高い。しかし、今シーズン、ひとは見たいようにふたりを見る。

年上のほうの記者が進み出て、おどけた声できいた。「それで、きみたちのどっちが最優秀運動選手に選ばれるかな？」

トニーは好ましい感情がしぼむのを感じた。「さあね」と、ぞんざいに答える。「この学校には運動のできるやつがたくさんいるし、今はまだ、バスケットボールのシーズンでもない」

サムが進み出て、「今夜のあのプレーと同じだよ。俺たちはふたりであれを高一のときに作り上げた」いったん言葉を切り、トニーに微笑《ほほえ》みかける。「こいつは実際に俺にボールを渡せる男だと見込んだときのことだ。それからいつもいっしょにやってきたんだ、どっちがその名誉を手に入れようと気にしないさ」

サムがでまかせを言っているのが、トニーにはわかった。サムは、口にはできないほど、大いに気にしている。だが、それはトニーも同じだった。真実を語るのは危険に思え、ふたりはうそをつくことしかできなかった。

「それじゃあ」と、トニーは言った。「ぼくたち、ひとを待たせているので」

「デート?」若いほうの記者が興味ありげな顔になった。「誰と出かけるの?」

レイクシティならではの質問だ、とトニーは声に出さずに言った。サムのほうを見る。

「スー・キャッシュ」と、サムは言い、肩をすくめた。「いつもと同じだよ」

「きみは、トニー?」

トニーはためらった。「アリスン・テイラー」

男が、厳粛とも言える面持ちでうなずく。あのアリスン・テイラー、とその顔は言っているようだった。当然の反応だろう。

「行こう」と、トニーは小声で言った。

3

スーとアリスンは、ひとけのない駐車場のいちばんはしの木の下で、静かに話をしながら待っていた。スーはチアガールのユニフォームと紋章の入ったサムのジャケット、アリスンは濃紺の上着、ヴィレジャーのセーター、プリーツスカートというでたちだった。サムとトニーに気づくと、スーはサムに駆け寄った。アリスンはわずかに後ずさりした。その空間を埋めるかのように、スーがトニーのほうを向いて、ぎゅっと抱きしめる。

「あなたたちはどっちもすばらしいわ、トニー。最後なんか、あたし、死ぬかと思っちゃった」

スーを見下ろしながら、トニーは微笑《ほほえ》んだ。スー・キャッシュが何かで死ぬのを想像するのはむずかしい。なにしろ、大きな茶色の目は生き生きとしているし、引き締まった体は活力に満ちているし、表情豊かな顔は、ハリウッドのミュージカルに登場するかわいらしい子役――上を向いた鼻、がっちりしていて線のきれいな顎《あご》、笑うとできるえくぼ、くるくるカールした茶色い髪――を思い出させるからだ。それでいながら、トニーの知っている多くの女の子とは違い、スーには幸福な家庭の妻や母親を想像させるようなところがあった。外向的性格の下に、女らしく、堅実なものが、すなわち、庇護《ひご》を必要としているものがあれば常にその世話をするような面があった。今現在、彼女が面倒を看《み》なくてはならないのは、トニーそのひとだ。

「スー」と、トニーは言った。「きみは試合のボールより断然いい」

ふたりは笑みを交わした。それからスーはサムのもとへ戻り、サムの胸に顔を押しつけて、ふたたびぎゅっと抱かれた。恋人たち。

アリスンが前に進み出た。いつもの落ち着きが見えず、おずおずとしている。トニーにすばやくキスをすると、はじめてにっこりした。「わたしの英雄さん。あなたがキャンプファイアーから連れ出した場所はここ？」

冗談を言う声が少し震えている——これもアリスンらしくない。今夜、彼女は張りつめていた。トニーは、スーとサムに見られていることを意識した。

「コーラでもどうかと思って」と、トニーは答えた。

ためらいがちな笑みとともに、アリスンはかすかに首を横に振った。ほかのふたりにはわからないぐらいかすかに。トニーは胸がしめつけられるのを感じた。

アリスンは、トニーがこれまでに会ったどの女の子とも違っていた。頭の回転が速く、少し慎重で、落ち着いた雰囲気は、自分の素性を、あるいはたぶん家族の素性を受け入れていることを暗に示していた。今夜のアリスンのいつもらしくないふるまいは、トニーが知りたいことを教えてくれた。

トニーはそっと言った。「そろそろ行こうか」アリスンの手をつかみ、サムとスーのほうを向く。

「俺たちといっしょに来いよ」サムが言った。「ちょっとだけでいいからさ。車にウィスキーがあるんだ。あったまるぞ」

トニーは、アリスンの手が肘《ひじ》に触れるのを感じた。「いや、やめておくよ。少しのあいだ、ふたりになりたいんだ」

サムはアリスンをちらりと見ると、ゆがんだ、いくぶん不愉快そうな笑みをトニーに向けた。ウィスキーを飲むには及ばないというわけだな、とその表情は言っている。ふたたび、アリスンが居心地の悪さを感じているのが、トニーに伝わった。

「警官に捕まるなよ」トニーはサムに言った。

サムが笑う。「この町で、今夜？　どこの誰が俺たちを豚箱に入れる？　アリスンが言ったように、俺たちは英雄だよ。やりたいことはなんでもできる」

ひと晩だけのことだ、とトニーは胸の奥でつぶやいた。サムの機嫌のよさには、どこか気にかかるところがあった。有頂天になりすぎている。

「月曜に会いましょう」アリスンがスーに言う。サムには声をかけなかった。

向きを変え、トニーとアリスンはトニーの車へ歩いた。車は、六一年型フォード・フェアレーン。ふた夏アルバイトをして手に入れたもので、常にワックスをかけ磨き上げてあった。だが、最も重要なのは、ラジオが壊れていないことだ。

車に乗り込むと、アリスンはトニーのほうを向いた。

顔までほかの女の子と違って見えた——ぴかぴかの硬貨のようだ、とトニーはときおり思った。あるいは、繊細な鋼鉄片か。漆黒の髪が顔の両側にまっすぐ流れ落ち、頬のくぼみと、中央の切れ込んだ顎と、陶器のような顔色を強調していた。スーが元気はつらつなのに対して、アリスンは注意深く、ある種の気骨がある。ひそかな思いを込めたような笑みをときおり見せるが、黒い目は穏やかな率直さを湛《たた》え、めったに視線をはずさない。外見は、アリスンの役回りをよく表わしており、クラス委員のアリスンを、ほかの生徒は、友だちというよりも尊敬する人物と見なした。アリスンは、トニーには打ち解けた態度をとった。

今、トニーは彼女を急《せ》かしたくなかった。「ぼくたちにはまだ決めなきゃならないことがある」

アリスンが迷いのある顔を向ける。しかし声には、粛然とした決意が込められていた。「いいえ」と、アリスンが答える。「わたしは自分が何を望んでいるのかわかっている」

何も言わず、トニーはキスをした。自分たちは夏の夜に始めたことをやり遂げるんだ、と胸の内でつぶやく。ふたりをひどく苦しめたあの夏の……。

その夜は、夏のレイクシティとはいえ暖かかった。Tシャツとショートパンツ姿で、彼ら四人は、アリスンの屋敷の裏庭を通り抜け、崖《がけ》からテイラー家の係留所につながる階段を下り、今は図書館となった古い家と同様に、アリスンの家族が町に寄贈してから長い年月がたったのに、いまだに彼らの名前が付いている公園のなかの公共ビーチへ行った。

砂の多いビーチで、座るにもいちゃつくにも適当な柔らかさがあった。エリー湖はきたない。ややきつい悪臭が水上に立ちこめており、においのもとを突き止めるのにたいして頭を働かせる必要はなかった。だが、彼らは十七歳だったし、彼らが行ける浜辺はそこしかなかった。

四人は流木と灯油で焚《た》き火をし、ホットドッグを作った。サムはにせの身分証明書で買ったビールを持ってきていて、そのよく冷えた茶色いカーリングのびんの栓を堂々と抜き、各自に渡した。このときもトニーは、自分たちが少々おもしろい組み合わせだと感じた。アリスンは明らかにスーを好いているのに、サムに対しては、完全には予測できない自然現象を観察するかのように、用心深い目を向ける。それでいながらアリスンは、さまざまなできごとをおもしろおかしくしてくれるのはサムだと、喜んで認めるはずだ。アリスンもそれを自覚しているのを、トニーは知っていた。たとえ、サムにときおり、〝氷の女王〟と呼ばれるにしても……。

四人はくつろいで座り、のんびりビールを飲んだ。月は大きな満月で、岸に打ち寄せる湖水に月光が反射している。静けさのなかで、トニーは、サムがアリスンを、続いて自分をじっと見るのに気づいた。

理由は想像がついた。四人のなかで話題になったことはないが、サムとスーは数か月前から肉体関係を持っていた。トニーとふたりでいるとき、サムはこの件に関してかなりあけっぴろげで、相手にも同じことを期待した。しかし、トニーには差し出せるものがなかった。ちょうど一週間前、トニーはまたもや同じ返事をした。

サムが目をみはった。「六か月も付き合ってるのに？」と、おおげさに驚いて言う。

「おい、トニー、気どるなよ。水くさいぞ」

「気どってなんかいないよ。たぶんアリスンは、最初の相手について、思うところがあるんじゃないかな」

サムの目が愉快そうに光る。「経験がないのか？」

トニーはうなずいた。「それに、もし状況に変化があっても、ぼくから話を聞けるとは思わないでくれよな……」

今、サムはアリスンを見て、言った。「みんなで泳がないか？」

アリスンが、これはどうやら癖らしく、サムをまっすぐに見た。「水着がないのに？」

サムが笑う。「暗いじゃないか」と、くったくなく言った。

アリスンは無言で微笑んだが、視線はそのままだった。「真っ暗じゃないわ」

サムは一瞬アリスンを見てから、肩をすくめ、スーのほうを向いた。「泳ぐだろ？」

スーは答えなかった。レイクシティ高校の校風において、ボーイフレンドと肉体関係があっても、あばずれとは見なされない。さらに言えば、複数の相手と経験があっても、関係と関係のあいだに、愛が生じるだけの期間があいていれば問題ない。スーはアリスンのことを気にしているらしかった。仲間意識にひびを入れまいとするように、スーがアリスンのほうを向く。サムは辛抱強く待った。サムがスーに対して、トニー以外の誰に対してよりも心を配っているのが、トニーにはわかった。

「少ししたら戻ってくるわ」スーはアリスンに言った。サムが、トニーをちらりと見てから、スーの手をとった。

トニーとアリスンは無言のまま、サムとスーが歩き去るのを見守った。ふたりの影がぼやけ、暗闇《くらやみ》に消える。

トニーはそっとアリスンにキスをした。「泳ぎたい？」トニーはきいた。「あいつらは一時間かかるよ」

アリスンが顔をぐっと近づけて、ためらいと欲望の混じった目でトニーを見つめる。ふたりは互いに触れ合ったことがあるし、ときには抑えがたい気持ちにまで高まったこともあるが、いつも服を着ていた。やがて、アリスンが立ち上がり、トニーに視線を向けたまま、暗がりへ後ずさった。

トニーは待った。動くのがこわかった。暗がりのアリスンはシルエットだけになっていて、腕を頭よりも高く上げている。彼女の裸体を、トニーは見るのではなく、感じることができた。

ほっそりした体が月光のなかに現われ、滑るように水中へ入っていく。トニーは、自分の贖罪《しょくざい》司祭であるクィン神父を思い出した。アリスンは〝罪の誘因〟なのだから、彼女とセックスする罪はとり返しがつかないほど大きなものだろうと察せられた。アリスンの心臓の鼓動を感じることができた。

服を脱ぎ、トニーも続いた。

アリスンは背を向けて、腰まで水に浸《つ》かっていた。やがて膝《ひざ》をついたらしく、漆黒の水の上に頭だけ出して、こちらを向いた。アリスンがなんの許可もくれていないのは承知していた。これは、アリスンなりの身の覆《おお》いかたなのだ。

アリスンから一メートルほどのところ、水が腰まで来る位置で立ち止まった。手をのばせば触れられるぐらい近くにある、アリスンの体の隠された部分が想像できる。トニーは体内がたぎっているのを感じた。

アリスンのほうへ進んだ。彼女は身を固くし、一歩後ろに下がって、また止まった。視線はじっと動かない。

トニーは両手をのばし、アリスンの胴をつかんで持ち上げると、何か月もの彼女に対する欲望で胸をいっぱいにして、引き寄せた。

口と口が触れ合い、それから体と体が触れ合う。アリスンの小さな乳房が胸に感じられ、彼女の腰が突然湧《わ》き起こった欲望によって前に突き出されるのがわかった。と、彼女が首を反らし、身をよじった。

「できないわ」声が緊張している。「今はだめ」

切羽詰まった欲求に捕らわれて、トニーはアリスンを離せなかった。「できるよ……」アリスンの目は閉じられていた。相手の姿が見えなければ、これ以上相手を欲しくならずにすむというかのように。急にトニーはむなしさを覚えた。ぎりぎりのところで欲望を否定され、まるで突如としてふたりには何もなくなったかのように、体にぽっかり穴があいた気がした。低い声で言った。「またご両親がうるさく言いだしたんだ」

アリスンの目が開く。今度は目をそらすことができないようだった。「両親も理由の一部だけど……」

「またしても、ぼくがカトリックだからと言うのか?」怒りと失望に、トニーの堪忍袋《かんにんぶくろ》の緒が切れた。「いくら用心してもしすぎることはないって? 〝連中〟をクラブに入れたら、次にはもちろん、娘が首にロザリオを掛けた赤毛の子どもを次々に産み、法王の前に長い列を作って……」

不意に、トニーは自分たちのあいだに壁が降りたような気がした。向こう側、トニーには閉ざされた側には、ニューヨークへの買い物旅行や、パリでの休暇や、テイラー家の東海岸の友人の息子や娘たちとの週末という世界が広がっている。一方トニーの側では、祖父が今のロードよりも二音節長いポーランド系の姓を名乗り、テイラー家の玄関で頭をぺこぺこ下げている。

アリスンの視線はトニーからそれなかった。「それに関しては、両親を弁護する気は

――」

「弁護？　きみはご両親に、ぼくがそこいらの自動車泥棒みたいな人間じゃないって伝えようとしたことはあるのか？」

「そんなことは父も母も承知しているわ。それに、カトリックだってことだけじゃないの。両親は、わたしたちがふたりだけの付き合いを続けるのを心配しているのよ。若すぎるし早すぎると考えている」アリスンは言葉を切り、さらに低い声で続けた。「会うのは週末のひと晩だけにして、あとは自由に過ごしたらって言われているの」

嫉妬心《しっとしん》がトニーをぐさりと刺し、痛みが奥深くへ突き進んだ。「そしてほかのやつとデートするってことか？　両親を喜ばせるためだけに？　そんなことをきみが望んでいるとは思えない」

このときはじめて、アリスンは視線を落とした。「両親は理由の一部だと言ったでしょ。すべてじゃないの」息を吸い、水中へ体を沈める。「こわいのよ。わかる？　これが自分にとってどんな経験となるのかがこわいし、あとでどう感じるのかがこわい。物事を変化させてしまうのがこわい」ふたたび顔を上げたとき、目には涙が浮かんでいた。

「ときには、あなたが欲しくてたまらないことがある。だけど、これは、あなたを自分の所有物にするような行為だし、自分の一部をあなたにあげるような行為でしょ。そんな感覚って、頭が混乱すると思わない？」

トニーは首を横に振った。「ぼくの頭はぜんぜん混乱していない」

アリスンの視線がトニーを捕らえる。低い声で言った。「それが最後の理由よ、トニー。あなたはメアリ・ジェーンのときも混乱しなかった。でも、今はどう感じている?」

今度はトニーが目をそらす番だった。アリスンがきく。「もし、今夜していたらどうなる?　わたしの大部分が望んでいたとおりに?　いつもわたしに言っているように、あなたはすばらしい気分になるかしら?　それとも、最終的に、自分たちのした行為にひどく落ち着かない気分になって、わたしが何かの罪悪であるかのように、告白しなくちゃならなくなるわけ?　そんな話を聞かされたら、わたしがどんな気持ちになるか考えたことがある?」

アリスンがこれほどの感情を込めてこの件を話すのははじめてだった。たちまち、トニーは口論する気持ちをなくした。

それを見て、アリスンがトニーの顔にキスをした。一瞬、ふたりの体が触れ合う。この刹那《せつな》に、新たに湧いた欲望の電気をトニーは感じた。その欲望を満足させられないがゆえに、痛みはいっそう強かった。

アリスンがゆっくりと後じさりする。「もうすぐふたりが戻ってくる。出たほうがいいわ」

トニーは息を吐いた。「そうだね」

ふたりはいっしょに岸へ歩いた。アリスンが少し前を進む。水から出たアリスンは、胸が痛むほどきれいに見えた。トニーはみじめな気持ちで言った。「送っていくよ」

アリスンが銀色のシルエットとなって振り返る。「しばらくここにいるわ、トニー。サムに説明しなくちゃならないようなまね、あなたにさせたくないから」

ふたりは暗がりで服を着て、腰を下ろし、スーとサムが事をすませるのを、沈鬱《ちんうつ》な顔で静かに待った。このときの傷をふたりが修復するのには何か月もかかった。その夜、トニーは、自分たちは決して恋人同士になれないのではないかと思った。

4

トニーはエンジンをかけた。「あの晩は最低だったな」アリスンに言う。

アリスンが振り向き、トニーの顔に触れた。「同感」

ヘッドライトに照らされて、サムが車のなかでウィスキーのボトルを傾けてから走り去るのがトニーの目に映った。

車の尾灯が闇《やみ》のなかに消えるのを、アリスンが、フロントウィンドー越しに見守っている。物思いにふけった横顔だ。ややあってから、彼女が言った。「今夜、スーの立場になりたくはないわね」

トニーはアリスンを一瞥《いちべつ》した。「サムはだいじょうぶだ。たいてい、限度というものをわきまえている」

「でも、いつもじゃないわ」トニーのほうを向いて、「ときどき不思議に思うんだけれど、あなたたちって、どうしてそんなに親しいのかしら」

トニーはテイラー公園のほうへ車を発進させた。「偶然、同じ場所に居合わせただけだよ。入ったほとんどのチームで、最優秀のプレーヤーとして。友だちになってもよかったし、競争相手になってもよかった。ふたりとも、友だちのほうが得だと思ったんだろうな」

アリスンが物珍しそうな顔をする。「あなたたちふたりを見ていると、ときどき、サムはふたごの片割れの悪いほうに見える。いいほうの片割れがやりたいけれどやっちゃいけないと知っていることを全部、うまくやってのける片割れに」

「たとえばどんなこと？」

「たとえば、あの教会での一件。聞いてぞっとした」

トニーは短く笑った。「なるほど。だけど、ぼくはサムにはなりたくなかったよ。二日酔いのサムをあそこから連れ出す役で、ほんとうによかった」

その一件を予知していたら、トニーは最初からそこに行かなかっただろう。退屈なミサでさえ、あれよりはましだった。

はじまりはサムの家で、午前一時ごろのことだった。トニーは泊まりに行っていた。ふたりはサムの部屋の床に座り、明かりを薄暗くしラジオをつけて、ウィスキーを回し飲みしていた。サムはすでにビールを二本飲んでほろ酔い状態にあり、そのせいで、ずいぶん気が大きくなっていた。しかし、その裏側に、ある種の危うさをトニーは感じた。父親の金物屋がついに倒産して、サムはときどき、ロブ家の没落に関して町に恨みがあるような言動をした。それに、トニーがきけないあのこと――ジャクスン・コーチとサムの母親のその後の関係――があった。「うまいウィスキーだ」と、サムが言って、またひと口飲む。

〈ラプソディー・イン・ザ・レイン〉を歌うルー・クリスティーの甲高い声が、ラジオから流れてきた。トニーの耳に届いたところから判断するに、車のなかで、ワイパーのリズムに合わせてセックスする話のようだった。サムは小ばかにしたような笑みを浮かべて、歌詞を聴いている。

「で」と、サムが口を開く。「〝氷の女王〟との関係に進展はあった？」

トニーはサムを見た。そのあだ名には不快感を、質問には失望感を覚えた。澄まし顔で返事をする。「変化なし」

　サムが目玉をぐるりと回した。「そのうち、てのひらに毛が生えてくるぞ。目も見えなくなるかもな。校門のところでおまえが鉛筆を売ってる姿が、目に浮かぶよ。それもこれも、アリスン・テイラーがやらせてくれないからだ。おまえに知恵を授けてやろう」

「おい、サム、きみの頭にはそれしかないのか——セックスしか？　アリスンとぼくはセックスだけの関係じゃないんだ。それとも、きみとスーは、ふたりきりのとき、話もしないのか？」

　サムが、うんざりしながらも寛大な表情を見せた。「神よ、この男を助けたまえ」節を付けて言う。「この男は、勃起《ぼっき》して切羽詰まった状態で暗闇をさまよい、しかも、みずからの手による救済しか与えられてません」

　思わずトニーは声を出して笑った。

　サムがウィスキーを大きくひと口飲む。「神と言えば、説教を書かなきゃならないんだ。手伝ってくれよ」

「説教？　誰のために？　さまよえる発情男たちのためにか？」

「言わなかったっけ？　まいったな」サムがふたたびボトルを傾ける。「俺がいっしょに教会に行こうとしなくなったからって、おふくろにメソジスト派の青年会に入れられたこと？　そこの会長に選ばれちまったんだ」

　トニーは驚きあきれてサムを見た。「どうやら神さまが裏で手を回したようだな」ようやく言う。「ほかに理由が見つからない」

「ああ、まあ、おもしろいのはそこじゃない。おもしろいのは、牧師が、全キリスト教徒のためを思って――もちろん、おまえらカトリックは抜きだ――すてきな案を考えついたことだ。俺に説教をさせることにしたのさ。新しいお仲間とその親たちの前で。スーの家族もいる」

　トニーは目を覆《おお》った。「その牧師、きみに会ったことはあるのか？」

「俺を知ってるだろ――短い時間なら、どんなやつの目もごまかせる。だけど、いちばんおもしろい部分を知りたいか？」

「やっぱり、まだそこは聞かされていなかったのか」

　サムがにやりと笑う。「説教はあしたなんだ」

　トニーはサムをまじまじと見た。「最悪」

「それじゃだめだよ。もっと長い文句を考えてくれ」

　ふと気づくと、トニーは少し酔っていた。「何をしゃべるつもりだい？」

「さてね」サムは少し酔っているどころではなかった。何事にも動じないという不気味な雰囲気を漂わせている。このようなサムを、トニーは前に見ており、その直後、サムは判断力を失ったのだった。

もう、おもしろがってはいられなかった。「酒は終わりにしたほうがいいな」

サムの目が、挑むようにきらめく。「そいつはだめだ――頭の働きが鈍くなる」

トニーはサムをじっと見て、それから腕時計を見た。「説教をするのは何時？」

「六時だ。外で――一種の早天礼拝だな」

トニーは頬をふくらませた。「ぼくがきみだったら、今すぐ祈り始めるね。雨よ降ってくれと」

サムが肩をすくめる。「雨なら、なかに移動するだけさ。おまえと俺の仲じゃないか、トニー。どんな説教をでっちあげられるか、見てみたくないか？」

トニーは腰を据えた。なんの皮肉か、ラジオでは、エルヴィス・プレスリーが〈クライング・イン・ザ・チャペル〉をむせぶような声で歌い始めた。「とりあえず」と、トニーは言った。「話を聞かせるのがプロテスタントでよかったと思うよ。ぼくの見るところ、彼らにとっての地獄とは、一年間、ゴルフができないことだ。教会とは、眠る場所だ」

ふたりは台所へ行った。サムがコーヒーを淹《い》れ、トニーはらせん綴《と》じノートに走り書きを始める。「ぼくだったら」と、トニーはつぶやいた。「〝神の御心《みこころ》〟という言葉をうんと入れるね。テレビで寄金を集めるとき、そのひと言が効いているようだから」

トニーが書くわきで、サムはコーヒーとウィスキーを飲んでいた。その結果、サムはあやしいろれつで異常に熱心にしゃべった。大いに笑った。トニーは説教の草稿を書いた。

「いっしょに来てくれるんだろ？」サムが尋ねる。「おまえがいなくちゃ、楽しくない」

「もうじゅうぶん楽しませてもらったよ。それに、プロテスタントの教会に足を踏み入れるのはまずいと思う」

「外でやるんだ、忘れたのか？　おまえたちカトリックは隣人愛を大切にしないのか？」

サムの顔色が優れないのを見て、トニーは心を決めた。「ぼくはいったん家に戻ったほうがいいようだ」とうとう言う。「スーツとランニングシューズに着替えてくる」

一時間後、トニーの車へ歩くサムの顔は青ざめていた。震える手で、サムがスーツの内ポケットに草稿を押し込む。あれからさらにウィスキーを飲んだのだろう。

サムは助手席にどすんと腰を下ろした。「俺はリチャード・バートンになるよ」と、宣言する。「『いそしぎ』での牧師役はすごかった」そう言うなり、眠り込んでしまった。

木に縁どられた通りに曙光《しょこう》が射《さ》すころ、教会に到着した。教会の片側の芝地に折り畳み椅子《いす》が並べられ――すでにひとが座り始めている――その前に演壇があり、聖書台と十字架が置かれていた。サムはまだ目を覚まさない。

トニーはサムの肩に触れた。サムがまばたきして、眠りから起こされた子どもみたいに、ぼんやりした顔でトニーを見る。トニーはいたずら心をくすぐられた。「開幕の時間だ、ラザロ。起きよ、そして主のわざをなせ」

サムが不意に笑いだした。トニーはびっくりして、車を降り、助手席側のドアをあけた。

ふたりは露に濡《ぬ》れた草地を歩いていった。朝日に照らされて、サムの顔は蒼白《そうはく》だ。以前にもこのような状態を見ているトニーには、サムが嘔吐《おうと》する直前だとわかった。

牧師――細身で、砂色の髪、眼鏡――がサムを見つけ、歯を見せずに微笑《ほほえ》む、いかにも牧師らしい笑顔でこちらにやってきた。「深呼吸しろ」トニーはささやいた。

サムが深く息を吸って、飲み込んだ。「おはよう、サミュエル」と、牧師が声をかける。「わたしらを導く準備はいいかね？」

サムがしおらしそうに頭を下げた。これによってにんまりした笑顔が隠され、牧師はサムの態度をおそれ畏《かしこ》まってのことだと勘違いしたようだった。「主がお力を貸してくださるだろう」サムに向かって言い、それからトニーに自己紹介した。「で、きみの所属する教会は？」

「聖ラファエル教会です」

牧師が驚いたような顔をし、それからトニーの肩を軽くたたく。「結構、結構。わたしらの礼拝を楽しんでください」

牧師に連れていかれるサムを見送りながら、トニーは、サムの頭がまだ垂れているのに気づいた。

あたりを見回し、スーの姿を見つけた。隣りにいる彼女の両親は、快活で人当たりがよく、ふたりとも中学の教師をしている。トニーはあいさつをして、スーの横に座った。スーはサムを見ていた。ひそひそ声で、きいてくる。「彼、だいじょうぶ？」

「本人はそう思っている」

スーはふたたび聖書台に目をやった。背筋をのばし、口を軽く開いている。礼拝が始まった。牧師の祈りもサムを紹介する言葉も、トニーにはぼやけて聞こえた。聴衆の前で牧師が言い表わしたようなサムがこの世に存在しないのを、トニーは知っている。

サムが聖書台に向かうと、トニーは、彼の額に浮かぶ汗に気づき、自分の手にスーの緊張した指が巻きつけられるのを感じた。サムは唾《つば》を飲み込んだようだった。「昨夜」と、震え気味の声でしゃべり始める。「このスピーチの準備がぜんぜんできていませんでした」

スーが目をつぶるのが、トニーに見えた。サムは危なっかしかった。「わたしは、神の御心で満たされるのを待っていました。ところが、それどころか、気分が悪くなりだす始末で……」

「彼は何を言ってるの？」スーが小声できく。

「やがて、何か美しい音楽が聞こえてきました。神の雨が神の造られしものに降る美しさを歌った曲で、気がつくと、わたしは友人のトニー・ロードにこう言っていました。『トニー、ひとりじゃできないんだよ……』

『トニー、人生の喜びはパートナーなしには見つけられないんだ。内奥《ないおう》で感じられる相手が不可欠で……』」

なんてことだ。

「『そして、その相手とは』」――ここでサムは間をおき、精神的優位に立つ者の小さな笑みをトニーに見せた――「『誰あろう、神さまだ』」

きょとんとして、トニーは視線を返した。

「神は」サムが節をつけて言う。「充足のためのすべてであり、わたしたちのまわりの冷たさを溶かすための手立てであり、最も深い望みを最も深い方法で実現する手段であります。

神は、わたしたちの人生の絶頂です」

トニーは抑えられた激しさに気づいた。それは、『いそしぎ』でのリチャード・バートンの卓越した説教法にそっくりだった。だが、サムはトニーの原稿を読んでいない。

「神だけが、わたしたちがいちばん触れられる必要のある場所に触れることができます」

トニーは緊張しながら、ほかの信徒がこの悪ふざけにいつ気づくだろうかと思った。しかし、周囲を見回すと、会衆は笑みも見せずに聞き入っていた。サムはいよいよ調子づいている。

「神だけが、わたしたちの苦しみをとり除けます。神だけが、空虚な場所を埋めることができます」

トニーは心のなかで言った。神だけが、ぼくたちの手足の指をしびれさせられる。

「神だけが」サムが静かに言う。「わたしたちがほんとうに必要としているものを与えることができます」

あろうことか、サムは顔色をさらに悪くしていた。聖書台をつかむ手にさらに力を入れ、独特な声で話す。「このあたりでやめたほうがいいでしょう。あまり長くは続けたくありませんから。ただ、こうした意識に自分がどれほど慰められるかは、みなさんに語ることはできません。トニーにもこの慰めを知ってもらいたいと思います。もしかすると、みなさん全員に」ひらめきを求めるかのように、言葉を切り、それからしめくくった。「なぜなら、わたしは自分がする必要のあることを知っているからです。わたしたちがみな、する必要があると思えることを。古い賛美歌にこういうのがあります。『千歳《ちとせ》の岩よ、わが身を囲め』」

サムは唐突に腰を下ろした。すっかり気抜けしたようすだ。吐き気が我慢の限界に来ているのだろう、とトニーは思った。

サムの後ろに十代の聖歌隊がやってきて、歌い始める。

スーが唇を噛《か》み、目に涙を浮かべてトニーを見た。「サムをここから連れださなきゃだめよ、トニー。何か起こる前に」

「わかっているよ」

歌が終わった。ありがたいことに、牧師が祈りの言葉を言って、コーヒーとオレンジジュースが室内に用意してあるのでどうぞ、と信徒たちを誘った。会衆が立ち上がると、スーの父親がトニーのほうを向いて、愛想よく言う。「すばらしい説教だった。じつを言うと、サムにはちょっと驚かされたよ」

「ぼくもです」

トニーは急いでスーにいとまごいをして、サムのところへ行った。

サムは立ち上がり、頭を垂れて、ある夫婦の話を聞いていた。トニーの記憶では、娘をカトリック教徒とデートさせないことで有名な夫婦だ。「サム」と、夫のほうが真剣な口調で言っている。「押しつけがましいことは言いたくないんだが、きみはこういう仕事に非常に向いて……」

「失礼」トニーは横から口をはさみ、サムのほうを向いた。「ぼくとミサに行く約束だったろう。遅れたくないんだ」

鷹《たか》のような顔をした妻のほうが、いらだたしそうにトニーをにらむ。それには構わず、トニーはサムの肘《ひじ》をつかんで、誰にもじゃまされないよう早足で芝地を渡った。

ふたりは車に乗った。トニーは手早くウィンドーを巻き下ろし、車を発進させた。サムは前のめりになり、荒い息をしている。

「二度とごめんだ」トニーは言った。「二度とごめんだぞ」

サムは返事をしない。車はエリー・ロードを疾走し、アリスンの広大な屋敷のわきを抜けて、不意に曲がり、テイラー公園のまんなかにある駐車場に入った。公園にひとけはなかった。頭上の木から、小鳥のさえずりが聞こえてくるだけだ。

サムが慌《あわ》てて車のドアをあけ、アスファルトの上に頭を出した。トニーが運転席から飛び出すよりも早く、嘔吐の音が始まる。

サムは車から半分落ちた格好で、アスファルトに手をついていた。ホワイトブロンドの髪が、広がった反吐《へど》にくっつきそうだ。まだげえげえやっているが、それ以上何も出てこない。ようやく吐き気が収まると、体に震えが走った。

「サム？」

サムがゆっくりと顔を横に向け、反吐で汚れたアスファルトに頭をつけて笑いだし、ついには涙まで流した。

「連中に一杯食わせてやった」しゃべれる状態に戻るとそう言い、トニーを見てにやりと笑う。顔は青く、やつれていて、目は焦点が定まらない。「まんまと一杯食わせてやった」

5

トニーとアリスンの車は、テイラー公園の暗い駐車場へ入った。トニーがエンジンを切ろうとすると、アリスンが急いで言う。「誰にも見られない場所に停めたほうがいいわ」

トニーは胸がきゅんとなるのを感じた。何も言わずに草地に車を入れ、湖に面した崖《がけ》のそばの、オークが固まって生える木立ちをヘッドライトが捕らえるまで進む。木の幹と低く垂れる枝に車が隠れるまで、ゆっくりと前進した。ヘッドライトを消すと、真っ暗になった。

アリスンがトニーの手をとった。「ねえ、知りたい？」と、アリスンが言う。「両親になんて言ったか？」

トニーにはアリスンがほとんど見えなかったが、返事の必要はないとわかった。あたりの静けさと胸中の思いによって、アリスンはさらに声を低めたようだった。「あなたを愛していると言ったの。そして、お父さんとお母さんはそれに慣れなければだめだと。なぜなら、もし変化があるとしても、それはあなたとわたしの関係にであって、わたしと両親の関係にではないから」

アリスンの自信たっぷりの物言いに、トニーはびっくりした。「ご両親はなんて言った？」

「あなたの想像どおりのことをうんと。だいたいは、物事を決めるには若すぎるとか、なんと言ってもまだ分別のつく年齢じゃないとか。お母さんは泣いたわ」

「なんのことで？　ぼくたちは婚約するわけじゃないよ」

アリスンは黙っていた。「こわいんだと思う」と、ようやく言う。「あなたとわたしの関係だけじゃなくて、わたしが自分の道を歩き始めようとしていたり、お母さんに相談せずに決断することが出てきたりするのが。なかには、お母さんが知らない決断さえ出てくるでしょう」トニーの手をつかむ指に力が入った。「今からのことは、そういう決断になるわ」

アリスンの声には、新たな感情――苦悩と恐怖と決意が混ざったもの――が反映していた。彼女が決断を下したのは、両親に関してだけではなく、トニーに関してだけでもなく、何よりも、アリスン自身に関してであるようだった。人生のひとときをトニーと分かち合おうと決めたのだ。それを感じると、トニーはアリスンを引き寄せた。

アリスンが、トニーの顔に触れながら、上体を後ろに反らし、それから、ためらいもせずトニーにキスをした。

トニーはどうしたらいいのかまったくわからなかった。彼女から分別を奪うかのように情熱的なキスを返すのは、ばかげている気がする。現在進行ちゅうのできごとは、あまりにも理性的に進められているように思えて、落ち着かない気分になった。トニーは主導権を握る誘惑者ではなく、アリスンの選んだ儀式のパートナーだった。うれしくもあり、寂しくもあった。

それを感じとったかのように、アリスンがキスをやめ、トニーの目を覗《のぞ》く。「わたしには準備が必要だったのよ、トニー。あなたの行動や、わたしがどんなにあなたを欲していたかはどうでもいいの。わかる？」

トニーは無言でうなずいた。アリスンが額と額をくっつける。彼女の心地よい呼気が顔に感じられた。アリスンに待たれているのだと気がついた。アリスンは、自分のしたいことを知っているが、やりかたを知らないのだ。ここから先は、トニーに任せようとしている。

「グローブボックスにあれを入れてある」

アリスンが首を横に振る。「心配しないで、トニー。生理が終わったばかりだから」

車のなかが寒くなっていた。暖房を入れたとき、時計が十時五十五分を示しているのに気づいた。アリスンはあと一時間ちょっとで家に帰らなければならない。

トニーは紋章の入ったジャケットを脱ぎ、運転席から後ろに手をのばして、後部座席にそれを広げた。アリスンが上着をするりと脱いで、おどけて言う。「むずがゆくならないといいけれど」

自分たちはふたりで始めようとしているのだ、とトニーは突然さとった。安堵《あんど》感《かん》が体に流れた。

車を降り、助手席側に回って、アリスンのためにドアをあける。

アリスンはきちんと足をそろえて降りた。気もそぞろな今でさえ、優雅な身のこなしをする。そのようすにトニーは大きく心を揺さぶられて、アリスンを引き寄せ、この晩はじめて、熱のこもったキスをした。唇が重なったとき、アリスンの震えが伝わってきた。

「おっと……」トニーはつぶやいた。

急いで後部ドアをあけ、アリスンに続いて車に乗る。アリスンが、後部座席にひざまずいた格好で言う。「外は寒いわね……」

トニーは自分の手が冷たく、感覚がないのに、ふと気がついた。ふたりの呼気と熱気

が、ガラス面で凝縮し始めている。横を向いて、かじかんだ指の先でウィンドーにこう書いた。〈好きだ〉

アリスンがにっこりして、その下に〈わたしも〉と書き、感嘆符を付け足す。だが、口を開いたとき、その声は静かだった。

「わたしにとって、今からすることはむずかしいことじゃないわ、トニー。あなたといっしょだから」

アリスンが自分自身と彼のどちらを勇気づけるためにそう言ったのか、トニーには判断できなかった。なんとなく、自分の初体験を思い出した——今と同じ後部座席で、自分の下にいるメアリ・ジェーン・クーラスが、無表情で、ふっくらした太腿《ふともも》を開いていた。はじめての行為はメアリ・ジェーンを傷つけ、口にはしなかったが、彼女はそのことでトニーを恨んだ。だがそれも、数か月後の恨みとは比べものにならなかった。その数か月間、メアリ・ジェーンは痛みからは解放されたものの心からの歓《よろこ》びを得られず、トニーは短い解放感を味わいながらもずっと罪悪感につきまとわれていて、とうとうトニーはメアリ・ジェーンに別れを告げ、さらなる罪悪感を背負ったのだった。今ではあれは避けられない別れだったとわかっている。なぜなら、彼女の猛烈な抗議——「あなたの望むものをあげてるのに、あたしを捨てるつもりね」——は、真実とはほど遠いと、今ではわかっているからだ。メアリ・ジェーンとは心を通わせられないと気づいていながら、相手に悪いという気持ちだけが理由で、トニーはもっと早くに別れを切り出せず、欲望が利己的な目的を果たそうとするあいだだけその気持ちにふたをするのを許していた。だから、のちにアリスンと付き合うようになったとき、トニーと同じくカトリック教徒のメアリ・ジェーンから、単なる気晴らしのために彼女の大事なものを奪った立身出世主義者呼ばわりされても、自己弁護できなかった。それに、メアリ・ジェーンがほとんどトニーを理解しておらず、彼が告白によって救われずに自分自身を軽蔑《けいべつ》している事実を知らないことも、あまり慰めにはならなかった。

あれは罪深い行為だった、とトニーは今思う。これは、そうあってほしくない。

「服を脱がせて」アリスンがそっと言う。

トニーはためらい、それから同じように小さな声で言った。「好きだよ」半分は彼女のため、あとの半分は自分を安心させるための言葉だ。手でアリスンの乳房を包むと、彼女がため息をつくのがわかった。

過去の罪に心を奪われながら、アリスンのセーターを脱がせ、続いて残りの衣服を脱がせる。トニーとともに裸になったアリスンは、みずからの欲望に打ち震えていた。なぜかトニーは、祈りを唱えるかのように、目を閉じた。

彼の救い主は、アリスンの肌の感触だった。

みずからの肉体が反応するのを感じて、トニーは性欲と保護者としての意識を覚えた――自分以外に、彼女を守るべき人間がいるだろうか？　アリスンの首筋に、硬くなった乳首にキスをする。アリスンの発する柔らかな声が、トニーを鼓舞した。

突然、車が暖かな繭《まゆ》となり、トニーを、もうひとりの罪深いトニーから守った。自分たちはパートナーとしてここに来たのだ。この瞬間をふたりの思い出に、たぶん一生忘れられない思い出にするよう、自分は努力しなければならない。下にいるアリスンの体は温かかった。

ついにその部分に触れたとき、アリスンの体は、彼女なりに準備を整えていた。

トニーは動きを止めて、両肘《ひじ》で体重を支え、相手を傷つけるのを怖《おそ》れて、疑問と欲望の入り混じった目でアリスンを見た。アリスンの目が笑みを返す。

「あなたが欲しい」アリスンがささやいた。トニーが体を起こすと、アリスンが彼のために脚を開く。ふたりのあいだに電気が流れるのを、トニーは感じた。

ごく小さな声をあげて、アリスンのなかに入った。

トニーはためらった。アリスンがトニーの頭を肩に引き寄せて、つぶやく。「好きよ、トニー。とてもいい感触がする」

ふたりはともにこの行為に関わっているのだった。

アリスンがいっしょに動き出す。今や、彼女はあらゆるところにいた。肌のさわやかなにおいに。髪の毛の濃密な柔らかさに。尻《しり》と太腿と腹の温かさに。連動して動くうちに、トニーは、アリスン・テイラーが〝罪の誘因〟を通り越し、罪そのものになったことを忘れた。

時は止まった。

トニーは体内を流れる血液に捕らえられ、叫びを押し殺すこと以外、体を制御できなくなった。もはやふたりはいっしょではない。トニーはひとり、恥ずかしさと恍惚感《こうこつかん》を覚えながら、身を震わせ、それから動かなくなった。

アリスンが問いかけるようにトニーを見上げ、そして、ひそかに知っているとでも言うように小さく微笑《ほほえ》む。それを見て、トニーはとまどいを覚えながらも、彼女とさらに親密になった気がした。

「痛かった？」

「少しだけ。だいじょうぶ、わたしは壊れ物じゃないから」

一種誇るような口調だった。自分にはトニーに教えられるものがある、という含みと同時に、底に安堵感――彼女は何かを経験し、今やそれは心配の種ではなくなった――があった。

「ごめん」トニーは言った。

「何が？」

「きみはまだ……」ためらった。「だったろう？」

「そうね」今度はアリスンが言葉を途切らせ、またうっすらと微笑む。「少し練習が必要なんだと思うわ」

安堵ととまどいのあいだで心を揺らしながら、トニーはその言葉の意味を考えた。アリスンが顔を上げてトニーにキスをし、静かに言う。「はじめての相手があなたでよかった」

トニーはアリスンの髪に触れ、感謝の念が押し寄せるのを感じた。「ぼくたち、いっしょでいたいね。いつまでも」

「そうね。いつまでも」

トニーはにっこりした。下にいるアリスンが小さく身をくねらせる。「少し動けない？」と、きいてくる。「体を離してほしくはないの。ちょっと息がしたいだけ」

トニーが肘を移動させると、アリスンはこれまで以上に穏やかな目で彼を見つめた。「わたし、いい感触だった？」

「もちろんだよ」

微笑みが戻る。「最後のとき、あなたが行くのがわかった」

唐突に、トニーはふたりのつながりが強まるのを感じた。メアリ・ジェーンとのあいだでは感じなかったものだ。ぼくたちはやり遂げた、と思わず胸の奥で言っていた。ぼくたちはだいじょうぶだ。これが罪であるはずがない。

ようやく腕時計を見ることを思い出した。

十一時四十分。アリスンをさらに抱き寄せ、静かに言う。「今夜が終わらなければいいのに」

ふたりはしばらく口をきかなかった。闇《やみ》に囲まれ、彼らの世界は完結していた。夢見るような口調で、アリスンが言う。「たぶん戻ってこられるわ」

トニーはびっくりした。「ご両親に知られずに？」

「そうよ」トニーの顔にかかった髪を搔《か》き上げて、「もう一度、あなたといっしょになりたい。門限なんてばかみたい」

トニーの心の奥に、罪の意識がふたたび現われ、それとともに、思慮も姿を見せた。

「きみに面倒を起こしてほしくない」

アリスンが首を横に振る。「わたしが帰れば、ふたりは眠っちゃうわ。そうしたら、裏の階段を降りて、裏口から出て、裏庭を抜けてここに来られる」

「道はわかる？」

アリスンがこくりとうなずく。「しょっちゅうかくれんぼをしていたんだから。目をつぶっていたって、あなたを見つけられる。あなたが来てほしいって言うんなら」

トニーは臆病《おくびょう》な自分を恥じて、すぐには返事ができなかった。「来てほしい」

大胆不敵なはかりごとに心を浮き立たせて、ふたりは急いで服を着始めた。アリスンが、ストッキングをはこうとしていた手を止める。「これは要らないわ」と、きっぱりと言い、バッグのなかに突っ込んだ。「お母さんは気づきやしない」トニーに見せた笑みは自然で、勝ち誇っていた。

ふたりは慌《あわ》てて後部座席を出て、それぞれ手でウィンドーの曇りをぬぐった。だが、ガラスは依然として不透明だった。時計は十一時五十七分を示していた。

「心配しないで」と、アリスンが言う。「あっちからでも帰れるから」

「いっしょに行くよ」

ふたりは、こわごわと、ためらいがちに、暗い木立ちのあいだを進んだ。「暗いな」トニーは声をひそめて言った。

アリスンがトニーの手をとって、「だいじょうぶ」

開けた草地に出ると、公園を走り抜けた。

どんよりとした、ほとんど月のない晩だった。オークの並木が、公園とテイラー邸を区切っている。トニーの目には、オークの木は黒さが一段濃い闇にしか見えなかった。聞こえるのは、自分たちの走る足音と不ぞろいな息づかいだけだ。

並木に着いた。そこを抜けると、切妻造りの家の輪郭が、影のようにぼうっと現われ、裏口に薄明かりが灯っているのが見えた。

「止まって」アリスンがささやく。

トニーは彼女を引き寄せた。「ここで待っているよ」

アリスンが首を振る。「外は寒いわ。車を暖めておいて」

ふたりは見つめ合った。

アリスンが急ぐふうもなく、熱のこもったキスをしてくる。トニーは彼女を行かせたくなかった。

アリスンが身を引いた。「ここで時間切れ」と言うと、ふたたびにっこりする。「十五分後に会いましょう」

トニーが返事をする間もなく、アリスンは最後の短いキスをくれると、家のほうへ駆けだした。

突然ひとりになったトニーは、アリスンが暗闇に消え、それから亡霊のように、裏口の薄明かりのなかに現われるのを見守った。彼女が振り返って、手を振り、やがて明かりが消えた。

6

愛し合った場所に車を駐《と》めたまま、アリスンが戻るのを待った。時計は十二時二十六分を示している。

寒かった。ヒーターをつけ、それからラジオをつける。

時間がのろく感じられた。ボビー・ジェントリーの〈ビリー・ジョーの唄《うた》〉を聴きながら、気がつくと、頭のなかで数を数えていて、そうすることで、百になるまでに、アリスンが現われるのではないかと期待していた。自分の一部が欠落しているような気持ちがした。

十二時四十分が過ぎる。

そわそわしながら、アリスンの感触を、彼女がこちらを見たときのしぐさを思い出そうと努めた。〈ルーシー・イン・ザ・スカイ・ウィズ・ダイアモンズ〉がラジオから流れだすと、いらついてスイッチを切った。

アリスンの両親が彼女を引き留めたにちがいない。

きょうこそはトニー・ロードとの件をとことん話し合おうと、長女であり愛娘《まなむすめ》であるアリスンの帰りを寝ずに待つ彼らの姿が目に浮かぶ。リビングルームの明かりに照らされたアリスンのむき出しの脚、座りなさいと両親に言われたときの、罪悪感と反抗心の入り混じったアリスンの顔が目に浮かぶ。トニーは、自分の両親のことを、とりわけ母親のことを考えた。教育も莫大《ばくだい》な相続遺産もないヘレン・ロードは、天から与えられた宝であるたったひとりの子どもを、恐ろしい世の中が、彼女の高望みをあざけるかのように、奪いとるのではないかと疑心暗鬼になっている。彼女は息子を特別だと信じており、トニーはそれをわずらわしく感じずにはいられない。だから、テイラー夫妻が自分たちの所有物であるかのようにアリスンを愛するのを、理解し、かつ嫌悪《けんお》した。夫妻の詰問《きつもん》が始まったら、アリスンは抜け出せないだろう。

一時になった。だが、トニーはアリスンを捨てておけなかった。

テイラー邸は遠くなく、百メートルほどのところにある。周囲の木に視界を妨げられていなかったら、アリスンの部屋の明かりが見えるはずだ。説明不可能な直感から、彼女は来ると思った。ひとりで夜道を歩かせたくなかった。

車のドアをロックして、トニーは木立ちを出た。先ほどよりもさらに闇《やみ》が濃くなっている。

公園をテイラー邸のほうへゆっくりと歩きながら、アリスンのたてる音が聞こえないかと耳を澄ました。

何も聞こえない。

足を止めた。アリスンは近くにいるかもしれない。こんなに暗いと、気づかぬうちに行き違いになる可能性もある。完全な静寂によって、闇が無限に続いているように見えた。

感覚だけを頼りに、ふたたびオークの並木のほうへ歩き始める。ようやく、冷たい風が枝を揺らす音が聞こえて、数歩先に並木が見えた。

空を背景に浮かぶ、葉の落ちた木の輪郭は、骸骨《がいこつ》を思わせた。その向こうに、テイラー邸の屋根の形が見分けられる。どこにも明かりはついていない。そのとき、枝がぱちんと折れる音が聞こえた。

どうやら枝を踏みつけたらしいが、トニーが踏みつけたのではなかった。

「アリスン？」

返事はない。トニーはいらつきながら音がしたほうへ歩いた。低く、くぐもったトニーの声が、闇を流れる。

「アリスン……」

また枝の折れる音がした。先ほどよりも近い。

トニーは動きを止めた。音をたてた人物が、トニーが近づくのを聞いて、足を止めたのが感じられた。

緊張したトニーに、また別の音が聞こえた。前よりもかすかな音で、もしかすると風の音かもしれなかった。ひょっとすると空耳で、だから、物悲しく、弱々しく聞こえたのかもしれない。

ふたたび枝の折れる音。さらに近い。

トニーはぞくっとした。「誰だ?」そう大声で言ったとき、誰かが走ってくる音が聞こえた。

相手の姿を見ることができず、トニーは身構えた。力強い足音が近づいてくる。と、まったく唐突に、足音が向きを変えた。胸をどきどきさせながら、トニーは足音が果てしない闇のなかに消えるのを聞いていた。

ひとりきりになると、別の、小さな音のことを思い出した。向きを変え、並木のほうへ走る。

枝が顔に当たった。痛みに一瞬立ち止まったが、すぐにテイラー家の敷地に入った。急に立ち止まって、やみくもに周囲に目を向けた。今では屋敷が具体的なものとして見え、その独特な形が、空を背景に、黒く現われている。右手では、下の、見えない湖から、打ち寄せる波の低い音が流れてきている。そのときになってようやく裏口の明かりがついて、芝地に黄色い光を投げかけ、トニーは前方に横たわる人影を見た。

体内で恐怖が大きくなるなか、そちらへ歩く。明かりのほうは気にならなかった。横向きに丸くなった人影は、眠る子どものようだ。

身を屈《かが》めて、彼女に手をのばす。顔を隠している髪に触れ、まだ温かい頰に触れた。トニーの口からかすれた声が出た。「アリスン」

スカートがまくれ上がっている。揺り起こそうとするかのように、トニーはむき出しの脚に触れた。

湿り気があった。尿のようなにおいがする。トニーの喉《のど》の奥で、叫びが形となった。

裏口の戸がきしりながらあいた。懐中電灯の光線が芝地を横切る。

「アリスン」彼女の父親が大声で呼んだ。

呆然《ぼうぜん》として、トニーはアリスンの顔を両手で包んだ。はじめは彼女が見えなかったが、次の瞬間、懐中電灯の光線がふたりを捕らえた。

アリスンの顔は赤らんでおり、口はゆがんでいた。あれほど愛情を込めてトニーを見つめた目は、大きく開かれ、虚《うつ》ろで、赤い星形の点々が浮かんでいる。

心をぐらつかせながら、トニーは十字を切った。衝撃の涙がとめどなく流れる。

〝聖母マリアさま、われら罪人のため、今このとき、そして死のときに祈りたまえ……〟

「ああ、なんてことだ……」

トニーはすばやく手を引っ込めた。苦悩の叫びが自分の声でないと気づくまでに、一瞬の間があった。「ああ、なんてことだ……」アリスンの父親がくり返す。

吐き気を覚えながら、トニーは頭に冷たい金属が当てられるのを感じた。金属はそれ自体が生命を持って、ぶるぶる震えている。「このけだもの――娘に何をした?」

振り向くと、目の前に黒いリボルバーがあった。

その向こうに、ジョン・テイラーが立っていた。くしゃくしゃの白い髪が、明かりで淡い銀色になっている。怒りと混乱とで、顔は青白い。彼の向こうで、網戸の枠が、アリスンの母親の、驚きに固まったシルエットを囲んでいる。「キャサリン」と、ジョン・テイラーの太い声が呼ばわる。「助けを呼んでくれないか……」

トニーは事態を理解できず、体を震わせていた。銃を握ったジョン・テイラーが娘のわきにひざまずき、脈をとる。父親の目が閉じられたとき、トニーはだしぬけに言った。

「ぼくじゃない……」

ジョン・テイラーの目がぱっと開いた。ロボットのような動作で娘のわきから立ち上がり、リボルバーをトニーに向ける。トニーは愕然《がくぜん》として動けなかった。

「ジャック!」

屋敷からキャサリン・テイラーが走ってきて、娘のかたわらにひざまずく。アリスンの顔を見ると、声をあげて泣きだした。そして、娘のほっそりした体をかばうかのように、そこに身を投げた。

ジョン・テイラーが、一方は動かず、一方は泣いているふたりの女性越しにトニーを見つめる。その目がうつろになった。銃を上げ、撃とうとするのを見て、トニーは顔を覆《おお》った。

「ママ――なんなの？」

ジョン・テイラーが目をしばたたいた。ネグリジェ姿の、アリスンの十一歳の妹が裏口から呼びかけたのだ。

アリスンの母親が、ぎこちない動作で膝立《ひざだ》ちになった。白髪交じりの黒髪は乱れ、顔は象牙色《ぞうげいろ》をしている。かすれた声で夫に言う。「この子を撃たないで、ジャック。警察を待ちましょう」

ジョン・テイラーは返事をしなかった。けれども、なすべきことを思い出したかのように後ろを向くと、なんとか親らしい威厳をこめて言った。「アリスンだよ、リジー。そこにいなさい」トニーは震えながら、アリスンの母親に命を救われたのだと知った。

サイレンの音がした。一台のパトロールカーの赤い回転灯が見えたかと思うと、二台めが続き、タイヤをきしらせて、テイラー邸のドライブウェイで停まった。若い警官が走ってきて、続いてやってきた恰幅《かっぷく》のいい警察署長が声をかける。「どうした、ジョン？」

ジョン・テイラーはゆっくりと振り向いた。抑揚に欠けた声で答える。「こいつがアリスンを殺した――」

「違う」トニーは叫んだ。「ぼくじゃない」

大儀そうに息をしながら、署長が立ち止まり、視線をジョン・テイラーからその足もとの死体に移す。屈んで、アリスンの口と鼻を手で覆い、それからつぶやいた。「もうすぐ救急車が来る」

静けさがトニーを包んだ。自分が喉をごくりとさせるのがわかった。署長がこちらを見る。青い目は驚きが現われながらも、言いようのないほど寂しそうだった。「試合を見たよ、今夜……」

ポーチでアリスンの妹が泣き声をあげ始めた。恐怖を感じとったか細い声だ。署長がアリスンの父親を見上げ、それから銃を見た。「彼の身柄は預かった。あんたは心配しなくていい」

アリスンの母親がよろよろと立ち上がり、夫にもたれかかる。署長は頭をぐいと動かして、若い警官をテイラー夫妻のわきへ行かせた。「悪いんだが」と、アリスンの父親に言う。「ちょっとどいててもらえんか？」

慰めの言葉をもごもご言って、若い警官はふたりを離れさせた。キャサリン・テイラーが振り返ってアリスンを見る。

別の警官ふたりがトニーの後ろに立った。署長の口は固く結ばれている。「この子を連行しろ」立ち上がりながら、トニーは、いっしょにアリスンも立ち上がるのではないかと、夢を見ているような気持ちで、彼女を見つめていた。

警官たちにそっと付き添われて、トニーは芝地を歩いた。そこは、悪夢の暗い光景となった——制服警官、愛する少女の死体、手で顔を覆って泣く、アリスンと同じ黒髪をした妹。

警官たちがトニーをパトロールカーの後部座席に乗せ、車を発進させる。ドライブウエイのはずれで、トニーはアリスンの両親の姿——父親はパトロールカーを凝視し、母親は夫の肩に頭を乗せている——を、涙で曇った目で見た。

「ぼくじゃない」トニーはくり返した。「ぼくじゃない」

7

その後は誰も口を開かなかった。

トニーはウィンドーの外に目を向け、郊外の小さな町の閑静な通りを眺めた。二〇年代に建てられた白い木造家屋、五〇年代に建てられた赤煉瓦《れんが》の小住宅と猫の額ほどの庭、尖塔《せんとう》を持ち、時計の文字盤が鉄でできた町庁舎。そして隣りには、町庁舎とは不釣り合いなほど簡素で、大いに物議を醸《かも》すなかで昨年完成した黄褐色の煉瓦の警察署。レイクシティが、よく知っていながら知らない町に、半ば忘れた土地に見えた。アリスンにそばにいてもらいたかった。

パトロールカーが警察署に到着した。

ふたりの警官に伴われ、地階へ行く。トニーは質問することなく、これに従った。彼の悪夢においては、これは当然の成り行きだった。三番めの警官に、検診をする医者のように丁寧な口調で、服を脱ぐように言われたときも、同様に従った。警官が腕から採血する。爪《つめ》の下を針で掻《か》く。陰毛のサンプルを切る。ペニスの先端を綿棒でぬぐう。頬のみみず腫《ば》れの写真を撮る。木の枝がかすったときの傷だろう、とトニーは思った。終わるまでにどんなに時間がかかっても、トニーは何もきかなかった。考えられるのは、アリスンのことだけだった。

服を返されると、今度は黄色いシンダーブロックの小部屋に入れられた。クローゼットほどの狭苦しい部屋で、明るい蛍光灯の下に、むきだしのテーブルと椅子《いす》が置かれている。トニーは疲れ果て、テーブルに突っ伏した。

アリスンは、トニーのせいで、大罪を背負って死んだ。トニーには、そのことしか考えられなかった。まるで、頭に強打を受けて、その衝撃が今ごろ戻ってきたようだ。記憶は抜け落ち、痛みだけが唯一《ゆいいつ》実感できる事実だった。頭ががんがんする。

〝神よ、お許しください。ぼくは罪を犯し……〟

どのぐらいの時間、ひとりにされているのかわからなかった。気にもならなかった。両親も、友人も、今はどうでもよかった。気にかかるのは、アリスンのことだけだ。

刑事がふたり、部屋に入ってきた。若いほう、狩猟犬のような物腰で、茶色の髪を後ろになでつけているのが、デイナ巡査部長だと、ぼんやりした意識のなかで気づいた。レイクシティ高校の担当で、麻薬や盗みを嗅《か》ぎつけるのが仕事だ。年上のほうは、赤毛で目が細く、酒飲み特有の赤ら顔をしている。テーブルに置かれた手はしみが浮き出て、落ち着きなく、そわそわしているように見える。その刑事が煙草《たばこ》に火をつけた。

「マケイン警部補だ――フランク・マケイン。高校担当のダグ・デイナは知ってるな？　わたしもクォーターバックだったんだ、きみと同じように。腕のほうはとうてい及ばなかったがね」

トニーは、話の行き先がわからず、目をこすった。マケインが、あえてゆっくりと話を進めようとするかのように、煙草を深々と吸う。「恐ろしい事件だよ、トニー。じつに恐ろしい。こうしてここにいるのは、わたしたちと同じように、きみにとって悲しいことだろう。あんな検査を受けさせてすまなかった。だが、単なる手順だよ――やらねばならんのだ」ふたたび煙草を吸うマケインの手が、震えているように見えた。「われわれには大きな責任があるんでな。美しい娘が死んだ――きみが関心を持ってた女の子がね。きみと同様、彼女の両親もそれを永遠に受け入れねばならん。われわれの役目は、彼らに何が起きたのかを理解させることだ。それによって、どんな平安がもたらされるにせよな」

トニーはテーブルを凝視した。「ぼくのせいです」と、つぶやく。「ご両親に、ぼくのせいだと言ってください」

マケインがじっと動かなくなった。「どういうことだね、トニー?」手もとで煙草がくすぶっている。

「アリスンに戻ってくるよう頼んだんです。いっしょにいたかったから」喉《のど》がつかえた。「ぼくが頼まなかったら、やつに殺されずにすんだでしょう」

デイナの目が鋭くなった。「それは誰かな?」

「さあ。公園に誰かいるのが聞こえて……」トニーは言葉を途切らせた。情け容赦ないこの明かりの下では、暗闇《くらやみ》の足音が、ばかばかしい幻想のように思える。

刑事たちはトニーを見守っていた。「今夜のことを話してもらおう」デイナが口を開く。「フットボールの試合が終わってからのできごとをすべて」

トニーの唇はかさかさになっていた。みじめな気持ちで説明を試みる。サムたちとの待ち合わせ、アリスンとのふたりきりのデート、彼女に戻ってきてもらうようにしたこと、暗闇の足音、死体発見のきっかけとなった小さな音。話をしながら、トニーは時間をさかのぼらせてくれと祈った――サムやスーといっしょにいたら、あるいは、アリスンに、愛してくれる家族のもとに留まっているよう言ったなら……。トニーはしかし、ひとつの事実、アリスンがトニーと愛し合いたがったことは話さなかった。彼女を守るのに今でもできることは、これだけだった。

デイナが眉《まゆ》をひそめている。「顔の傷はどうやってついた？」

トニーは思い出そうとした。「枝で……木のあいだを走ったときに」

「なぜ車を離れた？」

「アリスンの戻りが遅かったから。捜しに出て、公園でやつのたてた音を聞いて――」

「彼女が外にいると、そいつ――彼女を殺した男はどうしてわかったんだろう？」

トニーは当惑して、首を横に振った。デイナが静かにきく。「昨夜、彼女とセックスしたのか？」

トニーは目をつむった。「いいえ」

「われわれは、誰かがそうしたと考えてるんだ、トニー」悲しそうにマケインが首を振る。「アリスンは死んでも、彼女の体は語ってくれる。きみの体もだ。研究所から試料が戻ってきたときにな」

トニーは、罪の意識が押し寄せてくるのを感じた。「クィン神父を呼んでもらえませんか……ぼくの神父を？」

マケインがトニーの目を覗《のぞ》き込む。「わたしもカトリックだ、きみと同じく——ともに、告白が魂のためにいいと知ってる。だがな、きみがクィン神父に話すことは、きみ以外の誰も助けん。今は、きみがほかの人間を助ける機会なんだ。神父さんもそうおっしゃるだろう。この町のひとたちの信頼を裏切らないためにな」強調するために、話す速度を落として、「だから、仕切り直しといこう。アリスン・テイラーとセックスしたのかね？」

トニーは急にトイレへ行きたくなった。「いいえ」と、返事をする。

「昨夜、彼女と喧嘩《けんか》をしたか？」デイナが割り込んでくる。「きみたちは、問題を抱えていたんだろ？　このところ、ぎくしゃくしていた」

トニーはこめかみがずきずきした。「誰がそんなことを——」

「だから、昨夜は何が問題だったんだ？」デイナが突っ込む。

膀胱《ぼうこう》が痛んだ。「何も」

マケインが煙草を置く。「協力しろ、トニー。きみとアリスンのあいだに何があったのか話すんだ」

トニーは答えなかった。デイナの声が優しくなる。「何があったのか、わたしにはだいたいわかる」

部屋の空気が変化するのが感じられた。「どうして？」

デイナは椅子に深く腰掛け、無表情にトニーを見つめた。「女はときとして、じらすのが好きなんだ。あるいは、あるやりかたが好きだとこちらに思わせておきながら、じつはそうじゃなかったりする」秘密を打ち明けるような表情になる。「こんな理由から、きみは彼女に戻ってきてほしがったんじゃないか？　いつもとちょっと違うことをやってもらうために？」

「ぼくはただ、アリスンといっしょにいたかっただけで――」

「もしかすると、きみたちはそのことで口論したのかもしれない」デイナの口調は冷静になっている。「もしかすると、そのことを、彼女の体は語ってくれるのかもしれない。きみがアリスンに強要したことを」

トニーは首を横に振った。「そんなんじゃない」

「じゃあ、彼女のご両親に、アリスンはほかの誰かと遊び回っていたと報告していいんだな」

「いいえ……ぼくたちは付き合っていました」

「なら、穏やかに行こう。きみによると、アリスンにほかの男はいなかった。きみによると、アリスンは誰彼構わず寝てはいなかった。きみは、彼女に対して公平でありたいんだろ。彼女の思い出をだいじにしたいんだろ。そうするには、ほんとうは彼女に何をしたのか話すしかない」

突然、トニーは理解した。恐怖に、言葉が出なかった。

マケインがトニーの手をつかんだ。「彼女を愛してたのか、トニー？」

意表をつく言葉を耳にして、トニーの目に涙が浮かぶ。「はい。愛していました」

マケインがゆっくりとうなずいた。「わたしには、この事件は冷酷な殺しに見える。だが、きみが、好きな娘を冷酷に殺すとは思えんのだよ」

「そんなこと……できません」

マケインがトニーの手を軽くたたく。もしかすると、このひとは自分を信じてくれているのかもしれない、とトニーは心のなかでつぶやいた。警部補がきく。「では、こんな事件を起こした人物は、今、どう感じてると思うかね？」

「わかりません」膀胱にかかる圧力が耐えがたくなった。「トイレへ行きたいんですが――」

「そいつはほんとうにアリスンを殺したかったと思うか？」

警部補はなだめるように言った。だが、トニーの直感をつかさどる部分が、その口調の裏にあるものを、衝撃とともに聞いていた。静かにトニーは答えた。「そうに決まっています」

マケインの目のなかで、何かがきらりと光る。「どうしてわかるんだね、トニー？」

トニーは深く息を吸った。「そいつがアリスンにしたことを見たからです」

テーブル越しにマケインが上体を乗り出して、ふたりの額の距離が近づく。「じゃあ、そいつがどうなればいいと思う？　情けをかける余地はあるはずだ。そいつの気持ちがわかればだが」

「いいえ」トニーは答えた。「誰がやったにせよ、アリスンを殺した人物は死ぬべきです。彼女と同じように」

マケインがトニーの手をぎゅっと握って、「わたしはそうは思わん。そいつが殺すつもりじゃなかったのならな。単に状況が手に負えなくなっただけならな」警部補の視線がトニーの視線を捕らえる。「そろそろ腹をくくれ、トニー。昨夜、きみはこの町の英雄だった。もう一度、英雄になるんだ。遅すぎはしない」

トニーは、残っている理性を自身の生存のために働かせた。「ほんとうは何が起こったのかを話せばいいんですね？　そうしたら、トイレへ行けるんですね？」

「そのとおり」マケインの手が震えるのを、トニーは感じとった。「彼女を殺すつもりじゃなかったのは、わかってる。状況がいかに不利に見えようとな」

トニーはゆっくりと手を移動させ、刑事をまっすぐ見つめた。「わかりました。アリスンを殺していません。あのとおりに見つけたんです。だからもう、友だちのふりはやめて結構です」立ち上がる。喪失感と恐怖と怒りで、声が震えた。「両親を呼んでください。今すぐ。それに、トイレの場所を教えてください」

マケインが顔を真っ赤にして、見上げている。しばらく、誰も口をきかなかった。

「廊下を行った先だ」デイナが言った。

両親がやってきた。母の目は赤かった。化粧っけがなく、金髪は白に近く、顔は青白い。彼女はトニーに駆け寄ると、必死に抱きしめた。「ぼくは殺していないよ、母さん」

「心配しなくていいわ、トニー。心配しなくて」

母親の肩越しに、父を見る。スタンリー・ロードは、いつもより背筋をのばして立っていた。一瞬、その顎《あご》が引きしまり、顔に威厳が増したように見えた。トニーはなぜか、ヘレン・ロードが炉棚に飾っている結婚式の写真を思い出した。そのなかで、スタンリーの、後ろに流した髪はもっと黒く、スラヴ系の顔はもっと細く、鋭かった。「ほら、とてもりりしかったのよ」と、べつの人生のできごとであるかのように、母はよく言うのだった。

数年ぶりに、父がトニーの手を握った。マケインからデイナへと視線を移して、口を開く。「息子をうちに連れて帰る」トニーは、迷子の迎えに来てもらった子どものように、ありがたさを覚えた。

親子がとあるオフィスの前を通り過ぎようとすると、署長がジョンとキャサリンのテイラー夫妻に話をしているところだった。ジョン・テイラーが顔を上げ、猛烈な敵意を込めてスタンリー・ロードを見る。スタンリー・ロードは同情の目を向けたが、そこに謝罪は含まれていなかった。ジョン・テイラーがどんな人物であろうと、自分は自分のすべきことをする、とその表情は語っていた。やがてヘレン・ロードが夫の腕を引き、親子はその場を離れた。

明け方の薄明かりのなかで、母親は青いダッジにもたれかかった。手で顔を覆《おお》い、涙を流す。「あの子に近づくべきじゃなかったのよ。はじめからわかって……」

その発言に、トニーは強い衝撃を受けた。母が祖国ポーランドという土地の影響からいまだ抜けきれず、迷信的な怖《おそ》れを口にしたのだと理解できても、今度ばかりは役に立たない。トニーは震えながら父のほうを向いた。「ごめんね、父さん。どうやら弁護士が要るみたい」

この悲劇が自分たち家族に与える影響に、スタンリー・ロードがひるんだように、トニーの目には映った。やがて、父は覚悟を決め、新しい現実を受け入れることにしたようだった。女の子が死に、愛する息子が困っているのだ。

スタンリー・ロードが息子を引き寄せる。「見つけてやるよ、アントニー」

8

トニーが弁護士のソール・ラヴィンと会ったときの印象は、これまで送ってきたような人生では決して出会わない人物だというものだった。

悲嘆と不眠の最初の二日間に、トニーは、アリスンの死を受け入れる気持ちが、石にぽたりと落ちる水滴のように、ゆっくり、着実にやってくるのに気づいた。土曜日の新聞は、現実のものとは思えなかった。そこに掲載された、生徒年報のアリスンの写真は色が褪《あ》せ、悲劇によって命を縮められた大勢のティーンエイジャーの写真とそっくりだった。大見出しは『レイクシティの少女殺害される』で、その下に、『人望ある生徒の死に関して、ボーイフレンドから事情聴取』とあった。生気のない声で、トニーは母にきいたのだった。「これ、誰が持ってきたの?」

「リーヴズの奥さんよ、通りの先の。ツナ・キャセロールといっしょに」

返事を聞いて、トニーは声をあげて笑った。とげのある笑い声に、母が顔をこわばらせた。「この次誰か殺したときは」と、トニーは言った。「ラザーニャを持ってくるよう言ってよ」

　母が両手で口もとを押さえた。表に集まっている記者たちを窓辺で見ていた父が、振り向いて、穏やかに言った。「家族は互いにいたわるものだぞ。とくに今は」

　父の肌は青白く、目の下のたるみは痣《あざ》のように見えた。反省の態度を示すかのように、トニーはヘレン・ロードの向かいの長椅子《いす》に腰を下ろした。「わたしたちしかいないのよ」ヘレンが息子に言った。「ジョー伯父さんとメアリ・ローズ伯母さんも来たがったの。でも、断ったわ。外にあんなにひとがいるんじゃ」

　トニーは身の回りに目をやった。記憶にある唯一《ゆいいつ》の家だった。小さなリビングルームには、両親の結婚記念写真と、高校生のトニーの写真と、聖スタニスワフの磁器製の胸像と、民族衣装姿の農民ふたりがポルカを踊る置物があった。トニーには、この部屋は、両親の狭い人生の領域を反映しているように見えた。母の不安、父の数少ない気晴らし――ボーリング、教会活動――、これまた父の、権威主義に毒された会社の狭苦しい小部屋での、忍耐とあきらめの勤務。何度、トニーはここから――自分の家であり、今は牢獄《ろうごく》である場所から――逃げだそうと思っただろう。アリスンと同じように死んでしまいたかった。

　そして今は月曜の午後。三日前のトニーなら、登校して、対リヴァーウッド戦勝利のさらなる祝いの言葉を受けるだろうと思っていた日だ。しかし、学校はアリスンの葬儀のために休みだった。トニーと両親のほうは、スティールトン一優秀だと保証された、この刑事弁護士のオフィスにいた。ときおりトニーは窓の外に目をやり、眼下に広がる斜陽鉄工業地帯《ラストベルト》を見た。何もかもがセメントと鉄鋼でできているようだった。灰色の建物。灰色の道路。汚染されたスティールトン川は、灰色の鉱石運搬船がひしめき、灰色の煙突に縁どられた灰色のリボンだ。煙までもが灰色だった。

ラヴィンは、ロード家がこれから直面する新たな現実について、率直に語った。これは重大な問題だった——依頼料として一万ドルが必要で、トニーが殺人罪で告発された場合、ご両親は家を抵当に入れるか売却するかしなくてはならない。だが、きょうは、喜んでただでトニーと会おう。

そして、こうしめくくった。残念ながら、ご両親には席をはずしてもらわなければならない。自分が弁護するのはご両親ではなく、したがって、自分とトニーとの話し合いについて、どちらにも尋ねないでもらいたい。さらに、ご両親には証人になってもらうかもしれないから、くだんの晩に関してトニーと絶対に話し合ってはならない。トニーが有罪だからというわけではない、とラヴィンは急いで付け加えた。切れ者の検察官にかかると、三人の記憶の小さな違いがねじ曲げられることがあるからだ。ロード一家は、新しい奇妙な教理問答に耳を傾けるかのように、狐《きつね》につままれたような面持ちで聞いていた。やがてラヴィンがトニーの両親を受付エリアに送り出し、ドアを閉じた。トニーとソール・ラヴィンはふたりきりになった。

ラヴィンが椅子に深く腰掛け、腹の前で腕を組む。歳《とし》は四十代はじめで、太鼓腹、くせ毛の黒髪には白いものが混じり、鼻は大きく、二重顎《あご》で、目は、ときによって生気にあふれているように見えたり、死んでいるように見えたりしたが、なぜか悲しそうだった。ユダヤ人だろうとトニーは推測したが――〝ソール・ラヴィン〟という響きが、どことなく外国的だ――自信はなかった。記憶にあるかぎり、ユダヤ人に会ったことはないのだ。しかし、ラヴィンには、優しいおじさんのような雰囲気があった。トニーが混乱していて、話し合いに時間をかける必要があるのを承知していると、ラヴィンは巧みに伝えていた。両親を退席させたのにはもうひとつ理由がある、とトニーは感じた――彼らがいないほうが、トニーはラヴィンに対して正直になれそうだった。

「さて、トニー」ようやくラヴィンが言った。「きみはまったくの赤の他人とここにいるわけだが、その男はたまたま、きみが完全に信頼できるただひとりの人物でもある。きみのここでの発言が、この部屋から漏れることはない。だから、何もかも話してもらいたい。

事実を隠して話を始められたら、この件の扱いについて判断できなくなる。いいか、絶対の事実を語るのは簡単なことなんだ――あれこれ考えなくてすむただひとつの話だからね。わかるだろ？」

一時間、トニーは自分の人生について、きかれたことに答えた。家族、友人、成績、スポーツと課外活動、教会、ロード家がレイクシティに住んで何年になるか、なぜステイールトンから引っ越したのか、トニーはどこの大学に行くつもりか、警察や学校や町の誰かを相手にこれまで問題を起こしたことはないか。トニーは質問に答えるあいだに、ラヴィンが相手を落ち着かせようとする一方で、トニーの人物像を描いているのだと理解した。

「きみは目新しい依頼人だよ」しばらくして、ラヴィンが言った。「これまで犯した罪と言えば、十七歳であることだけなんだから」まじめな顔つきになって、「アリスンについて話してもらわなくてはな、トニー。起こったことだけではなく、彼女のひととなりも」

トニーは静かに語り始めた。やがてラヴィンが殺人の晩へと話を持っていき、必要なときにはトニーにひと息つかせた。話のしめくくりは、警察でのできごとだった。トニーが憶《おぼ》えている質問や、ときには言葉づかいまでもを、ラヴィンは丁寧な口調で容赦なくきき出した。トニーが話し終えると、ラヴィンが言う。「警察がきみに言っていないことがあるな」

「なんでしょう?」

「わからん」ラヴィンは何かを補足しようとするかのように、顎の下で両手の指を軽く突き合わせ、それからほとんど投げやりな口調で言った。「警察はいつでも何かしら伏せておく。相手を罠《わな》にかけるためとか、頭のおかしなやつにやってもいない殺人を自供されるのを防ぐためとか。単に被害者の家族の感情を守るためということもある」声が穏やかになる。「だが、きみだって何か伏せている。警察に、そしてわたしに」

トニーは顔を赤くした。「何を？」

「アリスンと寝ていた事実を」

トニーは無言で弁護士を見つめた。身の内で、羞恥心《しゅうちしん》と反抗心が戦っている。ラヴィンは金のカフスボタンをつまらなそうに見始めた。「そして、トニー、わたしの疑問も警察と同じく、なぜか、ということだ。警察の出した答えは、おそらくきみが彼女を強《ごう》姦《かん》したから。あるいは、彼女に声を出させたくなくて、少し強く口を押さえたから。警察を責めることはできん」唐突にラヴィンが顔を上げ、鋭い視線を向ける。「だから、どっちなんだ、トニー？　強姦か？　殺人か？　強姦に殺人か？　それとも、単なる合意の上でのセックスか？　今度は何も省かずに話すんだ」

トニーは唐突に立ち上がり、窓辺へ歩いた。だが、目に映るのは、裸で下に横たわって、こちらの顔をじっと見るアリスンだけだった。昨夜、泣くまいと決心していなかったら、トニーはここで泣き出しただろう。振り返らずに言った。「車のなかでセックスしました。はじめてだったんです」

「それは、ふたりとも望んだうえでの行為だった」

「はい」いったん言葉を切ってから、しぶしぶ付け加える。「だから、アリスンは戻ってきたんです」

「なぜそれを警察に話さなかった?」

トニーは息を吐き出した。「ふたりのあいだのことだから」

ラヴィンが革椅子から立ち上がるのが聞こえた。「彼女は死んだんだ、トニー。それに、きみの説明からアリスンを判断すると、彼女には、そういう騎士道精神は必要なさそうだ」片方の大きな手をトニーの肩に置いて、「わたしの記憶が正しければ、きみの宗教では、アリスンと寝るのは大罪のはずだ。だが、セックスすることによって、きみがアリスンを殺したとは思わん。わたしの神学では、彼女を殺したのは彼女を殺した人間だけだ。法律の考えかたも同じだよ。だから、もう一度言ってくれ――きみはアリスン・テイラーを殺したか? 答えがなんであろうと、わたしは力になる。だが、答えは事実でなくてはならん」

トニーは向きを変え、弁護士と目を合わせた。「ぼくはアリスンを殺していません、ラヴィンさん。愛していたんです」

ラヴィンはトニーをじっと見た。そして、うっすらと微笑《ほほえ》んだ。「ソールと呼んでくれ」と、訂正する。「ラヴィンさんでは、ラビをしているわたしの父を呼んでいるようだ。わたしはいささか期待はずれの息子でね。さあ、座って」

腰を下ろしながら、トニーはある種の信頼を覚えた。ラヴィンが椅子に深く腰掛ける。

「では、こちらの手持ちの事実も少し話しておこう。

まず、きみとアリスンの関係のほかに、きみの話に著しい穴はない。警察とテイラー家の人間は信じられないと思うかもしれんが、これをくつがえすにはもっと確固とした何かが必要となるだろう。向こうがそれをなんだと考えているのか、まだわからん——アリスンの体から得られた物的証拠か、きみから採取した何か、たとえば爪《つめ》から掻《か》き出したものとか、あるいは、こちらに不利な情報を持っていると主張する人間か。

物的証拠に関して、こちらからは何もできん。実際は彼女と寝ていて、しかも合意のうえのものだったと警察に話す以外は」間をおく。「それがほんとうなら、はじめてでも、検死官は同意するだろう。強姦は組織に外傷を与える——合意のうえなら、検死官は同意するだろう。それほどの傷にはならんはずだ」一瞬、言葉を切ってから、「ただし」と、低い声で言い足す。「あとからほかの人間が彼女を犯した場合はべつだ。その場合、検死官は判断できんだろう——たとえ精液の主がひとりでも、誰のものか特定できんのだ。わかるのは血液型だけ」

トニーはいくつかの思いに襲われた。アリスンが感じたはずの苦悩、トニー自身の犯人に対する憎しみ、アリスンを証拠のひとつであるかのように話すことへの反感、みずからの罪の重さ……。「そこでわれわれは」と、ラヴィンが続ける。「そのもうひとつの場合を考えなくてはならなくなる。女性にそういうことが起こったとき、トニー、それはきみが思っている以上に意味があるかもしれんのだ。誰でもいい、誰かが、あそこにいる可能性はなかっただろうか？　アリスンにその種の感情を持つかもしれん人間が？」

「誰もいません。アリスンは、男をとっかえ引っかえして遊び回るような女じゃありませんでした」声が高くなるのがわかった。「あなたでなく、このぼくが、彼女を発見したんです。このぼくが、警察に殺人犯だと思われているんです。あんなことができる人間を知っていたら、警察に話しましたよ。その前にこの手で殺していなければの話ですけれど」

ラヴィンが落ち着いた視線をトニーに向ける。「殺しの話は聞かなかったことにしよう。それに、ごく最近まで、アリスンは複数の相手とデートしていた。きみが彼女を愛していたのなら、彼らだって愛していたのかもしれん。彼女が彼らに恋愛感情を持っていたという可能性もある。あるいは、彼女に好きだと言われたのに捨てられた、と彼らは思っているかもしれん」ラヴィンの口調から感情が抜け、事務的なものになった。

「そこから、さらに二、三の事実につながる。

きみが裁判を受けることになれば、きみのうちの経済状態はめちゃくちゃになる。きみが告発されれば、きみの評判は一生めちゃくちゃになる――少なくとも、限られた人間のあいだではね。われわれは警察に、誰かべつの人間がやったと考えさせる必要があるんだ。そのためには、きみの協力が必要なんだよ」

トニーは弁護士をじっと見た。それから、アリスンがデートしたことのある相手の名前をぼそぼそと告げる。ラヴィンがそれを書き留めた。「ありがとう」と礼儀正しく言って、弁護士はメモ用紙から顔を上げた。「これを警察に渡そう。アリスンときみの関係を知らせに行ったおりに」

トニーはきちんと座り直した。「ぼくも連れていってください」

ラヴィンがペンを置く。「言い忘れていたが、二度と警察の人間と話してはいけない。そのためにわたしを雇っているんだよ。進行状況を知って、間違いを犯さないために……」

「事実というのは、あれこれ考えなくてすむただひとつの話だとあなたに言われましたが」

ラヴィンがトニーに視線を注ぐ。「こういう状況では、わたしはいかなる依頼人にも警察と話をさせん。言ったことが助けになるとは限らんのだ。どんなに裏のない発言でもね」

「ぼくはうそをつきました」トニーは背筋をのばした。「もう一度警官たちに直接会って、自分がやったんじゃないと言わなくちゃならないんです。みんなにそれを言わなくちゃならないんです」

ラヴィンが穏やかな顔になって、手を組み合わせる。目にはふたたび悲しげなようすが戻り、疲れ切っているようだった。「もうひとつ、きみに言っておかなければならん事実がある。いちばん残酷な事実だ。

きみは、自分が殺していないと知っている唯一の人間なんだ。ほかの者たちはみな、何を信じるべきか、選択しなくてはならん。そして、きみが知っていると思われることは何ひとつ、きみが殺人犯ではないとレイクシティの平均的な人間に信じさせる助けにはならん。

それができるのは、警官と郡の検事だけだ。しかも、彼らがこちらの説得に応じて、きみを起訴しない場合だけだ。それまでのあいだ、きみは自分の無実が証明されるよう願って、努力するしかない。きみには、みんなに――ご両親に、コーチたちに、友だちに、さらにはサムやスーにも――こう言ってもらいたい。自分はやっていず、警察が犯人を挙げてくれるものと信じていて、事件の話をしないことで警察に協力しているのだ、と。それ以上は何もするな」

ふたたび、新たな孤独感がトニーを包み始めた。アリスンを永遠に失った今、トニーは誰の助けもなしに、その悲しみに、彼女を発見したときの恐怖に、殺人犯だと誤解される苦しみに耐えなくてはならない。窓の外を眺めながら、ひとりごとのように言った。「今まさにアリスンの葬儀が行なわれています。学校は休校で、町の半分の人間が参列している。その大半が彼女をろくに知らないのに、知り合いだったと思いたがっている。テイラー家が通う教会の牧師は、ぼくが来ないよう、確認の電話をしてきました。テイラー家の希望だそうです。彼らの気持ちを尊重するようにと言われました。

公平に言えば、牧師は、ぼくなりに、ぼくの教会のやりかたで、アリスンのために祈るよう勧めてくれました。どうやら、ローマ・カトリック教には殺人を犯した信徒のための、独特の宗教儀式があると思っているらしかった」

トニーを見守るラヴィンが、不可解そうな顔をしている。トニーは弁護士をまともに見つめた。「友だちはみんな参列します。だけど、とにかくくやしいのは、レイクシティでアリスンをいちばん愛していたのが、彼女の両親とぼくだということです。それなのに、ぼくは、彼らにそれを伝えられない」

「あるいは、共に悲しみを分かち合えない」ラヴィンの目がようやく理解を示した。「だが、テイラー家の人間には近づくな。彼らはひどく傷ついていて、きみを見たら、その傷がずっと悪くなる。レイクシティにおいては、テイラー家はきみを徹底的につぶすことができるんだ」

その忠告は、失ったものに対するトニーの恐怖を増した。「あなたの言うとおりなら」

と、ラヴィンに言う。「ぼくには話のできる相手がいません」

「きみの神父さんは?」

トニーはためらった。「さあ、どうでしょう」穏やかな声で言う。「アリスンについては、賛成してくれませんでした」

ラヴィンが、考える時間を稼ぐかのように、無表情でトニーを見た。「取引きをしよう」と、やがて言った。「当分おとなしくしていたら、警察へ連れていってあげよう。そうすれば、担当者たちに思っていることを話せる」椅子《いす》から立ち上がり、デスク越しに手を差し出してくる。「いいな?」

トニーはためらい、それからラヴィンの手を握った。「いいです」

「よし」と、弁護士。「追って連絡するよ」

トニーはドアへ向かった。未知の世界へ乗り出そうとしているのを実感する。

「もうひとつ」と、ラヴィンが言うのが聞こえた。

トニーはドアノブをつかんだまま、振り向いた。「なんです?」

「わたしに電話をくれていいよ、トニー。話したいときはいつでも」

とっさには返事ができなかった。安堵《あんど》と感謝がこみ上げるなか、「ありがとう、ラヴィンさん」と言うのがやっとだった。

このときはじめて、ラヴィンの笑みが目もとにまで及んだ。「ソールと呼んでくれ」

9

帰途、ロード家の車は聖バルナバ監督教会の前を通った。道が混雑していた。教会の裏に、黒い霊柩車《れいきゅうしゃ》が駐《と》まっている。

トニーは静かに言った。「クィン神父に会わないと」

青い顔をした両親は何も言わず、聖ラファエル教会で息子を降ろした。

聖ラファエル教会の信者たちは裕福ではなかったが、教会堂自体は金線細工を施した壮大な建物で、薄暗く静かな室内が心を落ち着かせてくれる。トニーは後ろの信徒席にそっと腰を下ろした。

午後三時だった。三日前、フットボールの試合はまだ行なわれていなかった。アリスン・テイラーはまだ完全にトニーの恋人というわけではなく、ふたりで過ごす夜を待っていた。

涙をこぼしながら、トニーはアリスンの冥福《めいふく》を祈った。

行かなければならない場所はわかっていた。

教会堂の片側の、暗い廊下に面して、告解室がある。土曜と月曜の午後、クィン神父は告白を聞く。子どものころから、告白を聞いてもらうのがトニーの生活の一部だった。小さな罪も大きな罪も、漏らさず語った。クィン神父は最後まで聞くと、唱えるべき主の祈りとアベマリアを指示し、心を入れ替えてよい行ないをするように諭す。「エゴ・テ・アプソルウォ」と、神父は言うのだった——なんじの罪を赦《ゆる》す——「イン・ノミネ・パトリス、エ・フィリイ、エ・スピリトゥス・サンクトゥス。心安らかに行け」トニーは身廊に戻って、神の前にひざまずき、贖罪《しょくざい》の祈りを唱える。そしてようやく、すがすがしく軽やかな心で教会堂を出るのだった。

きょうという理解しがたい日に、告白は、トニーにとって、罪が赦されるための、なによりもアリスンの罪が赦されるための、唯一《ゆいいつ》の希望だった。

廊下に近づいたとき、ふたりの女が出てきた。母娘《おやこ》だった。トニーに気づくと、ふたりは後ずさりして通してくれた。こちらの悲しみに敬意を表わしての行為か、はたまた今からする告白を怖《おそ》れての行為か、トニーにはわからなかった。

暗い廊下を歩くと、床板がきしんだ。

告解室は廊下の突き当たりにあって、なかに椅子が一脚置かれている。トニーは入ると、腰を下ろした。戸の向こうに、修道者然としたクィン神父の横顔がぼんやりと見える。

「神父さま、お赦しください。罪を犯してしまいました……」

神父がじっと動かないのが感じとれた。ややあってから、アイルランドなまりの声が静かに尋ねる。「どんな罪だね？」

「大罪です、神父さま」言葉が喉《のど》に詰まって、すぐには先を続けられない。「彼女とセックスをしました」

神父がためらった。「結婚前のセックスは、たしかに大罪だ……」

「彼女は死にました」

戸の向こうから、神父が息を呑《の》む音が聞こえたが、驚きによるものではなかった。

「どのようにして亡《な》くなったのかね？」

「ぼくのせいです」

今度は何も聞こえてこない。トニーは前屈《かが》みになって、祈る姿勢をとった。「いけないとわかっていながら、何か月も彼女に求めていたんです。そしてとうとう、身を任せてくれました。ぼくを愛していたから。彼女はカトリックじゃありません。彼女にとっては、罪ある行為じゃなかったんです……」

「そのとおり」クィン神父がささやくように言う。「わかっている。そして、そのこと自体が罪だったのだよ」

体が震えるのがわかった。神父の声がさらに低くなる。「彼女がどのようにして亡くなったのか、まだ聞いていない。おまえのせいだと言ったね」

トニーは目を閉じた。「セックスをしたあと、また彼女を欲しくなったんです。彼女が家を抜け出て戻ってくるのを、テイラー公園で待っていました。なかなか来ないので、探しに行きました。見つけたときには、自宅の裏庭で殺されていました」ふたたび涙が込み上げてくる。「苦しんで死んだにちがいありません。ぼくが求めなければ、彼女が裏庭に出ることはなかった。ぼくのせいで死んだんです」

長い沈黙ののち、神父がきいた。「ほかに言うことはあるかね？」

トニーはすぐには返事ができなかった。「彼女はセックスしたあとに死んだんです、神父さま。ぼくとしては……」

神父が上体を傾け、乾いた声で言う。「彼女の魂がどうなったのか、知りたいのだね」

「はい」

クィン神父は間をおいた。「だが、知ることはできない」と、ようやく言う。

トニーは吐き気を覚えた。トニーは両親から教義を教わっていた。それによると、罪を犯して死んだ娘は言うまでもなく、カトリック教徒でない者は、救済を望める立場にない。「でも、教理は変わってきています……」

「おそらく。だが、この点では、変わっていないだろう」

失意の底に突き落とされ、トニーは顔を覆《おお》った。「お願いです、神父さま……」

声をなごませ、神父が言う。「事実を曲げては話せないよ。おまえの行動が原因で亡くなった気の毒な娘のためであっても。彼女が救われるかどうかは、今となっては彼女と神のあいだで決められる。おまえがここに来てできるのは、みずからの罪を告白し、みずからの不滅の魂のために悔い改めることだけだ」声をきつくして、「だから尋ねなければならないが、わたしにすべてを話したかね？」

「はい」急に声に熱を込めて、トニーは言った。「神父さま、お赦しください。わたしは大罪を犯し、そのせいで、愛する女性を地獄へ送ってしまいました」

「聞きなさい」神父の声が高くなる。「おまえの話している相手はわたしではなく、究極の審判者である神で、しかも、神はお忘れにならない。神が赦しを与えられるのはおまえにだけで、しかも、おまえが告白した罪に対してだけだ。まだほかに……？」

「ぼくは彼女を殺していません、神父さま。彼女を地獄へ送っただけです」これまで感じなかったやりきれなさと憤《いきどお》りで、胸がいっぱいになった。「さあ、赦しを与えてください。心の重荷を軽くして……」

戸の向こうで、はっと息を呑む音がした。「おまえは感情的になっている。このことについてよく考えてみるべきでは……」

苦しみに突き動かされ、トニーは椅子から立ち上がった。「きっと、アリスンと地獄へ行ったほうがいいんだ。道連れがいれば、彼女も……」

「アントニー」神父が声を張りあげる。「こうするのがわたしの義務なのだよ。罪の赦しがなければ、おまえは聖体を拝領できない。わたしが助けたいのはおまえであって……」

「ぼくを助けることはできません、神父さま。この世では」

絶望と不眠と自暴自棄とで前後の見境がつかなくなったトニーは、向きを変えると、教会堂を出た。

五時少しすぎ、地下室にひとり座っていると、階段を下りてくる足音がした。一瞬後、薄暗い明かりのなかに、サムとスーが立っていた。スーが駆け寄ってきて、トニーの首に腕を回す。「トニー、かわいそうに……」

トニーは目を閉じ、スーを抱きしめた。彼女を見て湧《わ》き起こった安堵《あんど》感《かん》と、この突然の心地よい温かさ以外はすべて忘れて、しばらくそうしていた。「きみたちが来てくれて、ほんとうにうれしい……」

スーが頬をトニーの額にくっつけてから、一歩下がる。トニーは椅子《いす》から立ち上がり、サムを抱きしめた。言葉を交わす必要はなかった。

しばらくして、サムとスーは格子《こうし》柄の長椅子に腰を下ろし、リノリウムの床に足を落ち着けた。ふたりがどこに行っていたのか、トニーは尋ねなかった。チャコールグレーのスーツ姿のサムは、借り着を着ているかのようにしゃちほこばっている。スーのくすんだ濃紺の服は、彼女が教会に行くときにだけ着るものだ。スーにはいつもの快活さがなく、小さく見えた。トニーは静かな声できいた。「どうだった？」

スーは返事を考えているようだった。「つらかったわ」ようやく言う。「アリスンのお父さんはスピーチをしようとしたんだけど、できなかった。お母さんのほうは、別人みたいだった」

「行きたかったんだよ、スー。向こうの牧師さんに止められなかったら」

スーが顔を上げ、トニーを見る。「わかってる」

この短い言葉は、口にされない意味をともなって反響した。トニーは意を決して尋ねた。「みんな、ぼくが殺したと思っているんだろ？」

スーはたじろがなかった。「みんな、あまり話をしなかったの」そう答えてから、これでは友人に対する返答としてふじゅうぶんだと判断する。「あなたを知ってるひとは、そんなふうに思ってないわ。どう考えたらいいかわからないひともいるんじゃないかしら。ほら、金曜日に起こったばかりだから……」

「信じられないよ」サムが口をはさむ。その目に突然涙が浮かぶのを、トニーは見た。

「あの晩のことをずっと考えてるんだ。俺たちが楓林《かえでばやし》にいたときに、おまえたちがそんな目にあっていたんだ、と。いっしょに行動しようと無理やり誘っていれば、そんなことは起きなかったはずだ、と……」

スーが視線でサムをたしなめる。だが、トニーにはどうでもいいことだった。なぜなら、これまで何時間も想像してきたのは、自分とアリスンに危険が迫ることなく、このふたりと一台の車のなかにいる姿だったからだ。ついこのあいだまで四人だったのに、とトニーは心のなかでつぶやいた。アリスンがいないと、ふた組のカップルからできていた有機体の一部に、治しようがない欠落が出たように見える。

「夢みたいだよ」しばらくして、トニーは言った。「まるで、あすになったら、アリスンにこの話を聞かせてあげられるような気が……」

サムが体の前で両手を組み合わせる。やがて口を開いた。「新聞によると、発見したとき、アリスンはああいう状態だったとお巡《まわ》りに言ったって……」

トニーは目頭を押さえた。「ああ」

「やっぱり……死んでたのか？」

「そうだ」

サムはためらいがちにトニーを見た。「お巡りが俺のところに来たんだ、トニー」

トニーは重苦しい気持ちになった。「何を知りたがっていた？」

「だいたいは、あの晩についてさ。別々に行動することにしたのは誰の考えかだとか」

澄んだ青い瞳《ひとみ》でトニーをじっと見る。「あのデイナって野郎、おまえらふたりが喧嘩《けんか》したことはあるかってききやがった。喧嘩なんか絶対なかったたって言ってやったよ」

トニーは息を吐き出した。「それを鵜呑《うの》みにするほど向こうもばかじゃないよ」

スーがゆっくりとうなずく。「あたしのところにも来たわ。アリスンがふたりのあいだの問題を相談したことがあるかどうか知りたがってた」

トニーは赤面した。「あるの？」

「ええ」

恥ずかしさにトニーは口をつぐんだ。つまり、自分と寝るべきかどうかということで、アリスンがどの程度悩んでいたのか、スーは知っているのだ。自分のことをアリスンがどう言ったのか、あるいはスーが警察になんと答えたのか、トニーはきく勇気が持てなかった。そのとき、スーが静かに言った。「だいじょうぶよ、トニー。女にとってなかなか決心がつかないことってだけなんだから。あなたにせっつかれてはいないって、彼女、言ってた」

トニーは、なんと言ったらいいのかわからなかった。「なんか、こっちを有利にする材料はないのか？」と、サムがきいてくる。「たとえば、誰かを見たとか」

トニーは鼻梁《びりょう》に触れた。「公園で誰かの足音を聞いた。アリスンの死体から駆けて逃げる足音だったんだと思う。暗くて姿は見えなかった」

「それだけか？」

「まあね」トニーは息を吸い込んだ。「そのあと、彼女を見つけた」

サムが身を乗り出して、「なあ、トニー、俺たち、助けになれるかもしれない。当分のあいだ、おまえは学校でいやな思いをするだろう。そこでだ、おまえがお巡りに言ったことをスーと俺が知ってれば、どうなってるのかみんなに説明して、おまえの言いぶんを伝えられる。そのほうが、新聞が書いたものよりは、ましなんじゃないか」

先ほどスーが言ったよりも、葬儀では話に花が咲いたようだ、とトニーは気づいた。よくよく考えてみれば、ここはレイクシティだ。ここでは、結婚前の娘が妊娠すれば、赤ん坊が生まれるまで、ひとびとは事の経過を熱心にうわさし、友人たちが娘の過去の〝情事〟――かつてのボーイフレンドと推定されるティーンエイジャーたちによって、その数はふくらまされる――を詳細に語る。まして今度は殺人事件だ、どれほど騒ぎ立てられるだろう。トニーは、これまで自分に好意的な意見が町に広まっていたのがかえってあだになると、はたと気づいた。自分の潔白はわかっているから、同情されて当然だと思い込んでいたのだ。遅ればせながら、ソール・ラヴィンの忠告を思い出す。

「きみたちがぼくの助けになるかどうか、わからないんだ」トニーは最後まで言うのをためらい、いったん言葉を切った。「少なくともぼくの弁護士は、ならないと考えている」

サムの目が狭まる。「どうして？」

「彼は、ぼくが誰とも話すべきじゃないと言っているんだ。彼の考えでは、たとえぼくが潔白でも、警官は足しげくきみたちのところへ通って、ぼくを死刑にする材料を探し続けると……」

「だからどうした？」サムの表情と口調にとげが混じる。「その弁護士って、誰だ？」

「ソール・ラヴィン」トニーは不意に、自分の弁護士を弁護すべきだと感じた。「スティールトン一の弁護士だよ」

「ここに住んでもいない、ダウンタウンの弁護士か？　おい、トニー、俺たちはおまえの友人だ。俺たちの話なら、みんな耳を傾けてくれる」とまどいに、サムの声が甲高くなる。「おまえが俺たちを閉め出したら、みんなは何を信じると思う？」

サムの懸念《けねん》の底に、誇りと所有者意識があるのにトニーは気づいた。トニーは俺の友人だ、誰も俺ほどはトニーと親しくない、というわけだ。この申し出がサムにとって個人的なものだと知って、トニーは気が重くなるとともに、悲しくもなった。穏やかな声で言う。「きみにぼくの弁護士になってもらう必要はないんだ、サム。友だちでいてほしい」きつい言葉をやわらげたくて、スーのほうを向いた。「ソールの考えでは、ぼくとしては、知っていることを警察に言って、ほかの誰にもしゃべらないのがいちばんいいんだそうだ。警察がちゃんと仕事をすればするほど、ぼくのためになるって」間をおいたとき、サムの落胆と不信の表情が目に入った。「何よりも彼らに、アリスンを殺したやつを見つけてもらいたいんだ」

スーが、サムをちらりと見て、恋人の膝《ひざ》に片手を置く。サムはその手を見下ろし、それからトニーを見て、ゆっくりとうなずいた。「俺たちは、おまえが望むことをなんでもするよ。あるいは、その弁護士が望むことをな」

一瞬、ぎこちない沈黙が落ちた。やがてスーが立ち上がってトニーのもとへ行き、両手で彼の手を包んだ。「あたしたちふたりとも、アリスンを失って悲しんでるわ、トニー。だけど、あたしたちにはまだあなたがいる」サムのほうを向いて、迷いのある笑みを投げる。

サムが立ち上がり、スーとトニーに腕を回して、ふたりを抱きしめた。「そうだとも」サムは言った。「これまでとおんなじだ」

10

「彼女と寝ました」トニーは言った。

この前と同じ小部屋に、マケインとデイナとともに座っていた。だが今回はソール・

ラヴィンが付き添っていて、ドアは少し開いており、ソールがマケインに禁煙を申し入れてあった。いらだたしげな顔で、マケインはマニラ紙の封筒をもてあそんでいる。

「なぜ、このあいだはそう言わなかった？」デイナがきく。

トニーは、あらかじめラヴィンと入念に練習したとおり、答えを考えるふりをした。弁護士の指示どおりに、刑事をまっすぐ見て、「自分の置かれた状況が呑《の》み込めなかったからです。あれはアリスンにとってはじめての経験で、ぼくたち以外の他人には関係のないことだとしか考えられなかったんです」間をおき、静かにこうしめくくる。「アリスンに起こったことを、まだ現実のできごとと感じられませんでした」

マケインが顔をしかめる。「わたしには、きみの受け答えはしっかりしてたように思えたが――」

「わたしだったら」と、ソールが澄まし顔で口をはさむ。「前回のトニーの発言は忘れますね。あんたが、トニーの両親に電話したり、神父に連絡したり、ミランダ警告を読み上げたりすることを忘れたように。トイレの場所を教えるのさえ忘れたそうじゃ――」

「彼は逮捕されてたわけじゃない」マケインがぴしゃりと言う。

「この子はまだ十七歳ですよ、警部補」ソールは刑事に愛想のいい笑顔を向けた。「この件で言い争いはやめましょう。ショック状態にある少年から脅しで引き出した供述をもとに殺人の罪をかぶせようとして、民訴裁判所で判事に却下され、世間にまぬけ面《づら》をさらしたいのならべつですがね。あんたが有名になりたいのなら、じゃまはしない」

マケインが、火傷《やけど》をしたような肌をさらに赤くして、封筒のふたをいじくり始める。だが、デイナのほうは、トニーから視線をはずさなかった。「彼女と寝たと言ったが、内容は？」

「どういう意味です？」

「どうやったのか、という意味だ」

トニーはソールに目をやった。弁護士は、いくぶん退屈そうな表情で壁を観察している。「車の後部座席でです」トニーは答えた。

「やりかたをきいたんだ。たとえば、口でしてもらったのかな？」

顔が赤くなる。「いいえ」

「その調子だ。射精はしたのか？」

「はい」

「どこで？」

「彼女のなかで」

「彼女のなか？」あざけりが少し混じった声。「それにはちゃんとした用語がないのかな？」

トニーはまたしてもアリスンのことを、彼女の姿、感触を思い浮かべた。抑揚のない声で言う。「膣《ちつ》です」

「で、それは相手の希望だった？」

「はい」声が引きつる。「単刀直入に、無理やり犯したのかどうかきいたらどうです。あなたを楽しませるために、ぼくたちは愛し合ったんじゃ……」

テーブルの下で、ソールが手首に触れてきた。デイナが身を乗り出して、穏やかに言う。「この事件に楽しいことはあまりないよ、トニー。少なくともわたしにとってはね。だから答えてくれ。ほかに彼女に何かしたか？」

「いいえ」

マケインがおもむろに封筒に手を入れた。三枚のカラー写真をとり出し、一枚ずつ横に並べていく。

「これでもか？」マケインが何気なく言う。

その写真で、アリスンはテーブルに横たわっていた。死によって、表情がゆがんだまま固まっており、トニーはそれを脳裏に焼き付けたくないと思ったが、無理なようだった。口は開き、無言で苦しみの叫びを発している。舌は、わずかに突き出ている。赤らんだ顔。頬と眼球の毛細血管が破れている。ジョン・テイラーが黄色い光線を向けたとき、トニーの目に映らなかったのは、アリスンの首についた、不規則なあざのネックレス、すなわち手の跡だった。

トニーは目を閉じた。

ふたたび目をあけると、ソール・ラヴィンが眠そうな目で写真を眺めていた。「あんたたちの仕事には、かなり楽しめる部分があって、なによりだ」と、ソールがマケインに向かってつぶやく。「この瞬間は、記憶すべき瞬間なんでしょうね。トニーは忘れませんよ。だが、あんたたちはもうじゅうぶん楽しんだはずだから、写真はかたづけてくれて結構。検死報告書の控えをもらえるとありがたい」

デイナが弁護士をにらみつける。「起訴されたら、見られるよ。その前は、だめだ」

ソールは深い同情に満ちた顔をトニーに向けた。「ほかに言っておくことはあるか、この……紳士がたに？」

トニーは懸命に自制心を保った。やがて、いつまでもアリスンの姿として記憶に残るであろう写真越しに、ふたりの刑事を見つめて言った。「とにかく見つけてください。こんなけだものみたいなことをした――」

「いい考えがある」ソールが割り込んだ。写真を集め、封筒に戻す。「たとえば、《レイクシティ・ウィークリー》に載っている警察の事件記録を見ると、夜間、テイラー公園には放浪者がうろついているようですね。あんたがたは、職務質問した放浪者の記録を保存している。わたしだったら、それを引っ張り出してみるね。そして、地域のすべての警察に、強姦《ごうかん》や暴行による逮捕歴がないかどうか問い合わせる。もちろん、絞殺《こうさつ》の逮捕歴も」ソールは唐突に立ち上がり、封筒をマケインの胸に押し当てた。「トニーの言うとおりだ」と、赤ら顔の刑事に言う。「犯人を見つけるんだな。こんな写真をもっと見たいのでなければ」


ソールとトニーは、町庁舎の前にある公園のベンチに腰を下ろした。

ひんやりとした朝で、空は晴れ渡っている。早くも降りた霜がきらきら光り、草は、もはや生長を止め、地面にぺたりと張りついている。ソールがトニーのほうを向き、重いため息《や》をつくと、ふたりのあいだに白い蒸気が漂った。

「彼らはきみの反応を見たかったんだ」弁護士は言った。「きみが何か口走ってくれるのを期待していたんだろう」

トニーはまだ呆然《ぼうぜん》としていた。「あのくそったれを殴ってやりたかった。けれど、動くことさえできませんでした」

「きみはよくやったよ。ほんとうに、よく自制心を保った。彼らはきみの言ったことを信じていないだろうが、きみを証人として喚問するのは問題だとわかったはずだ。それに、きみの前回の発言も問題ありだとね」黒いオーバーの襟を立てる。「とにかく、これで警察と顔を突き合わせるのは終わりだ。今後は、郡の検事事務所が相手になる。起訴するかどうかを決めるのは検察の人間だ。刑事部首席検事補のジョニー・モレリ、あるいは、このような事件だと、検事長みずからが乗り出してくるかもしれん」

トニーは目もとをこすった。「あの質問はなんだったんです？　ぼくたちが何をしたかとか、どうやったかとか……」

ソールが遠くに目をやる。どの程度まで話したらいいのか考えているようだ。「これは性犯罪だ」ようやく口を開く。「それだけは確実にわかっている」

「なぜ確実なんです？」

一瞬、ソールは眉根《まゆね》を寄せ、それから低い声で話しだした。「はじめてのセックスと強姦は、とり違えようがないんだ。この暴行魔は、彼女に何かしている。それがなんなのか、わたしにはわからん。彼女におしゃぶりを強制したのかもしれんし、かなり乱暴に挿入したのかもしれん。当局がわたしたちに、あるいは報道機関に明かしていないのが、そこだよ。だからこそ、わたしは検死報告書を請求したんだし、向こうは渡そうとしなかったんだ」

めまいと吐き気がして、トニーは体の前で手を組み合わせた。この瞬間、トニーの頭には、アリスンにあのようなこと――トニーがあまりにもよく知っていること、想像しかできないこと――をした男に対する憎悪《ぞうお》しかなかった。抑揚に欠けた声で尋ねる。

「なぜ、アリスンが何をされたのか、はっきりと発表しないんでしょう？」

「なぜなら、死体から明らかになった事柄を知っているのは、当局と犯人だけだからだ。警察はその状況を保っておきたい。モレリは、どじを踏むのは絶対に避けたいから、この件が自分たちに有利に展開してくれるよう望んでいる」髪を指で梳《す》いて、「モレリに少々探りを入れてみるよ。とくに、犯人像について。アリスンの首を絞めた以外に、犯人は何かをしている。それに関して、警察と、おそらくテイラー家の人間は口を閉ざしている。もしかすると常習犯かもしれん。わかるんだよ。三人、弁護した経験があるんでね。そのうちのひとりは出所して、恐ろしいことに、自由に動き回っている。そいつが犯人の可能性だってある。

モレリは友人だから、性犯罪に関するファイルを探すよう頼んで、そういう常習犯が今秋、この付近に出没していないか調べてもらおう」いったん口をつぐみ、目をすぼめる。「けさのモレリは、何もしゃべろうとしなかった。気長に待つしかないな」

「どのぐらいでしょう?」

「彼がその気になるまでさ。殺人に出訴期限はないからね」ふたたびトニーのほうを向いて、「わかっていると思うが、しばらくのあいだ、今までと同じというわけにはいかんよ。このような町の住人の多くは、安全を求めているんだ。なんらかの理由があって、黒人とかユダヤ人とかをこわがり、そういう連中から自分たちの子どもを遠ざけたがっている。アリスン・テイラーのような娘の死は、自分たちが結局、安全でないことを意味する。そして彼らは、恐怖と憤《いきどお》りを覚える。きみは、なんとかそれを切り抜けなければならん。覚悟はできているか？」

「わかりません」絶望感にとらわれながら、トニーは母親のことを思った。母は臆病《おくびょう》な性質だが、トニーにだけは常に信頼を置いてきた。あなたはビル・ブラッドリーのようになるわ、と言ったことがある。雑誌の《ルック》の記事で知った、プリンストン大学のバスケットボール選手で、ローズ奨学金を受けており、すでに、将来は大統領になるだろうと言われていた。トニーは突然、自分が特別な人間だと思うようになっていたことに気づいた。懸命に努力して正しい生活を送れば、世の中は当然、自分に報いてくれると。「子どものころ、母に毎晩、なんと言われて育ったと思います？」ソールに向かって言う。「『神のお助けを借りて、あなたは日々、人生をよりよくできるのよ』」

ラヴィンが皮肉と理解の混ざった目を向ける。次に発した言葉に、辛辣《しんらつ》さは含まれていなかった。「きみのお母さんは、歴史上の小さなできごとを深く考えなかったようだね。しかし、二十世紀という遠くない昔に、きみらポーランド系カトリック教徒のご先祖さまは、わたしらユダヤ人の祖先に死を強いることで、自分たちの人生を多少よいものにしていたんだ。そりゃあ、大虐殺《ぎゃくさつ》を行なったひとびとの多くはこわがっていた。ユダヤ人を悪魔だと思い込んでいたんだからね。だが、そのせいで、ラヴィンスキー爺《じい》さんは国を出る決心をした。ポーランドでは、よそ者は生きていけなかった。

きみは、突如として、カトリック教徒であるだけではなく、ひとに怖《おそ》れられる正真正銘のよそ者となった。けれど、自分がひととは違っていないと知っている。まわりの人間の受けとりかたが違っただけだと。できたら、そこから学ぶといい」小さな笑みを浮かべて、「きみを彼らの私的な大虐殺の餌食《えじき》にさせないと、ソル・ラヴィンスキーの孫が請け合うから」

この先数週間の、そして数か月の学校生活を、トニーは想像しようとした。殺人罪で起訴されているかもしれないし、じっと待っているかもしれない。にがいものが込み上げてきた。「これを学ぶチャンスだと言うのは簡単です。でも、あんな写真から何を学ぶんです、ソール？　ぼくがやったと思っているひとたちから、何を学ぶんです？」

ソールが息を吸い込んだ。「世の中が公平ではなく、しかもそれがきみに対してだけではないことかな。頼りになるのは自分だけで、拍手喝采《かっさい》ではないことかな」トニーの肩に手を置く。「きみはどんな望みを持っている、トニー？」

「今ですか？　今度の件が消え去ってくれることです。あす、登校したら、アリスンがロッカーの前で待っててくれていることです」

「今度の件の前という意味だよ。アリスンがまだ生きていたときだ」

それは遠い昔のことのように思えた。しばらくして、ようやく答える。「ハーヴァードに行くことでした。奨学金をもらって。ああ、それこそ今のぼくに必要なことだ。ここよりも大きな町に住むことが」

ソールが鋭い視線を向けてくる。「ほかには？」

頭のなかが真っ白になった。思い浮かんだ答えは、声に出して言うには恥ずかしすぎた。「なんだい？」ソールが返答を求める。

トニーは弁護士に顔を向けた。「サム・ロブを負かしてやろうと思っていた。最優秀運動選手に選ばれたいと望んでいた」

ソールがトニーの両肩をつかみ、がっちりと視線を合わせる。「なら、きっと実現させるんだ。絶対に」声を低くして、「犯人に――警察に、町のひとたちに――その望みまで奪われないようにするんだ」

11

「ひと殺し」

残り時間六秒。レイクシティ高校とリヴァーウッド高校の得点は、四十二対四十二の同点。どちらのバスケットボール・チームも今期の成績はそこそこで、一月も終わろうとしている今、プライドだけが問題となっている。だが、レイクシティ高校の体育館は満員だった。レイクシティ側が満員なのは、対戦相手がリヴァーウッド高校だから、リヴァーウッド側が満員なのは、雪辱を望んでいるからだ。そして今、彼らは声援の文句を思いついた。

「ひと殺し」

トニー・ロードは二本のフリースローを与えられた。

ファウルラインの前に立つ。青と赤のユニフォームを着た選手がゴールの両側に並び、トニーが二投めを失敗したらボールを奪おうと待ち構えている。

前屈《かが》みになって、深呼吸をした。リヴァーウッド側の声援がリズミカルになる。

「ひと殺し、ひと殺し、ひと殺し……」

目の汗をぬぐい、審判からボールを受けとる。観衆の声を頭から払いのけようと、ゴールを凝視した。

「ひと殺し、ひと殺し、ひと殺し……」

結局、これに慣れなければどうしようもないんだ、とトニーは自分に言い聞かせた。

聖ラファエル教会の信徒の目には、トニーは罪を認めたように映っていた。彼がもはや聖餐式《せいさんしき》に出ないのは広く知れ渡っていたし、告白をするのもやめたのだろうと――正しく――推測されていた。父親は恥じ入り、母親はトニーの魂の行く先を案じた。教会に行かなかったある日曜日、クィン神父がトニーを訪ねてきた。

神父はトニーのベッドの裾《すそ》に腰を下ろした。トニーは壁を背に、腕枕《うでまくら》をして寝そべり、冷淡さを装《よそお》って、昔から知る神父をじっと見た。「あなたはぼくにあまり選択肢を与えてくれませんでした」トニーは言った。「あの日のあなたの言葉を信じると、アリスンは今ごろ、カトリックの教えを信じないという恐ろしい罪のせいで、地獄で焼かれているることになります。だから、ぼくも信じないことにしました」

「アントニー」神父が優しい声で話しかける。「わたしは、彼女の魂のために祈るように助言し――」

「祈っています、神父さま。しょっちゅう」

クィン神父が目をしばたたいた。短く刈った白髪交じりの赤毛の下で、しわの刻まれた顔が、いつもの厳しさではなく、自分の指導下にある少年の心をつかみそこなった無念さをにじませる。一瞬、トニーは神父に同情した。

「ご両親が心配しておられるよ」神父がなおも続ける。

「ぼくもです。なにしろ、殺人罪で告発されるかもしれないんです」

「おまえの魂のことをだよ、トニー。それに、おまえを信じたがっているひとたちがおまえの行動にとまどっているから」

その言葉には気が重くなった。笑い飛ばしたかったけれど、できなかった。ようやく返事をする。「でも、教義を受け入れられないのに、教会に戻って、そのひとたちを喜ばせることはできません。たとえ、両親のためでも……」

神父が鋭い音をたてて息を吸い、こけた頬をくぼませた。「教会というのは、おまえを喜ばせなければならないのかね？」

トニーの、完全には信仰を捨てきれない部分が、返す言葉に窮した。神の前では、自分は矜持《きょうじ》を保ちたがっているだけの小さな存在だ。

「このような反抗は、それ自体が罪だ、アントニー」

トニーはだしぬけに立ち上がり、部屋のドアを開けた。神父に帰ってもらうために、そして自分を守るために。

〝ひと殺し、ひと殺し、ひと殺し……〟

生徒の大部分はトニーをそういう目で見ていた。

学校に戻ると、重苦しい迎えられかたをした。誰かがアリスンのロッカーにペンキで花を描いていた。トニーのロッカーには、生徒年報から切りとったアリスンの写真が貼《は》られ、「どうしてあんなことができたの？」と活字体で書かれていた。トニーはそれをはがした。おずおずと同情を示す生徒もいた。バスケットボール・チームのメンバーは、サムを除いて、何もなかったようにふるまおうとした。コーチたちの指示かもしれない。

ほかの生徒は、トニーを避けた。彼が事件について語らず、何週間たってもほかに容疑者が見つからないと、その数はふえた。トニーは、これまで自分がリーダーを気どっていたことに気づかされた。というのも、誰が付き従っているのか振り返ったためしがないからだ。同情を求める資質に欠け、それゆえ、アリスンの死が言葉で表わせないほど衝撃的で、自分を心の奥深くに引きこもらせたことを説明できなかった。トニーの苦しみを察知できる人間はほとんどいなかった。

「あなたが犯人だと、多くのひとが思ってるわ」メアリ・ジェーン・クーラスが声をかけてきた。「それなのに、よくそんなにお高くとまってられるわね」

トニーが食堂に入ったところをつかまえたのだった。きびしい事実を伝える友人のような物腰だ。熱のこもったそのふるまいに、トニーは、特別席に向かって演技をする舞台女優を思い浮かべた。メアリ・ジェーンがかぎ鼻の目立つ顔をしかめ、シャギーカットにした金髪を揺らしながら言う。「わたしはね、まだあなたのことを気にかけてるひとたちが遠慮してるから、かわりに言ってるの。これまでの態度を反省すれば、そのひとたちも許してくれるでしょうよ」

意趣返しにメアリ・ジェーンがそう言っているのだと感じられ、暗い気分になった。

「ぼくがどんな態度をとったというんだい？」なんとか言い返す。「これまでしてきたことと言えば、成績を上げて、奨学金がもらえるように——」

「それよ、それ」鬼の首でもとったようなメアリ・ジェーンの声。「あなたは自分のことだけ考えてる。ひとにどう思われようと、気にしないみたいに。率直に言って、みんなそれにとまどってるの」

まわりの生徒がテーブルから顔を上げるのがわかった。屈辱感とやりきれなさで胸がいっぱいになり、自分は無実だと叫びたくなる。そのとき、食堂の反対側に女友だちと座っているスー・キャッシュの姿が見えた。目で激励のメッセージを送っていた。

トニーはメアリ・ジェーンに向き直った。「そのひとたちに、ぼくのかわりに伝えてくれるかな？」

メアリ・ジェーンがうなずく。「いいわよ」

そばのテーブルの生徒に聞こえるように、トニーは少しだけ声を大きくした。「こう伝えてくれ。アリスンとの出会いはぼくに起こった最良のことで、アリスンに起こったことは最悪のことだったと。そのひとたちに、きみのような思いやりがあるといいんだけれど」

メアリ・ジェーンの群青色《ぐんじょういろ》の瞳《ひとみ》に怒りが宿るのに一瞬を要し、さらに一瞬後、トニーは彼女を深く傷つけてしまったことを知った。

「トニー？」誰かに声をかけられた。

振り向くと、スーが彼の肘《ひじ》に触れたところだった。「あたしたちといっしょに食べない？」彼女の微笑《ほほえ》みは、誘いの言葉と同様、メアリ・ジェーンを無視していた。

トニーはメアリ・ジェーンを見て、「ごめん」と言い、くるりと向きを変えた。

テーブルへ歩きながら、スーが小さな声で言う。「今のは、あんまりよくなかったわね」

「メアリ・ジェーンが、それともぼくが？」

スーがトニーをちらりと見上げる。「あなたが」とげのある声。「メアリ・ジェーンはとっても面倒見のいい子なのよ。今後は、あなたも彼女を見習うべきだわ」

予想外のきつい言葉に、緊張の糸がどっとゆるみ、トニーは笑い声をあげた。ふたたび生徒たちが注意を向けた。おそらく、どうしてトニー・ロードが笑ってなどいられるのか、と不思議に思って……。

〝ひと殺し、ひと殺し、ひと殺し……〟

トニーに逃げるすべはなかった。デイナは学校にやってきては、アリスンやトニーに関する質問を生徒にし、その後、バスケットボールの練習場にこっそり現われて、観客席からトニーを観察した。このことをサムに教えられたとき、トニーはあまり反応を示さなかった。心を開くのを、サムに期待されているのはわかっていた。だが、自分の感情について話したくなかった。ソール・ラヴィンの忠告があったからだけではなく、話せばよけいに気持ちが沈み、へたをすると立ち直れなくなってしまうからだった。このトニーのよそよそしさは、サムとスーと過ごす時間に影を落とした。三人は『卒業』を観《み》に行った。その映画は、トニーの目には、ひとりの娘が、まぬけなボーイフレンドを捨てて、母親と寝ていたもっとまぬけな男と駆け落ちする話としか映らなかった。映画のあいだ、トニーは、隣りの空いた席に手をのばせばアリスンに触れられるような錯覚をいだいた。三人とも常に欠落感を覚えていたが、それについて話し合うことはなかった。ほかの娘とデートをする気にはなれなかった。たとえその気になったとしても、相手の両親が許さなかっただろうし、デートできたとしても、相手が、トニーと同様に無神経な人間だと非難されただろう。それには耐えられそうになかった――テイラー家がかけてくる圧力だけでじゅうぶんだった。

テイラー家が筆頭株主である《レイクシティ・ウィークリー》は、アリスン殺害の容疑でなぜトニーが告発されないのか追及していた。テイラー家は、少女たちの安全確保を後押しする〝アリスン基金〟を作った。基金の会合は、トニー・ロードを起訴するよう警察と郡検事事務所に圧力をかけるための恰好《かっこう》の口実となった。テイラー夫人は、教育委員会の委員だったことがある。ある日、トニーはテイラー夫妻がひそかに校長室に入るのを目撃し、翌日、校長に呼ばれた。

「今回の件で大変な思いをしているのは承知しとるよ」マークス校長はそう言うと、眼鏡の位置を直した。「バスケットボールの試合に出ていると、よけいにまわりがうるさいこともな。試合に出るかぎり、きみは見せ物だ」

「バスケットボールのおかげで、正気を保っていられるんです」どう説明していいのか迷って、トニーは言葉を途切らせた。「二時間のあいだ、ほかのことを忘れられるから……」

「わかるよ」マークス校長が尻《しり》の位置をずらす。「だが、生徒たちにいろいろ言われるのは置いておくとして、親御さんのなかには、娘の身を心配しているひとたちがいることを、きみは知っとるだろう。心配する必要はないんだが、世の中、そんなものだ。このことをきみに忠告したかったんだ」

話がどこに向かっているのか、トニーは突如として理解した。「ぼくは無実です、校長先生。忠告なら、そのひとたちにすべきじゃないですか」

マークス校長が口をすぼめる。「きみは、生徒として非の打ちどころがなかった。市民としてもだ。しかし、卒業までのあと数か月は、べつの学校で過ごしたほうが、すべて丸く収まっていいんじゃないか。人間の性質をどうこうするのはわたしの手に余るし、なによりもきみのことが心配なんだよ、トニー」

裏切られたという思いが怒りとなって湧《わ》き起こるなか、トニーは無言で校長を見つめた。「ハーヴァードの奨学金委員会が、ぼくが何か問題を起こしたと考えないかは、心配じゃないんですか?」デスクに手をのばし、紙にソール・ラヴィンの電話番号を書きつけて、校長の目の前に差し出す。「ぼくの弁護士の電話番号です、校長先生。ぼくがこの学校にいるのが気に入らないひとたちに渡してください」

校長はそれ以上何も言わなかった。

翌日の午後、国語教師のジャック・バートンが、奨学金委員会提出用の推薦状をトニーに返した。推薦状は白紙だった。

トニーはそれをじっと見てから、バートンに視線を移した。顎《あご》ひげを生やした若い教師は、すまなそうな顔を見せながらも、断固とした口調で言った。「悩みに悩んだんだ、トニー。ぼくは、有罪が立証されないかぎり無罪と推定するという考えを尊重する。だけど、アリスンの死という悲劇がきみを覆《おお》っている今、きみの性格について、どうして誠実に書ける……？」

一瞬、トニーは言葉を返せなかった。アリスンが生きていたころ、ジャック・バートンはトニーを励まし、トニーの成績は上位を保っていた。「ぼくは殺人者じゃありません、バートン先生。大学に行くには、推薦状が必要なんです」

「ハーヴァードに行くにはな。学費の安い大学だってあるんだ」バートンの態度がやわらぐ。「警察がきみの潔白を認めたら、喜んで立派な推薦状を書いてあげよう」

ジャック・バートンは出世街道を歩く若手教師と見なされていた。テイラー家の要請で、ジョン・テイラーの母校から呼ばれてきた人物だったと、トニーは思い出した。声が震えるのがわかる。「推薦状を書くと約束してくださったじゃないですか。それに、しめ切りは来週です。ご存じのはずです」

　バートンの顔が赤くなった。「突然の依頼だったからね。あれから、いろいろ考える時間があって――」

「なんのことを？　アリスンが死んだのは一か月以上前ですよ」

　無言のバートンに、トニーはテイラー家の存在を感じた。「ぼくの言いたいのはそれだけだ」バートンがいかめしい顔で言う。「おそらく、もっと柔軟な考えかたの先生もおられるだろう」

　地理学の教師でもあるジャクスン・コーチは、推薦状を書いてくれた。

　ジャクスンが推薦状をぶっきらぼうに差し出して、言う。「ハノイの場所ぐらいは知ってる生徒だと書いといたよ。アイヴィーリーグの連中は、そういうユーモアが……」

　だが、このような気楽な時間は、どんどんなくなっていった。毎日、疑いの目で見られ、そのうちトニーは、学校へ行くのは戦場へ行くようなもので、勉強は戦いだと気がついた。ようやくクリスマス休暇が訪れたときには、ほっと胸をなでおろしたものだった。

「ひと殺し、ひと殺し、ひと殺し……」

いつものように、トニーはボールを三回バウンドさせた。口はからからで、手は汗ばんでいる。指が木の切り株になったような気がした。

「ひと殺し、ひと殺し、ひと殺し……」

観客席のどこかで、両親が悲痛な面持ちで見守っているはずだった。ゴールを見つめ、一度深呼吸をして、ボールを放つ。ボールがアーチを描くより早く、トニーには結果がわかった。

リングをかすりもしなかった。

タイヤの空気が抜けるようなため息が、レイクシティ側の観客席から漏れた。続く野次、口笛、はでな笑い声に、そのため息もかき消される。「ボールをアリスンの首だと思え」リヴァーウッドの観客が叫んだ。

トニーは膝《ひざ》に手をついて、前屈《かが》みになった。チャンスはあと一回。失敗しても成功しても、リヴァーウッドには六秒残っている。そして、その六秒がたてば、勝とうが負けようが、トニーは体育館を去る。

「ひと殺し、ひと殺し、ひと殺し……」

周囲を見回し、観客以外のすべてを目で捕らえた。スコアボード、校旗、壁の青い垂れ幕には、年間最優秀運動選手の名前が白い文字で書かれている。最後にゴールに視線を据えた。練習のときと同じく、何も見ず、何も聞かないようにする。汗も、脈拍も、心臓の鼓動も感じない。だが、シュートしようとボールを上げたとき、指のこわばりが感じとれた。

「ひと殺し、ひと殺し、ひと殺し……」

トニーはボールを放った。

時間が止まったように思えた。やがてボールはリングに当たり、内側に跳ねて、静かにネットに収まった。

四十三対四十二。

次の瞬間、リヴァーウッドがボールをとり、トニーがマークする選手が、最後のシュートをめざして、わきを駆け抜けた。と、どこからともなくサム・ロブが現われ、ボールを奪い……。

ブザーが鳴った。

サムがトニーのもとへ駆けてきて、リヴァーウッド側の観客席に体を向け、トニーの手を勝ち誇って掲げた。そして、あのフットボールの試合のウィニング・キャッチと同じように、大きなてのひらの上にボールを乗せて高く上げる。追い打ちをかけるように、満面に笑みを浮かべた。

「負け犬」リヴァーウッド側に向かって叫ぶと、レイクシティ側の観客もサムに同調した。

「負け犬、負け犬、負け犬……」

吐き気を覚えながら、トニーは頭を下げた。高まる声も、チームメイトの祝いの言葉も、トニーには届かない。やがてのろのろとロッカールームへ向かった。

シャワーを浴びていると、サムが誇らしげな顔でやってきた。「信じられないよ」はしゃいで言う。「おまえの人気は急上昇ちゅうだ」

トニーは目もとの石鹸《せっけん》を洗い流した。「いや、そんなことないよ。みんな、負けよりはましだと感じているだけさ。あのあぶなっかしいシュートが入らなかったらと思うと、ぞっとする」サムのがっかりした顔を見て、付け加える。「まったく、きみに助けられたよ。あの選手にわきを抜けられたとき、ぼうっとしていたものだから」

サムがトニーの肩に手を置いた。「トニー、楽しいことは楽しんだらいいんだ。おまえの気持ちはよくわかるけど、アリスンの事件があったからといって、これからの人生を台なしにすべきじゃない。こんな状態のおまえを見るのはつらいよ」サムの目が曇る。「つまり、いつかは犯人が見つかるだろ？　そしたら、もう疑念を持たれずに済む」

サムがこんなことを言うのは、疑念を持ち始めたからだろうか、とトニーはいぶかった。「そうかもしれない」と、トニーは答えた。「そうじゃないかもしれない。いずれにしても、アリスンは生き返らないし、ぼくは元に戻れない」説明しようとして、息をつく。「きみだって、前と完全に同じじゃ……」

それを認めたのか、あるいは反論するのをあきらめたのか、サムはうなずき、手を下ろした。トニーは服を着ると、ひとり、車のある場所へ向かった。

　駐車場は暗かった。トニーの車のそばに、ふたつの人影があった。アリスンが殺された晩に、やはり車のそばにいたアリスンとスーの姿が思い出される。片方の人影が近づいてきて、ジョン・テイラーとなった。

　トニーは身を固くした。「きみは英雄だな」と、アリスンの父親が言う。頰がこけ、以前より老《ふ》けたように見えた。吐く息が白かった。

「いいえ」トニーは、自分の声が震えるのを感じた。「もう英雄にはなれません」

　ジョン・テイラーがトニーの腕をつかんだ。もうひとつの、アリスンと同じようにほっそりした人影が、テイラーの隣りに並んだ。アリスンの母親だ。

「きみに暴力をふるうつもりはない」ジョン・テイラーが低い声で言う。「何があったのか知りたいだけだ。わたしたちの心の平安のために」

　アリスンの母親の体が張りつめた。「ほんとうのことを話して。お願い。警察には言わないから」

　恐怖を覚えながらも、トニーは彼らとのあいだに奇妙なつながりを感じた。テイラー夫妻は気づかないだろうが、自分たち三人を変えてしまった深い悲しみによって、彼らは結びついていた。この夫婦は誰よりもトニーを理解できる。スーやサムよりも、そして、トニーがもはや喜びや不安を分かち合えないほかの生徒たちよりも。ただし、そのつながりはトニーにしか見えない。

「ぼくも知りたいです」トニーは答えた。「誰がアリスンを殺したのか知りたい」

ジョン・テイラーの目が憎悪《ぞうお》で細くなる。彼らに近づくな、とソール・ラヴィンは警告した。トニーは、袖《そで》をつかんでいたジョン・テイラーの手をそっとはずし、「失礼します」と、キャサリン・テイラーに向かって言った。

くるりと向きを変え、数メートル先の車まで歩を進める。ジョン・テイラーは拳銃《けんじゅう》を持っているだろうかと考えた。背中をこわばらせて、銃声を待った。

何も起こらない。ぶるぶる震えながらその場を車で離れるとき、ジョン・テイラーが妻をぎこちなく抱きしめるのが見えた。アリスンの死の直後と同じように、彼らは打ちのめされた顔をしていた。

一週間後、テイラー家の隣人が教育委員会に、トニーの退学を求める請願書を提出した。

会合は混雑していた。両親とソール・ラヴィンにはさまれて座るトニーの前で、ジョン・テイラーが退学要求のスピーチを始めた。

「わたしがここに来たのは、わたしたち一家の悲しみを分かち合ってもらうためではありません。ここに来たのは、アリスンが生きていたら、娘もここに来て、自分と同じ少女たちのために話をしたと思うからです」

父親が娘の代弁者となるのがうまいやり口であることは、トニーが想像力を発揮しなくとも、委員たちの暗い顔を見れば明らかだった。ジョン・テイラーが感情を抑えようと言葉を切る。「今夜、みなさんは、無罪の推定についていろいろ聞かされるでしょう。しかし、罪がなかったのはアリスンなのです。わたしが発見したとき、娘が恋人だと信じていた若者が、その罪のない体にかぶさるように屈んでいました。

ここにおられるみなさんの娘さんも、同様に罪がありません。そして、アリスンが願っただろうこと――わたしが願うことは、絞め殺された娘の顔を見る親がこれ以上増えないことです」

教育委員長が読書用眼鏡をはずして涙をぬぐった。トニーの隣りでは、父と母がつらそうな顔をしている。

「あの事件以来、安らかな眠りとは無縁になりましたが、そんな夜にくり返し、ひとつの疑問がわたしの頭に浮かんできます。どんな若者が、彼を信じるという単純なあやまちを犯した若い娘を殺すのだろうか、という疑問です」

声をうわずらせたジョン・テイラーが言葉を切り、しばらくしてから先を続けた。

「わたしには、意味のないものに意味を見いだす必要があったのです。藁《わら》をもつかむ思いで三人の心理学者のところへ行き、同じ疑問を投げかけました。どんな若者が、こんな非道な行ないをするのだろうか、と。わたしがここに来たのは、彼らの答えを聞いたからです」

息苦しい静けさが会場を満たす。ジョン・テイラーが続けた。「そういう若者はこの種のことをまたやる、と聞いたからです。

専門用語は使えませんが、心理学者たちが言ったことをお話ししましょう。彼らによると、そういう若者は、ひとりの女性ではなく、すべての女性をさげすんでいます。そういう若者は、自身のねじくれた衝動の奴隷《どれい》となっています」このときはじめて、ジョン・テイラーがトニーに顔を向けた。「そういう若者は、アリスンに与えたような暴力を、自分の権利と喜びであると見なしているか、あるいは、これまた恐ろしいことですが、単に、自分らしくもなく自制心を一時的に失ったために若い娘をむごたらしく殺してしまった、と考えています。〝一時的な喪失〟だったのだから、自分の将来の望みは何ひとつ奪われるべきではないというわけです。

このような」――ジョン・テイラーはトニーを見続けている――「怪物は、この先、もっとひどい行ないをわれわれに見せつける可能性があります」

アリスンの父親は唐突に顔を委員たちのほうへ向け、事実を伝えるだけの口調になった。「こういう怪物たちが怪物らしい見てくれだったら、われわれも近寄らない。けれど、たいていは、一見誠実そうで、カリスマ的でさえある。だからアリスンも、殺人者をそばに近づけてしまった。

請願書を提出したのはわたしではない。署名もしなかったぐらいだ」間をおいて、青白い顔でじっと座っている妻の肩に触れる。「だが、娘のむごい死をむだにしないために、こういう怪物たちにはラベルを貼《は》るようにしなければならない。

わたしたち夫婦は、午前一時に、トニー・ロードが娘の死体のそばにいるのを見つけた。わたしたち夫婦は、どんな若者がこういうことをするのか知った」醜くゆがんだ顔を委員たちに向けて、「ただ、娘が殺されるのを食い止めるのには間に合わなかった。みなさんはまだ間に合います」

言い終わるや、今では涙を流している妻のほうを向き、隣りに腰を下ろした。

続く静寂は、ときおり神経質な咳《せき》に破られるだけで、トニーには死の世界のように感じられた。自分が無実だと知らなかったら、その場から逃げ出していただろう。

それから二時間、トニーはそこに留まった。ジャクスン・コーチがトニーを弁護する発言をし、そのあと、ソールが話をした。結局、採決は見送られた。警察はトニー・ロードを告発していないし、委員会は彼に時期尚早の判断を下すべきでない、というソールの主張が通ったのだ。しかし、訴訟を怖《おそ》れた委員会のおかげで救われたのだと、トニーにはわかっていた。

　会合のあと、トニーはソールに連れられて、レイクシティでただ一軒のバーへ行った。暗い片すみに座って、ジュークボックスから流れる音楽にぼんやりと耳を傾け、引退したトラック運転手ふたりがビリヤードに興じるのをぼんやりと眺める。筋骨たくましい店主のジョージ・コービーは、注文も聞かずに、トニーにコーラを出した。ジョージは、高校生が店でビリヤードをするのは大目に見るが、親たちを尊重して、未成年者が酒を飲むのは許さない。警察は、ジョージ・コービーについては心配しなくていいと承知している。ちょうど今晩、ジョージ・コービーが、トニー・ロードを見ても驚いた顔をすべきではないと承知しているように。

　トニーにとって、あわや退学という状況から抜け出て、この〈アリバイ・ルーム〉に腰を落ち着けているのは、夢のような変化だった。「あなたに救われました」と、ソールに言う。

　ソールが、最後の一杯の水を飲むかのように、ダブルのウィスキーを少量、口に含んだ。しばらくしてから言う。「たしかに。だが、きみのためになるようなことは何もしていないのかもしれん」

「退学処分を受けなかったんだから――」

「退学処分にはならないと思っていた。けれど、こちらの主張は、ありていに言えば、『検察が起訴するまで待ちましょう』というものだった」言葉を切って、トニーの視線をがっちりと捕らえる。「それしか打つ手がなかった。しかし、ジョン・テイラーにとっては、それは道しるべも同然だった。今晩、彼は委員会に、きみがなんらかの代償を払っていると信じられる根拠を提示するよう求めた。委員会はそれをしなかった。彼に残った道は、きみを起訴するよう郡検事長に圧力をかけることだけだ。そして、郡検事長がつかんでいる容疑者は、きみしかいないようだ」

二杯めのコーラが届いても、トニーは触れなかった。

「すまない」と、ソールがしめくくりに言う。「きみには枕《まくら》を高くして眠れる晩がろくになかっただろうに、今晩までもだいなしにしてしまった。だが、これまでと同じように、細心の注意を怠らずにいてもらいたい。なぜなら、おそらく、この件は終わりにはほど遠いからだ。そして、一部の人間にとっては、これは決して終わらんだろう」

その夜からトニーの悪夢が始まった。アリスンの死体を見つけた瞬間の映像が、恐ろしいスローモーションで再生されるのだ。現実と同様、夢のなかでも、トニーは何もできなかった。

12

七年前の発足以来の伝統にのっとって、レイクシティ高校秘密友愛会〈ランサーズ〉の年に一度の会員選定会議が三月下旬に開かれた。場所はデイヴ・サッグズの家の地下室。デイヴの父親のジャックは、第三十二位階のフリーメーソン会員であることから、秘密組織への理解が非常に深く、かつてデイヴの兄が会則を作るのに手を貸したのだった。最初、トニーは、フリーメーソン団が完全な秘密組織ならば、誰もジャック・サッグズの階級を知らないはずだし、そもそも彼がフリーメーソン会員であることも世に知られていないはずだと思った。だが、よく考えてみれば、地元のカントリークラブがカトリック教徒を受け入れないのが、テイラー家やその友人たちにとって、地位を明確にする一手段であるのと同じように、秘密組織も、会員が非会員の羨望《せんぼう》の的となるようでなければ、意義がないのだろう。〈ランサーズ〉が学校当局に認められていない事実は、この組織をより刺激的なものにし、秘密を漏らす喜びを少し大きくするだけだった。学校側にはなすすべがほとんどなかった。

いちばんの名誉は、二年生で会員に選ばれることだ。サムとトニーの場合は、まさにそれだった。〈ランサーズ〉は運動能力と酒量を高く評価する。トニーは一方にすぐれ、サムはすでに両方で傑出していた。十五歳だったトニーはうれしく思った。選ばれたということは、彼がスター選手になると上級生たちが予測して、〈ランサーズ〉の将来の名声を確かなものにしようとした結果だからだ。サムのほうは、大喜びだった。彼はひとから認められるのを強く望んでいて、これもそのあかしだったし、〈ランサーズ〉の発足を手伝った兄、今ではみんなからあがめられている、戦死した兄に恥じない弟だという証左だったからだ。

入会式では、秘密の誓いを復唱し、ショットグラスのウィスキーにジッポのライターで火をつけて、吐くまで飲まなくてはならなかった。兄のジョー・ロブは八杯飲んだと吹き込まれて、サムは、一杯一杯声に出して数えながら九杯飲み、急性アルコール中毒になりかけて意識を失った。それでも吐かなかったという事実は、今でも称賛の念を込めて語られている。

今、最上級生となったトニーとサムは、ほかの十四人の会員とともに、地下室の敷物の上にあぐらをかいていた。四年生が八人、三年生が八人。彼らは、デイヴの母親がときどきサラダを盛るのに使う儀式用の白磁の鉢を囲んで座り、四年生のほうが鉢に近い場所を占めていた。それぞれの少年の手には、白い小石が十個、黒い小石が十個入った袋がある。中国の碁に使うような石だが、この石には偉大なパワーが宿っていた。投票で入会者を決めるさい、メンバーは小石をひとつ握りしめ、鉢を覆《おお》う布の下に手を入れて、運命を決する小石を鉢に落とす。このやりかたは、黒い小石が拒否を意味する投票の神聖さを保つのに役立っている。会員は、責任を持って考察したのちは、ふさわしくないと思われる者を、なんの圧力も感じずに拒否できるからだ。会員たちは酒を飲んでいたが、投票の重みを意識していたので、票決は比較的静かに進んだ。金曜の晩のため、高校生の社交の場に会員たちの姿がないのを、ねたみや入会の望みを持つ者たちは当然気づいているはずで、その事実が会議に重厚な雰囲気を加えていた。サッグズ家の地下室の照明は暗くしてあった。

はじめの一時間はなごやかに行なわれた。《レイクシティ・ウィークリー》はトニーの起訴を要求する論調を弱めたものの、多くの人間はアリスン・テイラーを絞殺《こうさつ》したのはトニーだと思っており、会員のなかには不快感をいだく者もいたが、誰も事件について口にしなかった。結局のところトニーは〈ランサーズ〉の一員であり、会員たちは忠誠の誓いを破るわけにはいかないのだ。トニーはこれをありがたく思った。大人の男たちがクラブに集まる理由がわかるような気がした。やがて、ジョニー・ダブルーツィがアーニー・ニクスンを会員に推挙した。

ジョニーは場の雰囲気を読むのがうまくない。しかしトニーは、後方に座る会員——

ボビー・ストロブ、チャーリー・ムーア、ラリー・サドラー、スティーヴ・ソーバック――がびっくりして額にしわを寄せ、不快そうな表情を見せたのに気づいた。サムに目をやると、彼もやはり気づいていた。

発言を終えるころになってやっと、ジョニーも空気の変化を感じとったようだった。誠実そうな茶色い目に怒りの炎をともして周囲を見回す。いっしょにフットボールをやってきた経験から、ジョニーが単純な人間だとトニーは知っていた。喜ぶときは大いに喜び、怒るときは大いに怒るというように、感情がはっきりしているのだ。ジョニーの声が変わった。

「たしかに、アーニーは黒人だ。だけど、俺はそんなふうにあいつを見ていない。俺にとっては、共にプレーする仲間であり、リヴァーウッド戦であのラインバッカーを倒した男だ。いいやつだし、試合では全力を出す。そしてそれだけが、あいつにとって意味あることなんだ。おまけに、来年は、あいつがレイクシティを代表する運動選手になるだろう。今のトニー、あるいは、サムみたいに」

「トニーにはあんまり似てないな」チャーリー・ムーアが言い、吟味するようにサムを見る。「サムにも似てない。まあ、唇は近いかも」

何人かが笑った。女の子たちが好ましげに語るふっくらした唇の持ち主、サムが、陰気な笑みを浮かべる。トニーにとって、このことは、すでに推測していたふたつの事柄を裏づけた。アーニー・ニクスンがまずい立場に置かれていることと、〈ランサーズ〉の会員でさえトニーに冗談を言うのを怖《おそ》れていることをだ。

ジョニー・ダブルーツィが顔を赤くした。「これだから、アーニーはあまり友だちを作らないんだ。ひとにどう思われるか知っているからだよ」同意のまなざしを向ける者もいれば、うなずく者さえいる。「あいつを会員にしたいもうひとつの理由がそれさ。俺たちのケツの穴はそんなにちっちゃくないってところを見せてやるんだ」

前方に座るテリー・クラークが口を開いた。「アーニーはユーモアを解するやつだ。だんだんよさがわかってくるよ。まあ、ここのばか連中と付き合うのがいいことかどうかは疑問だがな。でも、あいつにそんなむちゃをする気があるとしたら、俺のほうはいっこうに構わ──」

「先輩たちはいなくなるからいい」スティーヴ・ソーバックが口をはさむ。「だけど、ぼくたち八人は残るんです。黒人を受け入れるかどうかは、三年生に任せてもらいたい」

「なら、アーニーのどこが問題なんだ?」ジョニー・ダブルーツィが問いただす。

スティーヴ・ソーバックはむきになって言った。「とにかく、いいことだとは思えない、それだけです」

このときはじめて、サムが口を開いた。「何もおまえの妹と結婚させろと言ってるんじゃないんだ、スティーヴ。あんなおネンネじゃ、アーニーも困るだろうがな」

くすくす笑いが広がる。スティーヴの頑固さをちゃかすことで、サムは会員たちをまとめようとしているのだと、トニーにはわかった。思っていたよりもサムが頭を働かせるようになっていることに感心した。

「なあ、スティーヴ」サムは続けながら、チャーリー・ムーアにちらりと目を向けた。「妹をスーのところに寄越せよ。あいつなら、なんでも教えてやれるぜ」

今度はチャーリーも笑いに加わった。アーニーの弁護をせずとも、サムはまわりの空気をなごませた。しかし、サムの気づかいを見ながら、トニーは、アーニーにとってはカフェテリアに入ることさえ無意識にはできない行為なのだろうと思い至った。

これまであまり深く考えたことがない彼の立場を、今、じっくりと考えてみた。きわめて単純だ。アーニーはここにいる者より劣ってはいないし、たぶん、多くの者よりも優秀だ。トニーの両親のヘレン・ロードとスタンリー・ロードは、黒人一般を迷惑な厄介者と見なしている——マーティン・ルーサー・キングのワシントン行進を、自分の面倒も看《み》られないなまけ者たちによる困った問題だ、と母親が言ったのを思い出す。しかし、そのことは、レイクシティ高校でただひとりの黒人であるアーニーとはなんの関係もない。アーニーのためには、今ここで弁護の言葉を口にするほうがいいか黙っているほうがいいかと迷ううちに、トニーは、以前よりも自分たちふたりに共通点がふえているという、うれしくない事実に気づいた。

トニーのまわりで議論は続いていた。「ここは自由の国だ」デイヴ・サッグズが言っている。ウィスキーをぐいと飲んで、「その意味するところは、付き合いたいやつとは付き合えばいいし、付き合いたくないグループには近づかなくていいってことだ。カントリークラブでやってるみたいにな」

カトリック教徒を受け入れないみたいに、とトニーは胸のなかで言った。〈ランサーズ〉が宗教を重視しない会でよかったとこれまで思っていたが、今は会員であることに心地の悪さを感じた。「ぼくたちのなかにアーニー・ニクスンと付き合いたいと思う人間がいたらどうなる？」トニーは穏やかにきいた。「あるグループに属しているという理由で彼を閉め出していいのか？」

デイヴ・サッグズが顔をしかめる。「俺は黒人が好きじゃない」

「だけど、アーニーがきみに何かしたか？」

「いや」デイヴの仏頂面《ぶっちょうづら》は、自分の信条を問題にされるのを快く思っていないことを示していた。「アーニー個人について言ってるんじゃないんだ。黒人全般についてだよ」

「アーニーのほかに、何人黒人を知っている？」

デイヴ・サッグズの顔がいらだたしげになる。「答える必要はないね」

トニーは肩をすくめた。「ぼくは最近、このあたりではひとりも見かけていない。寂しい気もするよ」

デイヴ・サッグズの顔に怒りが現われる。トニーの左手から、サムが警告の視線を投げてきた。トニーはそれ以上の発言を控えた。

いっとき、静けさが部屋を包んだ。気がつくとトニーは、アーニーのことではなく、自分のことを考えていた。依然として殺人罪での起訴は決まっておらず、ハーヴァードの入学許可もまだ下りないという宙ぶらりんの状態で、なんとか一日を過ごし、夜になるとアリスンを思い出す生活。来年、自分がどうなっているのか——大学にいるのか裁判を受けているのか予想がつかず、町の人間にもそれはわからない。〈ランサーズ〉とのつながりは、トニーにとって、思っていたよりも重要だった。

「黒んぼめ」スティーヴ・ソーバックが小声でつぶやく。

いくつかの視線が向けられると、スティーヴは苦々しそうな、困ったような顔をした。「ほら。とうとう誰かが言いましたよ、〝黒んぼ〟って。ぼくは、好きなときに連中をそう呼びたいな。どうして遠慮しなきゃ——」

「なぜなら、おまえがそう言うのを俺は聞きたくないからだ」ジョニー・ダブルーツィが立ち上がりかける。「おまえは遠慮してりゃいいんだ。でないと、ただじゃおかないぞ」

「そこまでだ」ダグ・バーカーがはじめて口を開いた。「そろそろ気を静めて、〈ランサーズ〉の兄弟らしく話そうじゃないか」

　なおもにらみ合いながら、ジョニー・ダブルーツィとスティーヴ・ソーバックは矛を納めた。ほかの会員たちはダグ・バーカーのほうに顔を向け、何人かがこの間にウィスキーを飲み、部屋は少し落ち着いた。

　ダグ・バーカーは〈ランサーズ〉の会長だった。自信に満ち、まじめで、自分の役割を承知している。父親は町で保険代理店を経営する、商工会の元会長で、ダグ自身は町のひとびとに、レイクシティを、もしかするとこの州を先導する人間になるだろうと思われている。〈ランサーズ〉のなかでは例外的なタイプで、堅実なところが際立《きわだ》っている。めったに冗談を言わないが、話をよく聞き、若い割には重みのある話しかたをするのだ。ひとつひとつの言葉が、ずしんと胸に響く。クルーカットにした金髪、四角い顔、誠実さをたたえる青い目という外観も、ひとに信頼感を抱かせた。その彼が考えを口に出そうと、身を乗り出した。

「今、ある本を読んでいる」ダグ・バーカーが言った。「ブランチ・リッキーについての本だ。ジャッキー・ロビンスンと契約して、野球界をまとめた男だよ。その本から学べることがある気がするんだ」

　ダグ・バーカーの期待どおり、会員たちが耳を傾ける。トニーは希望が持てそうだと感じた。彼の理解では、ジャッキー・ロビンスンの例は野球が差別を克服することを示しているのだから、たぶんダグ・バーカーはアーニー・ニクスンに救命具を投げてやるつもりなのだ。「思うに、われわれが直面している問題も、そんなに違わない」ダグが続ける。「話し合っているのは、アーニー・ニクスンと個人的に付き合いたいかどうかという件で、兄弟の何人かは黒人を仲間にすることに違和感を覚えると言っているんだから。

ブランチ・リッキーの場合は次のようにした。ジャッキー・ロビンスンと契約する前に、探偵を雇って、六か月間、彼を尾行させたんだ。そして、ジャッキーに完全に問題がないという報告書を受けとってようやく、ブランチ・リッキーは彼と契約した。

ドジャーズと同じように、今度の件はわれわれにとってはじめての経験だ。だから、われわれも交代でアーニー・ニクスンを監視して、彼が、見られていると意識しながらどのように行動するのか確かめるというのはどうだろう。もし彼がこちらの眼鏡にかなったら、来年の一月に特別に決を採るんだ」

沈黙が落ちる。この提案を検討しながら、会員たちはさらに少し酒を飲んだ。しばらくして、デイヴ・サッグズが重々しくうなずいた。「名案だよ、ダグ。それなら、兄弟たちに考える時間ができる」

トニーはダグ・バーカーのほうを向いた。「ぼくだったらどんな気がするかな。誰かにつけ回されるなんて」

ダグがかすかに不快そうな表情を見せる。「そうすればよかったんだ」と、デイヴ・サッグズがトニーに向かって吐き捨てるように言った。

一瞬の間をおいて、トニーはその意味を理解した。衝撃に言葉を失いながら、デイヴのほうを向く。低い声で言い返した。「たしかにきみを監視するべきだったよ、デイヴ」

「まいったな……」誰かがつぶやく。

トニーとデイヴ・サッグズはにらみ合い、やがて、デイヴのほうが目をそらした。デイヴを見続けながら、トニーは言った。「そういう監視について、黒人ぎらいの人間は、単なる用心だと言う。けれど、数か月の長い調査を受けたところで、アーニーが黒人であることに変わりはない。この問題には、今、とり組むべきだ」

「俺もそう思う」ジョニー・ダブルーツィがすばやく言う。「数か月監視されて、アーニーになんのいいことがある？　なんでほかの人間と違う扱いにするんだ？」

「違うからですよ」スティーヴ・ソーバックがきっぱりと言う。

「そういうことだ」ダグ・バーカーが辛抱に辛抱を重ねた口調でトニーに言った。「兄弟のなかで考えが完全に分かれている。だから、アーニー・ニクスンを調べて、意見をまとめるんだ」

落ち着き払った、自信たっぷりの物言いに、部屋は静まりかえった。誰にともなく、サム・ロブがつぶやく。「ジャッキー・ロビンスンがここにいなくて残念だ。彼なら、どうするべきか教えてくれるだろうに」

聞かなかったそぶりをするダグ・バーカーを見て、トニーは口もとをほころばせた。やがてデイヴ・サッグズが「バーカー同志の動議を採択することを提案する」と言うと、ダグ・バーカーはふたたび満足そうな顔をした。

「賛成」と、チャーリー・ムーア。

動議は可決されるはずだ、とトニーにはわかっていた。この件をさっさと忘れ去りたかったら、賛成すべきだろう。しかし、トニーの良心は、反対して、あとは成り行きに任せろと言っている。

「賛成のひと?」ダグ・バーカーが尋ね、十一本の手が挙がった。そのなかには、アーニー・ニクスンの受け入れに反対した者が全員含まれている。

「反対のひと?」

五本の手が挙がる。そのなかに、サム、トニー、ジョニー・ダブルーツィが含まれている。アーニーの友人であるジョニーは床を見つめていた。〈ランサーズ〉の付き合いのなかで、ジョニーは教訓を得ているのだろう、とトニーは思った。

「可決」と、ダグ・バーカーが言う。

ざわめきが起こった。失望の声が少々と、圧倒的な安堵《あんど》の声。ジョニー・ダブルーツィは顔を上げられないようだった。ジョニーまでもが犠牲者になったように見える。突然トニーは、自分もジョニーを苦しめる、心のきたない人間のような気がした。

ダグ・バーカーが言う。「大事なのは、困難なときでも、兄弟のまとまりを保つことだ。個人的にどう感じていようとも、兄弟として、われわれは今の決定を誇れると思う」

何人かがうなずく。まだ床に目を落としたままのジョニー・ダブルーツィは、形だけうなずいた。

兄弟間の亀裂《きれつ》は深まった。アーニー・ニクスンが原因かもしれないし、トニーに起こったことが原因かもしれない。トニーにわかっているのは、驚いたことに、自分がもはやここに属していないという事実だけだった。

サラダ鉢を覆《おお》う布を剝《は》ぎ、立ち上がると、小石の入った袋をからにした。小石が音をたてて落ち、鉢に当たって跳ね、床に転がる。「アーニーの監視を始めなくては」トニーは言った。「来年の報告を期待していてくれ」

驚く会員たちをあとに残して、地下室の階段へ向かう途中で、デイヴ・サッグズのことを思い出した。振り向いて言う。「ゆっくり歩くからな、デイヴ。きみが尾行しやすいように」

階段の手前に来て、トニーは気が晴れないのをいぶかった。まだ話し足りていないのだと気づく。ふたたび振り返ったときには、ダグ・バーカーを見ていた。

「ところで」と、ダグに向かって言う。「この部屋でいちばんのくそったれはきみだ。〈ランサーズ〉の兄弟として、知らせておくべきだと思ったんだよ。ここにいるのは、きみに比べればずっとましな人間ばかりだから」

そう言ったとき、トニーは、話し足りることは決してないのだとさとり、その場を去った。

13

「トニー！」

サムがあとを追って、サッグズの家から出てきた。トニーは車のわきで立ち止まった。サムの顔には驚きと懸念《けねん》が入り混じっている。「待てよ。アーニー・ニクスンに、ここまでする価値はない。友だちを捨てるつもりか」

トニーは、力が抜けていくのを感じた。怒りよりも、さらにはアリスンのことよりも、孤独感が強くトニーを支配していた。いつだか思い出せないが、ある時点から、トニーはほかの人間と同じであることをやめ、今では同じでありたいと思わなくなった。腕を組んで、街灯柱に寄りかかり、「どうしろと言うんだ？　戻って、謝れとでも？　きみならそうするか？」

　サムが地面を見つめる。「いや」と、しばらくしてから言った。「しない」

「ぼくもだ」トニーはポケットに手を入れ、車のキーを探した。「さあ、向こうへ戻れよ。きみには関係ない――」

「でも、おまえに関係することだ」サムは腰に手を当てた。「おまえは俺の親友だ。だから、おまえがやってるのがどんなばかな行為か、評価するのはやめにした」

　トニーは車のボンネットに腰掛け、サムから視線をはずした。「ぼくは何もしちゃいない」と、間をおいてから言う。「ある夜、ガールフレンドが絞殺《こうさつ》されているのを見つけ、翌日にはぼくが殺したんだとほとんどのひとに思われ、今、ぼくの人生はめちゃくちゃだ。それがぼくにどう影響しているのか、理解しようなんて思わないでくれ。自分でもわからないんだから。わかっているのは、きみやスーといっしょのときでも、ぼくはひとりぼっちだということだけだ」

「それがおまえの悪いところだ、トニー」

　トニーはサムのほうを向き、穏やかに言った。「向こうへ戻れ」

　サムはしばらく黙っていた。「いやだ」と、静かに言い張る。「いっしょに行くよ。おまえは親友だし、車にウィスキーが少しあるんだ」

さまざまな感情が渦巻くなかで、トニーは自分がありがたく思っているのに気づいた。「いいだろう。ひとりぼっちになるんだったら、隣りにきみがいるほうがよさそうだ」

ふたりはレイクシティ桟橋のふちに腰を下ろし、ウィスキーのボトルを行き来させた。気がつくとトニーは、勝利のタッチダウンの瞬間から今までの人生が以前と同じだったら、どんな気持ちだろうかと想像していた。そのときサムの「長かったな」という言葉が聞こえ、彼も同じことを考えているのだと知った。

満天に星が輝いていた。トニーは体を後ろに倒して肘《ひじ》をつき、空を見上げ、湖の風を顔に感じた。星を見ながら酒を飲むにつれ、世界が以前と変わっていないように思えてくる。朝を迎えることのないまま、幸福感に包まれてこの瞬間に漂っていたい。

トニーは尋ねた。「卒業したら、どうするつもりだ？」

サムが考える。「近くの大学に行くよ。スーといっしょに」間をおいてから、「あのな、アリスンの事件で、俺も変わったんだ。平凡なのがいいように思えてきた。誰もが俺のことを知ってる場所にいたい。俺がどんな人間か、みんながもうわかってる場所に」

これほどあけっぴろげにサムがみずからの不安を口にし、彼の激しい一面にそぐわない保守的傾向へのあこがれを訴えるのを、トニーは聞いたことがなかった。しかし、暖かな春の夜の、ウィスキーに浸された物思い、とかたづけてしまうのもどうかと思われ

た。桟橋で、あいだにボトルを置いて仰向けに寝ながら、ふたりは長いあいだ黙ってい
た。やがてサムがささやくように言う。「アリスンについては整理がつきそうか？」
答えを怖《おそ》れているのか、ためらいがちな問いかけだった。抑揚のない声で、トニーは
返事をした。「刑務所送りにならなければな」
「気持ちのことだよ、トニー」
トニーの前から、星が消えた。そして、自分の下に横たわるアリスンが見え、その映
像が発見したときのアリスンに、写真に写ったアリスンに変わる。「いや」トニーは答
えた。「整理はついていない」
サムが両肘を使って体を少し起こす。「俺はつけられる。ほかの誰かに起こったこと
のように考えなきゃならないけどな」トニーに触れようとするかのように、上体をひね
った。「おまえは違ってなんかいないよ。今でも前のままで、前と同じように生きて
ゆける。違ったのは、おまえの感じかただ。自分のために、おまえはなんとかそれを変
えなきゃだめだ。でないと、一部の人間がアリスン・テイラー殺しの犯人だと思ってる
とおりの男に成り下がっちまう」
トニーはボトルを置いた。「きみはあそこにいなかった。きみの順調な人生には決し
て起こらないことについてしゃべるのはやめてくれ」
サムが上体を倒す。「アリスンを失って、俺がちっとも応《こた》えてないと思ってるんだろ

う。そりゃあ、ときには悪口を言ったよ。あいつは自分が特別だと思ってたからな。だけど、実際に特別だったんだ。俺はそれを知ってたし、ほかの誰もが知ってた。今でもアリスンのことを考えるときが――」

「きみは彼女のことを考えたいときだけ、考えていられる」トニーは鋭い口調で言った。「アリスンはぼくのガールフレンドだったんだ、きみのではなく」

「たしかにおまえのガールフレンドだった」サムの声に、後悔と苦々しさのあいだのどこかに位置する感情が新たに含まれた。「そのせいで、おまえと俺は同じじゃない。そんなの、気に入らないけどね」

トニーはまだ緊張を解けなかった。「ぼくも気に入らない」

「じゃあ、なんで俺とおまえで事件の捕らえかたが違っちまったんだ？　なんでもいい、もし俺にそういうことが起こっても、俺たちはそれに変化させられないと断言できるね。なぜなら、おまえは俺にとって大事な人間だからだ。何が起ころうと、おまえが何をしようと、おまえは大事な人間だ」

トニーは体内のウィスキーを感じた。会話が、あまりにも多種多様な陰影を帯びてきていた。上体を起こし、脚を組んで座る。サムのほうは肘を曲げて枕《まくら》にした。「サム、きみはいちばん親しい友だちだ。だけど、きみが何を言っているのかよくわからない」

サムは体の下に敷かれた枕木を見つめた。「わからないのか？」

「ああ」

トニーが見守るなか、サムが言葉を探す。「あそこにいた連中――〈ランサーズ〉の仲間たちみたいなもんだよ。向こうはおまえを知ってるし、おまえも向こうを知ってる。けど、ほんとうには知っちゃいない。つまり、連中のひとりが死んだり、あるいはおまえが死んだりしたら、みんな悲しむが、いつかは忘れる」言葉を切り、理解を求めてトニーに目を向けた。

トニーは冷静な声で尋ねた。「アリスンのことを言っているのか？」

サムが体を起こす。「たまにはアリスンを忘れられないのか？　これは、俺たちの友情がどういう意味を――」

途中で口をつぐむと、サムはやにわに立ち上がって桟橋の突端まで歩き、鉄の脚柱に当たって渦巻く黒い湖水を見下ろした。トニーは脚を組んで座ったまま、感情を整理した。困惑、怒り、自分の一部であるこの親友を失いたくないという強い希望……。ウィスキーを飲むと、喉《のど》がひりついた。黒い水面に突き出した桟橋にぽつんと立つサムを見るうちに、自分たちふたりだけが世界の果てにいるような気がしてきた。

サムが振り向く。「こんなの変だ、トニー。どうでもいいことなんだから」

「何がどうでもいいことなんだ？」

サムはトニーの座る場所までゆっくり戻ってきて、隣りに横になると、手を頭の後ろで組んで、星を見上げた。その姿勢でいると、どことなく無防備に見える。「どうでもいいんだ」サムが低い声でくり返した。「おまえがアリスンを殺していようがいまいが」

突然、トニーは寒けを覚えた。「殺していようがいまいが？」

サムはすぐには答えなかった。「殺していようがいまいが、俺にはおんなじだ」

「ぼくが殺したかどうかきいているのか、サム？」

サムは今ではトニーのほうを向いている。「殺《や》ったのか？」

トニーは相手をじっと見た。やっとのことで口を開く。「きみはどう思う？」

サムの視線には、何物にも動じない落ち着きがあった。「そのことを考えるのはやめたんだ」

何か月ものあいだ堪《こら》えていた痛みと怒りが、堰《せき》を切ったようにトニーから流れ出た。Tシャツの襟もとをつかんでサムを立たせ、右手を持ち上げる。顔に、サムの息が感じられた。「なら、何を考えているんだ、サム？」

サムは身を守ろうとしなかった。妙に冷静な目で、トニーの目を覗《のぞ》く。「ほかに容疑者がまだ見つかってないことだ。それに、そんなのどうでもいいってことだ」

トニーの頭のなかを、血液がどくどくと流れる。「ぼくにとっては、どうでもいいことじゃない」と、かすれた声で言って、サムのTシャツを離した。

サムの後頭部が桟橋の板に当たった。サムは痛みに目をすぼめながらも、トニーから視線をはずさない。

トニーはささやくような声で言った。「きみは、すてきな人生をともに過ごす連中のところに留まっていればよかったんだ」

立ち上がって、長く狭い桟橋を足早に引き返す。足音がこだました。


次の日の午後、トニーは裏庭の寝椅子《いす》に、ランニングパンツに上半身裸という恰好《かっこう》で寝そべっていた。どこにも行きたくなかったし、何もしたくなかったし、誰にも会いたくなかった。一件だけ電話をかけて、ソール・ラヴィンの応答サービスに、事件の現況を尋ねるメッセージを残した。郵便受けには行かなかった。きょう、ハーヴァード大学進学の希望を失うことは、耐えられそうになかったからだ。ケンブリッジにある入学者選抜委員会がオハイオの小さな町で起こった殺人事件について知ったら、優秀な成績も、運動能力も、うまくいった夏の面談も無意味になってしまうと怖れながら、この五か月を過ごしてきた。次の変化が起こるまで――大学へ行くか、裁判を受けるかするまで――ずっと家にこもっていられるとしたら、そうしたい気分だった。この日の朝、目覚めたとき、トニーはほんとうにひとりであることの意味をはじめて知った。

「トニー？」

ぎくりとした。スーが芝地を歩いてくる音に気づかなかった。トニーが足の位置をずらすと、スーは寝椅子のすみに腰を下ろした。何も言わない。単に座るためにやってきたかのように、最初は思えた。

「聞いたんだね」トニーは言った。

トニーに向けられたスーの目は、疑問をたたえている。「ふたりで飲んで、喧嘩《けんか》したってことだけ。サムは、筋道を立てて説明できないことがあるのよ。でも、何があったにしても、動揺してたのは確かね」

トニーは怒りが戻ってくるのを感じた。「どうしてかな。サムは、ほかのみんなが知りたがっていることを尋ねただけだよ」

スーのかわいい顔が、いつになくきびしくなる。「そんなことを尋ねたとしたら、サムはばかよ。あなたがそんなひとじゃないって、知ってるのに」

トニーは脚をのばした。目の前にいるのは、いつも好ましく思っていた娘、スー・キャッシュなのに、すべてのきずなを断ち切ってしまいたいというひねくれた考えが、トニーの背中を押す。「じゃあ、きみは、サムのへまの後始末に来たってわけだ」

スーの顔に、怒りの最初の兆《きざ》しが現われた。トニーが見守るなかで、スーが忍耐をとり戻す。「時間をくれれば、サムは謝るわ。あなたを失いたくないはずだから」

「いいとも」トニーは辛辣《しんらつ》な口調で言った。「なら、ぼくはアリスンを殺していないと伝えてくれ。そして、あの晩、どこにいたのか教えてくれれば、何もなかったように付き合っていける、とね」

スーが顔を赤らめ、それからトニーを見つめる。「サムはあの晩、あたしといたって言ったでしょ？　あなたたちもいっしょにいればよかったんだわ。あなたのためにも。サムはきっと誰よりもそう思ってる」

「すまない、忘れていたよ。いや、このごろサムは多くを見落としているようだったからね。たとえば、犯人が次の標的を探していないかと危惧《きぐ》しているのはどこの誰かということを。〝親友〟からアリスンを絞め殺したかどうかきかれれば、サムも少しは事件の雰囲気を味わえると思ったんだ」トニーはいったん言葉を切ってから、何げなさそうにしめくくった。「答えはどうでもいいんだと伝えてくれてもいいよ」

スーはすぐには口を開かず、トニーを見た。「サムは、誰よりもあなたのことを思ってる。でも、それをうまく言葉にできないの」

サムが関係すると、怒りのかたまりがさらに熱く、確固としたものになるのを、トニーは感じた。「それはよくないな」と、しばらくしてから言う。「サムがぼくにきいた事柄や彼のその行為の意味について、ぼくは好き勝手に感じさせてもらう」

「そんなだと、話し相手がいなくなるわよ」

トニーは肩をすくめた。「構うものか」

「あたしが構うわ」

スーがあっさりと言う。それが明白で当たり前のことかのように。

「サムのガールフレンドにそう言われてもな」

スーが当惑を顔に浮かべ、それからいらだたしげな表情になった。「またばかなことを言う。『きみこそぼくの友だちだ、スー』とか、『きみもアリスンがいなくてつらいんだね』とか言えないの？　『きみのしょうもないボーイフレンドがなんと言おうと、自分を責めることはない』でもいいわ」言葉を切る。「あなたがアリスンを殺してないのはわかってる。あなたには絶対できないもの」

トニーはスーを見た。彼女が面と向かってそう言うのははじめてだった。その言いかたは、事実を述べているのでもトニーを元気づけようとしているのでもなく、彼の無実は単にスー・キャッシュが知っていることであるという、女の深い確信が表われていた。

スーがはじめて笑みを見せる。「あたしとまで喧嘩する必要はないのよ。あたしはあたしに過ぎないんだから」

見慣れたスーの顔が、突然、とてつもなくいとおしくなった。「きみと知り合ってどれぐらいになるだろう？」しばらくしてからトニーはきいた。

スーが空に目をやる。「三年にはなるわね。高一のときだろうから……」

「じつは、高校の最初の日にきみを見たのを憶《おぼ》えているんだ。ピンクの縞《しま》の服を着ていた」

スーがうなずく。「大好きな服だったの。前の晩に、お母さんにアイロンをかけてもらった」微笑《ほほえ》むと、えくぼができた。「かわいいって誰かに言われるのを待ってたわ」十四歳のスーが、不安と期待に胸をふくらませて、母親のアイロンがけを見守る姿が、トニーの目に浮かんだ。「たしかにかわいかった」

スーが視線を下ろし――まだ半分笑みを浮かべているが、目は真剣みを帯びている――トニーの手をぎゅっと握る。衝動的で愛情のこもった動作で、いかにもスーらしかった。サムには過ぎたガールフレンドだ。

「きみはいいひとだね、スー」

「なんでみんな、いつもそう言うのかしら？」わざと不満そうに言う。「ほんとうに、ほんとうにいやな人間になりたくなったときは、どうすればいいの？」

「ぼくだったら、まずは町を出るね」

笑みは消さなかったが、スーはその言葉に考えさせられたようだった。ふたりは黙って座っていた。

「トニー！」

今度トニーに呼びかけたのは母親で、封筒を手に芝地を急ぎ足でやってくる。「あなたに郵便よ。ハーヴァードから」

トニーは母親の顔から不安を読みとった。心配性の母親にはいらつかせられるが、彼女が今感じているものは、トニーが突然胃に感じた、しめつけられるような感覚とそう違わないはずだ。ヘレン・ロードが息子に封筒を渡し、開封されるのを期待をこめて見守っていると、スーがトニーから母親へと視線を移し、「あたし、行くわね」と言った。

トニーはクリーム色の封筒をあけながら、無言で首を横に振った。母親やスーの存在をほとんど忘れて、最初の行を目で読み進む。

〝このたびは、めでたくも……〟

なおも読み続け、〝奨学金〟という言葉に行き着いた。

「やった……」

「なんて書いてあるの？」母親が尋ねる。

「合格した」茫然《ぼうぜん》とした顔で、母親を見上げた。「奨学金がもらえたんだ、母さん。大学へ行かれる」

トニーの高揚感は、しかし、ヘレン・ロードに抱きしめられたからではなく、郡検事長に思考が及んで、途切らされた。それでも、抱かれるがままになっていた。痛いほどの抱きしめかたに、母親の希望のすべてが、不安のすべてが感じられる。

「もういいだろ、母さん」かすれた声でトニーは言った。「ねえ、息ができない……」

母親は震えるような笑い声を出しながら、身を離した。まだ信じられないような顔をしている。「すばらしいわ。スー、これはすばらしいことよね？」

スーが口もとをほころばせた。「ええ、そう思います」

ヘレン・ロードがトニーの手から手紙をとる。「お父さんに……」最後まで言い終わらないうちに、足早に家のほうへ歩きだし、トニーの父親の名前を呼んだ。トニーは興奮のあまり、微笑むのも忘れてその姿を見ていた。

「ふう。やったわね」スー・キャッシュが静かに言う。

「ああ、やった。とりあえずは」

スーが、今のトニーをじゃまするものは何もないと信じているかのように、笑顔で首を横に振った。それから少しおどけた表情になって、ヘレン・ロードがそばにいないのを確認してから、トニーの唇に、そっと愛情のこもった口づけをする。顔を離したとき、スーの目は、トニーにたいする喜びをたたえていた。

「えへ。ハーヴァード大生にキスしちゃった」

その日の夕方、ソール・ラヴィンが返事の電話をかけてきた。

「ハーヴァードに受かりました」トニーは弁護士に伝えた。

「ほう、それはめでたい」ソールの声は心からの喜びを表わしていたが、すぐに明るさが消えた。「現状報告を聞きたくて、電話してきたんだろ？」

「ええ。何かありましたか？」

「たいしてない。〝知っているかぎりでは変化なし〟と言うのが精いっぱいだな」

ソールの口調にためらいがあった。アリスンの死以来、トニーは以前よりも話しかたの微妙な違いに敏感になり、とくに、言われなかった内容は悪いことだと知るようになった。「何があったんです?」

長い沈黙。「当局がいまだに検死報告書を公表していない。だが、もっとおかしいのは、それについて何も明かしてくれないことだ。もう五か月近くたつというのに」

トニーは不安が大きくなるのを感じた。「それは何を意味するんでしょう?」

「よくわからん」静けさのなかで、トニーはソールがため息をつく姿を想像した。「検死報告書に、ふつうでない事柄が書かれているのかもしれん。残念ながら、当局はまだ、きみを容疑者から除外するのではなく、どうやって追いつめようかと考えている」

「理由はそれだけですか?」

ふたたび沈黙。「いいだろう、トニー……きみを心配させたくないが、大学生になるのだから、大人として扱うべきだな。

木曜に話し合いが持たれる。モレリと、郡検事長と、テイラー家のあいだで。圧力がかけられているのは、地元の新聞を見て承知しているだろ。モレリは話そうとせんが、テイラー家は、さらにきみを不利にする証拠があると思っているようだ」

トニーは、ハーヴァードからの手紙で高揚した気分が、音をたててくずれ落ちるのを感じた。「何かできることはないんですか？　せめて内容だけでもつかめませんか？」

「ちょっと無理だ……その話し合いに参加する資格はない。だが、もう一度モレリをつついてみる」穏やかな声で、「きみのほうは、これまでいやというほどしてきたように、待つしかない」

14

ハーヴァードに合格したトニーにとって、アリスンの殺人事件をべつにすれば、あとは、最優秀運動選手に選ばれることだけが目標だ。しかし、ソールが報告を入れてくる木曜の晩までの五日間、起訴されるのではないかという恐怖がトニーにとりついた。

トニーはその思いを頭から追い出せなかった。物理の授業ちゅうに、いっそテイラー家に電話をして、無実を信じてくれるよう頼み込もうかと思った。あの夜のことを思い出しながら――アリスンが死んで以来、毎日そうしている――、誰にあんなことができたのかもう一度推理してみる。町の住人が犯人だとは思えなかった。アリスンとトニーが公園を歩いて通り抜けたのは、車のガラスが曇ってしまったという偶然によるものだし、誰かがアリスンの帰宅を待っていたとすれば、裏口ではなく、ドライブウェイのわきで見張っていたはずだ。トニーは裏口の明かりに照らされたアリスンを見た。彼女がふたたび外出するのは、誰にも知り得なかったはずだ。以上のことから、行きずりの殺人の可能性がでてくる。たまたま木立ちのそばを通った放浪者だろうか。だが、あの夜は暗くて、凍えそうに寒かったし、事件には三人の登場人物が必要になる――むこうみずな恋人たちと、ふたりの会話をふと耳にして、彼女を待ち伏せしようと決めた、悪意に満ちたよそ者が。ありそうにない。あるいは、誰かが公園までふたりをつけてきたのか。これもありそうにない。とすると、トニーがとっくに出した結論に、木曜の話し合いがあるだけにますます恐ろしさを増す結論に直面する。つまり、トニーが警察あるいはテイラー夫妻だったら、彼のガールフレンドを絞殺《こうさつ》したのはトニー・ロードだと思うにちがいない。

木曜日の午後、トニーはストラットフォード高校を相手にピッチャーとして投げる予定になっていた。トニーがほとんど意識しないうちに、ゲームは始まった。昨夜の睡眠不足で疲れた体を引きずってマウンドへ向かったとき、観客席のデイナ刑事に気づいた。

ウォームアップのピッチングを始めたとき、トニーはデイナが自分を逮捕しに来たのではないかと思った。

捕手は、ジョニー・ダブルーツィだった。トニーの意識にかすみがかかる。トニーはボールを投げ、受けとり、また投げた。まるでジョニーとトンネルのなかにいるような気がする。サムはいつものように一塁を守っていたが、トニーはほとんど目を向けなかった。トニーの迷信的な部分が、デイナの存在に気づかないふりをすれば、刑事が自分のところに来ることはないと感じていた。

はじめの六イニングのあいだ、トニーは誰とも話をせず、デイナは動かなかった。

試合は0対0だった。トニーは技巧派の投手ではない。点をとられずにすんでいるのは、ジョニーが低く構えるミットの位置にボールを投げ込むからだ。無心にボールを投げる行為だけによって、トニーは狂気に向かうのを引き止められていた。意識を集中し、必死の思いで投げるため、いつになくすばらしいピッチングになった。トニーは、チームメイトのおしゃべりを、励ましの言葉を無視した。デイナと同様、彼らも、トニーが無視しなければならない世界の一部だった。チームのことなど一顧だにしなかった。

六回の裏にサムがホームランを打ち、深い喜びから来る平静さをともなってホームプレートを踏んだとき、トニーの頭には、あと一イニングで自分を守ってくれているゲームが終わり、観客席にはまだダグ・デイナがいるだろうという考えしか浮かばなかった。

「だいじょうぶか？」

ジョニー・ダブルーツィがトニーを見下ろしていた。そのときはじめて、ほかのチームメイトは全員、サムを荒っぽく歓迎しようと、ベンチから飛び出しているのに気づいた。捕手がとまどった表情をトニーに向け、それから、歓迎の列の端に立つライトのアーニー・ニクスンをちらりと見る。

「〈ランサーズ〉の件はすまなかった、トニー。ずいぶん迷惑をかけただろ」

「ぼくはだいじょうぶだ」

そっけない口調に、ジョニーはますますまごついた顔になった。「あと一イニングだ」ぎこちなくそう言って、仲間たちのほうへ行く。

七回の表、トニーはふたたびマウンドに立った。

俳優が背景幕を意識するように、トニーは周囲を意識した。観客で埋まった観客席。一方の側には、工場みたいな校舎。ジョニー・ダブルーツィの背後の、バックネットとファウル・スクリーン。外野の向こうの、緑色のワイヤー・フェンス……。と、視野のすみで、誰かが動いた。わざわざ見なくとも、それがダグ・デイナだとわかった。

最初の打者がバッターボックスに入ったとき、ジョニー・ダブルーツィの背後、ファウル・スクリーンの向こう側に、デイナが現われた。トニーは、物が二重に見えるような錯覚に囚《とら》われた。彼の逃げ道であるジョニーと、恐怖のシンボルであるデイナ。そのとき、アリスンの父親がデイナの隣りに立った。

ふたりして、スクリーン越しにトニーを見守っている。きっとすでに郡検事長の決定を知っているはずだ、とトニーは確信した。弁護士と連絡をとれないトニーだけがそれを知らない。

主審が審判の体勢をとるべく、ジョニー・ダブルーツィの後ろで中腰になった。ロボットのように、トニーはふたたび意識を集中し、一球めを投げた。

「ボール」と、主審が叫ぶ。デイナが顔を横に向け、ジョン・テイラーに何か言った。

トニーは打者を四球で歩かせ、次の打者も歩かせた。

「おい、トニー。さっさとかたづけようぜ」

サムの声。

あんなふたり、気にするな。気にするんじゃない。

打者が三球めのスロー・カーブに完全にだまされて、振り遅れる。

「ストライク・スリー」

トニーはジョニー・ダブルーツィのミットを、彼の救いを見つめ続けた。次の打者は一球めの低い速球に手を出した。

ゴロがトニーのほうへ転がる。トニーははっとした。一心不乱に投げていたので、ゴロに対して腰を屈《かが》めるのを忘れていた。バランスをくずしてボールをつかみ、ふたりの走者に目をやってから、一塁へ投げて打者をアウトにする。

ツーアウト。

「ひと殺し……」

ストラットフォード高校の観客は少なくて、野次はかすれ、こだまする力もない。しかしトニーはたじろいだ。意志に反して、ファウル・スクリーンの向こうのジョン・テイラーに目が行く。

アリスンの父親は黙ってうなずいた。トニーにではなく、今やくり返されている野次に。

「ひと殺し……」

彼は、トニーがデイナに逮捕される場面を見に来たのにちがいない。

ストラットフォードの四番打者クレイトン・ペルが、バッターボックスに入った。

「トニー！」サムの叫び声。

はっとして振り向くと、ストラットフォードの走者ふたりが、二塁と三塁をめざしていた。トニーは二塁にボールを投げようとしたが、長年の経験に引き止められた。へたをすると暴投になりかねない。ダブルスチールは完了しかけている。トニーはふたりを頭から払いのけた。

ストラットフォード側の観客席から、冷やかしの言葉と笑いが聞こえる。「タイム」と、サムが声をあげた。

信じられないという顔つきで、トニーのほうへ走ってくる。「何してんだ？　こっちが一点リードなんだぞ」

トニーはサムの肩に手を置き、声をうわずらせないように努力した。「どうでもいいことだと言ってくれ。それでずいぶん気が休まる」

サムの顔が紅潮する。口を開いたとき、サムの声は引きつっていた。「どうでもよくなんかない。俺はまだおまえに期待してるんだ」

そう言うなり、背を向けて、小走りに一塁へ戻った。

「プレーボール」主審が声を張りあげる。トニーはサムをじっと見た。意志の力でホームプレートに顔を向けると、デイナとアリスンの父親が腕組みして、トニーを見つめていた。まるで、彼の良心がついに姿を現わすのを見守るかのように。

「ひと殺し……」

バッターボックスでは、クレイトン・ペルが左打ちの構えをとり、焦《じ》れたようすでバットを揺らしている。トニーのこめかみが怒りにひくついた。

ジョニーがカーブを要求して、内角低めにミットを構えると、トニーは首を大きく横に振った。

キャッチャーのマスク越しに、ジョニーがとまどった顔を見せる。それから、ペルの力の及ばない速球のサインを送った。

トニーは振りかぶり、渾身《こんしん》の力を込めて、ホームプレートのまんなかへボールを投げた。

クレイトン・ペルのスイングは不思議な美しさをたたえていた。ねじった体を滑らかにほどき、両腕をのばして、バットの中心でボールを捕らえる。見るまでもなく、トニーにはわかった。ぎりぎりになって後ろを向くと、フェンスへ駆けたライトのアーニー・ニクスンが、彼の六メートル先でボールが跳ねるのを見守っていた。ストラットフォードの観客席から大歓声があがる。

試合の残りの部分は断片となった。弾丸のようなライナーを放ったものの、ライトへ走ったサム・ロブにキャッチされ、アウトとなった、ストラットフォードの最後の打者。トニー・ロードから贈られた、誰も望まなかった七回の裏のあいだの、ベンチの静けさ。アーニー・ニクスンとジョニー・ダブルーツィがヒットを放った、ツーアウトからの必死の反撃。そして、たったの四球で打ちとられた、茫然《ぼうぜん》自失の体のトニー。

試合終了。トニーは背を丸めてベンチに座り、デイナを待った。何人かのチームメイトがそばに寄ってきた。サムがチームメイトたちとグラウンドを離れるさいに振り返るのを、トニーはかすかに感じとった。

ついに顔を上げたとき、デイナとジョン・テイラーの姿はなかった。

三十分後、まだベンチに座ったままのトニーのところへ、着替えをすませたアーニー・ニクスンがふらりとやってきた。

トニーの隣りに腰を下ろし、「ついてなかったな」とつぶやく。

トニーはアーニーのほうを向いた。アーニーとふたりきりで話すのも、彼をじっくり観察するのも、はじめてのような気がする。意外なことに、アーニーはどことなく哀愁の漂う、哲学者のような顔立ちをしていた。はっとするような緑色の瞳《ひとみ》は、これまでトニーが深く考えたことのない遺伝的皮肉を暗示している。「無謀な試みだったよ」と、しばらくしてから答えた。「相手チームの四番打者に速球で攻めるなんて。はなから無理だったんだ」

アーニーは返事をしなかった。ふたりしてグラウンドに目をやる。選手がいないと、写真のような静けさをたたえている。やがて、アーニーが言った。「友愛会でのできごとを聞いた。そんなこと、しなくてよかったのに」

トニーは驚きを覚え、それから不愉快になった。「きみのためというより、ぼくのためだった。あまりのばかばかしさに我慢できなくてね」

「そういう連中なんだ。それだけのことだ」

苦みの混じったあきらめの言葉だった。トニーはなぜか、話をしたい気分になった。

「きょう、ほんとうは何があったかというと、デイナが逮捕しにきたと思ったんだ」

アーニーがトニーに視線を向ける。

「ぼくはやっていないよ、アーニー。あの夜、ほかの誰かがあそこにいたんだ」

アーニーが緑色の目を狭め、首を傾《かし》げる。「誰かを見たのか？」

「いや。だけど、そいつが音をたてた」

アーニーは組み合わせた手に顎《あご》を乗せ、グラウンドをじっと見た。「あの公園には、たくさんの人間がいる。身を隠す場所がたくさんある。俺はたぶん、ほとんどの連中を知っているよ」

さらりと言われた言葉に、トニーは驚かされ、それから心を乱された。公園を見て回ったことはなかった。アリスンが殺されて以来、近寄ってもいなかった。

「案内してくれないか？」トニーは頼んだ。


ふたりは公園に立ち、木立ちを透かして、テイラー邸のゴシック様式の屋根を見ていた。夕方だった。一瞬、トニーは、アリスンの母親が三人ぶんの夕食を用意する光景を頭に描いた。

暗黙の了解で、空席がひとつ。胃がなんとなく重く感じられた。

トニーの記憶では、ふたりは向きを変え、木立ちを離れた。

トニーの記憶では、公園がこれほどおどろおどろしく見えたことはなかった。かつて種がまとまって落ちたのだろう、オークの木が密生している。ふたりよりも背の高い、蔓《つる》やとげのある植物でできた生け垣が、テイラー家の敷地を示す木立ちからのび、公園の正面部分を囲んでいる。近づくと、生け垣はただの茂みだとわかった。ねじれ、からまり合い、新芽が目にあざやかだ。

アーニーが無言で手をのばし、蔓のかたまりを引っ張る。蔓や小枝に隠された空間が現われた。地面には草が生え、日が射《さ》し込まず、洞窟《どうくつ》のように暗い。草の上には、煙草《たばこ》の空箱、湿気で汚れた吸い殻、コンドームの破れた包み。

アーニーがふっと笑う。

人間の存在を示すひそかな跡に、トニーは落ち着かない気分になった。「どうやって見つけたんだい?」

「十四歳のときに、兄貴が教えてくれた。夏になると、夜、こっそり家を抜け出して、特別奇襲隊員気どりでいろいろな所へ行ったものさ。古い墓地で寝ることもあれば、ここへ来ることもあった」間をおき、思い出にひたる。「すぐに、夜中にここにいるのが自分たちだけじゃないとわかった。浮浪者もいれば、アベックもいた。最近じゃ、マリファナを売るやつもいる。このごろは、ヒッチハイクで通りかかる者が増えている。大学生ぐらいの歳《とし》の連中が多いようだな。警察は全部知っているよ。夜の二時か三時にパトカーで巡回に来て、ときには懐中電灯を持って見回る。警官の目から逃れるのが、いちばんおもしろいんだ。それと、ほかに誰がいるのか考えるのがね」

気がつくと、トニーは、つぶれた煙草の箱を見つめていた。いつかソールが放浪者の話をしていたが、夜の顔という、公園のもうひとつの側面のあかしを目《ま》の当たりにすると、自分とアリスンが一度はそこに身を置いただけに、心がひどく乱される。「こんな場所がたくさんあるんだ」アーニーが言う。「みんなは気づかないけど」

トニーはアーニーのほうを向いた。「ここにひとりで来たことは？」

「ときどき来ていたよ。彼女が死ぬまでは」アーニーが蔓を放し、隠れていた場所が覆《おお》われる。「兄貴が家を出てから、ここはいちだんと寂しくなった。だけど、ときには、レイクシティの秘密の王になったような気がした。数時間のあいだ、誰にも俺は見えなくて、なんでも好きなことができるんだ」皮肉っぽい笑みを浮かべて、「真夜中から五時までは、ここは町で唯一《ゆいいつ》の、黒人を入れてくれるカントリークラブさ。だけど、黒人専用なんかじゃない——この公園に、彼女を殺せた人間はたくさんいる。警察もそのことは知っている。彼女だって知っていたはずだ」

「アリスンが？」

「ああ。俺がまだ小さかったころ、家族に連れられて、ジェラルドとここにピクニックに来ると、いつも彼女が遊んでいた」アーニーの声が低くなる。「友だちといっしょにな」

最後の言葉には、おそらくは無意識に、ひそかな意味が含まれているようだった。当時、アリスン・テイラーと黒人の少年が友だちになるのは、社会の、あるいは人種の秩序に波風を立てるものであったという意味が。

「アリスンが死んで、寂しくてたまらないよ」トニーは当たり障《さわ》りのない返事をした。しばらくしてから、アーニーがうなずく。なぜか、しかたなくそうしたという感じだった。「いいひとだったみたいだな。だけど、きみが俺だったら、どういうひとがいいひとなのか、ほんとうにはわからないよ。つまり、きみたちは、相手も自分を好ましく思ってくれるっていうふうに考えるのかい？」

トニーには答えがわかっていた。これまでアーニーを、チームメイトか町でめずらしい黒人として以外に考えたことはほとんどなかった。だが今は、アーニーの控えめな発言の裏にあるものが察せられた。善人もいれば、そうでない人間もいるが、その誰もが、自分が思っているとおりにしか相手を見ず、その見かたはずっと変わらず……。

意に反して、トニーはテイラー家の裏庭をふたたび見つめ、そこで発見したものを思い、それから向きを戻した。

ふたりは無言で草地を歩き、トニーの車へ向かった。公園はひとけがなく、トニーの記憶にある公園よりもしんとしている。車に乗り込むと、トニーはようやく口を開いた。「〈ランサーズ〉の件は残念だったよ。だけど、あれはほんとうにばかげている」

アーニーはすぐには返事をしなかった。「たぶん。だけど、〝ばかげている〟というのは、当事者以外の人間が下す結論さ」

トニーはアーニーを見た。ぶしつけだと思いながらも、好奇心には勝てなかった。

「きみの親は、どうしてここへ来たんだい？」

アーニーが、皮肉と寛容の混じった緑色の目を向ける。「たぶん、きみの親と同じ理由だよ。レイクシティは、子どもを育てるのにいい場所だ」


「何があったんです？」トニーは尋ねた。ソール・ラヴィンの顔が見えればいいのにと思いながら、受話器を握りしめる。

「こんな感じだよ、トニー。モレリの話からすると、ジョン・テイラーはかんかんに怒って席を立った。警察も同様」

「ぼくは起訴されない？」

「今のところは。モレリがまだ反対している。あいつは頭が切れるし、信念を持っているし、きみのお友だちのイエズス会士の教育を受けているし、政治より正義を優先できる」

「じゃあ、〝新たな〟証拠というのはなんだったんです？」

「わからん。死体から見つかった、きみの血液型と一致する何かなのは確かだが。アリスンの血液型ではない血液か、毛髪か、はたまたまったく違うものなのか、明かしてもらえん。だが、モレリにはしっかりと、住民の六十パーセントはきみと同じ血液型だと指摘しておいたから、向こうはきみが除外されていないとしか言えなかった」

「ほかには何か話しましたか？」

「きみは罪を犯していないと思うと言っておいた。それを聞いたモレリは、返す言葉がないという感じだったよ」

「なぜです？」

「さあな」ソールの声に、はじめてユーモアが感じられた。「これまで、あいつにそう言ったことがなかったからかな」

一瞬、トニーはどう答えていいのかわからなかった。「ありがとう、ソール……」

「ありがとうは要らん。モレリは、起訴すればきみがどうなるのか承知している。向こうは、きみの人生が終わるまでに起訴すればいいんだ」

安堵《あんど》とこの終わりのなさそうな不安のはざまに自分が落ち込むのを、トニーは感じた。

「野球の試合にデイナとアリスンのお父さんが来ていて、ぼくを見ていました。試合のあいだずっと、ぼくは、試合が終わったら、デイナが逮捕しに来ると思っていました」

ソールはすぐには答えなかった。「すると、それが目的だったんだよ。きみを罪悪感で悩ませるのが。何しろ、あいつらはあせっているから」申し訳なさそうな声になって、「言っておけばよかったな、トニー。逮捕があるとすれば、モレリがわたしに電話して、わたしがきみを連れていくことになるんだ。恐ろしい幻影に悩まされるのもいやだが、こちらの展開も願い下げだね」

「そうでしたか……」

「まあ、こんなところだ。あす、あさってに逮捕されることはない」ソールの声に疲れが出ている。「ふたりともテレビに戻るとしよう」

トニーは小さく笑った。「ぼくは違いますよ。睡眠不足を補うことにします」

「知らないのか？」

「何を？」

「マーティン・ルーサー・キングが撃たれたんだ。死んだよ」

トニーはびっくりした。「そんな。ひどい……」

「まったくだ。つけが回ってくるぞ。何年ものあいだ。この国のまともな人間すべてにとって、痛手だ」そう言うと、ソールは電話を切った。

トニーは地下室へ行き、テレビをつけた。両親には事件を知らせなかった。

画面に、大統領選でインディアナポリスを遊説《ゆうぜい》ちゅうのロバート・ケネディが映っていて、黙りこくった黒人たちを前にしていた。その多くが泣いているようだった。ケネディが、自身も目を潤《うる》ませながら、憑《つ》かれたように話す。

「マーティン・ルーサー・キングは人生を、仲間とするひとびとへの愛と正義のために捧《ささ》げ、その献身ゆえに死に……。

合衆国に必要なのは、分裂ではありません。合衆国に必要なのは、憎悪《ぞうお》ではありません。合衆国に必要なのは、暴力でも無法状態でもありません。必要なのは、愛と智恵《ちえ》であり、相互の思いやりであり、いまだわが国で苦しむひとびとと、白人であろうと黒人であろうと、そういうひとびとに対する正義感で……。

だから、わたしはみなさんにお願いします。家へ帰って、祈ってください。マーティン・ルーサー・キングの家族のためにはもちろん、われわれみなが愛するこの国のためにも。理解と思いやりを願う祈りを……」

聞きながら、トニーは、自分もロバート・ケネディと同じように、深く心を揺さぶられていることに気づいた。ふと、アーニー・ニクスンに電話をして、事件を残念に思っていると伝えようかと考えた。だが、それはさしでがましいし、良識に欠けてさえいるかもしれない。アーニー・ニクスンはレイクシティに住んでいる。彼のあすの人生は、きのうの人生と同じようなものだろう。アーニー・ニクスンにとって、マーティン・ルーサー・キングはほとんど関係のない人物なのだ。

15

貸衣装のタキシードのボタンを留めながら、トニーは卒業記念ダンスパーティーに向かう心構えを固めた。一週間前には行かないと断言していたパーティーだ。

「せめて検討ぐらいしてちょうだい」スーの茶色い目は真剣だった。「まるで、逃げてるみたいじゃない」

「全速力で逃げているのさ。娘を生きて家に帰さなくちゃならないお目付役たちからね」いらだちに、声がうわずる。「スー、きみは学園祭の女王だ。ぼくは、殺人者だよ」

スーが視線を落とした。穏やかな口調で言う。「殺人者みたいにふるまえばね。パーティーに出たら、みんなは立派な行動だと思うはずよ」ふたたびトニーに視線を向けて、「その夜、ひとりでテレビを観《み》てて、どんな気持ちがすると思う？　パーティー会場にいるよりましかしら？」

スーは一度は、自分たち四人が写った卒業記念写真を頭に描いたことがあるのだろう。トニーの最終学年のこのひとこまを少しでもその写真に近づけたいという彼女の望みに、トニーは思わず感動した。無益な望みではあったが……。いちだんと優しい口調で言う。「いっしょに行く娘《こ》がいないよ。きみとサムが写真を撮られているあいだ、ぼくはすみにぽつんと――」

「踊ってあげるわ、トニー」

はじめてトニーは口もとをほころばせた。「サムに鎮静剤を飲ませるつもり？ あいつは誘いの言葉もかけてくれな――」

「でも、応援はしてくれるはずよ」スーにはめずらしい、きっぱりした物言いだ。「あたしたちはみんな、長いことお友だちでいすぎた。そろそろあなたたちも大人になっていいころだわ」

その言葉が、サムに対する深い怒りを呼び起こした。サムにとっては、パーティーも、スーと踊るトニーを見ることも、みずからの不満を鎮《しず》める機会にはなりそうもないと感じた。ふと、サムを試してみようという意地の悪い考えが浮かぶ。「ちょっとだけなら、出てもいいかも……」

こうして今、両親による記念撮影を切り抜けたトニーは、バンドが演奏する〈今宵の君は〉に合わせて、スー・キャッシュと踊っていた。

レイクシティ・カントリークラブはこの日、貸し切りだった。トニーがなかに足を踏み入れるのははじめてで、天井から渦巻き状の紙やガラスのボールが下がっていた。どことなくあか抜けなかった。バンドも教師と親たちが選んでいるので、ボーカルは〈ハード・デイズ・ナイト〉よりも〈煙が目にしみる〉が得意だし、アレサ・フランクリンの〈リスペクト〉は聴くに堪えない。ダンスパーティーのテーマは「カジノ・ナイト」で、ルーレットやブラックジャックでぬいぐるみがもらえたり、シャンペングラスでピンク・レモネードが飲めたりするのだが、これは、ゴルフコースで勝手に宴会が開かれるのを防ぐための、親たちのむなしい努力だった。ブラックタイやイブニングドレスの魔法も、ティーンエイジャーたちを『泥棒成金』のケイリー・グラントやグレース・ケリーにするのには失敗している。ほとんどの男子生徒のタイは曲がっており、そうでない生徒も、棺《ひつぎ》に収まっているかのように、顔をこわばらせている。卒業記念ダンスパーティーにはつきものの、釣り合いの悪いカップルの姿もあった。全員にパートナーがいるようにと、教師たちが恋愛下手な生徒を組み合わせた結果だ。アーニー・ニクスンが、無念さを体全体ににじませて折り畳み椅子《いす》に座る、魅力的でないブロンドから会話を引き出そうと努めているのを見つけて、トニーは、マーティン・ルーサー・キングが撃たれた晩以来、彼とほとんど話をしていないことを後悔した。だが、今夜のスー・キャッシュの姿を見なかったらもっと後悔しただろう。

スーは軽く日焼けしていて——五月に入り、晴天の日が増えた——それがピンクのサテンのドレスにぴったりの化粧とあいまって、じつに自然な雰囲気を醸《かも》し出していた。

ドレスは母親のお手製で、スーの体の曲線を、強調することなく美しく見せている。トニーは感動すると同時に、畏敬《いけい》の念も少しいだいた。まるで、友人であるスー・キャッシュが、いとも簡単に、そして自信たっぷりに、大人の女性へ変わってしまったかのように、自分の腕のなかにいるスーが別人に思えたからだ。しかし、彼女は温かく、リラックスしていた。いっしょに踊るのははじめてだったけれど、最初の数小節から、なんの努力も要らないように感じられた。顔に触れるスーの髪が、香水の香りを運んでくる。

「とってもきれいだよ」トニーはささやいた。

スーがにっこりするのを肩で感じたとき、音楽が終わった。彼女が体を反らし、向けてきた笑みは、昔ながらのお茶目なスーのものだった。「ピンクの縞《しま》の服のときよりも？」

トニーはじろじろとスーを見て、考えるふりをした。「あの服はもうきついんじゃないかな」

ふたりでさらに微笑《ほほえ》んでから、スーはサムを探しに行った。

トニーは興味を覚えて、彼女を目で追った。トニーと踊ることを、スーが一存で決めたのは明らかだった。サムはダンス・フロアに背を向け、チャーリー・ムーアと笑っている。スーが戻っても関心を示さないサムの態度を、トニーは少々わざとらしいと思った。サムとチャーリーは、秘密を分かち合っている優越感で結ばれたかのような顔をしている。そのときサムが紙コップの中身をすばやく、ぐいっとあおり、トニーは、秘密の正体をつきとめた気がした。ウィスキーだ。男性用シャワールームのロッカーに隠しているにちがいない。サムの気持ちを知るチャンスのように思えた。

トニーが近づくと、スーが振り向き、彼のために場所をあけた。〈ランサーズ〉の一員であるチャーリーが、そっけなくうなずいて挨拶《あいさつ》する。それにならって、ジェーン・ジェフォーズもおざなりな笑みを浮かべた。サムが軽い驚きとともにゆっくりとトニーを認める。まるで、トニーの存在を知覚するには時間が必要であるかのように。

トニーはうなずいた。「やあ、サム」

「やあ、トニー」サムの顔が赤くなったのにトニーは気づいた。「ひとりか?」

声にとげがあった。サムはトニーに連れがいないのをよく知っているはずで、その言葉はスーに向けられたように思えた。スーに目をやると、不快そうな顔をしている。

「ひとりだ」トニーは答えた。「今夜は早く帰るよ」

サムが眉《まゆ》を上げる。「そいつは残念だな」と軽く言うと、ふたたびウィスキーを飲み、チャーリー・ムーアのほうへ向きを戻した。

サムの隣りで、スーが体を緊張させるのがわかった。トニーは彼女のほうへ顔を近づけ、ささやいた。「踊ってくれてありがとう、スー。ぼくはそろそろかぼちゃの馬車に乗るよ」

サムが、突然ふたりを思いだしたかのように、振り向いた。そして、やけにきらきらした瞳《ひとみ》をトニーに向けて、微笑む。「なんのご相談だい？」

スーのために、トニーは口を閉じていた。だが、スーは怒りの表情をサムに向けた。「トニーにもう一度踊ってって頼んでたのよ。構わないでしょ？」

声の底には、構うなという警告がこめられていた。スーとあまり親しくない人物、チャーリーや彼の連れでさえ、そんな声を聞いたことはないだろう。

サムが顔を赤くした。「もちろん」と軽く言って、チャーリーのほうへ向き直る。「ちょっとトイレへ行かないか？」スーとトニーが歩き出すよりも早く、ふたりは去った。

トニーはスーを、誰にも盗み聞きされない場所まで連れていった。「ほんとに帰らないと――」

「踊って、トニー。お願い」

トニーは腕を差し出し、〈お星さまがいっぱい〉が流れるフロアへゆっくりと向かった。「さっきのはなんだったの？」

スーがトニーの肩に顔を寄せ、静かな声で言う。「あたしが彼を愛してるだけじゃじゅうぶんじゃないってことよ」

「なぜ？」

「あなたが謝ってないから。だからサムは、あたしがあなたの味方をしてると思ってる。

飲むと、ちゃんとものを考えられなくなるのよ」

トニーはスーをさらに近寄せた。「あいつだけが悪いんじゃない。きみにパーティーに誘われたときから、こうなるだろうとわかっていたんだ。ぼくも、きみのことを考えていなかった」

スーが首をそらし、トニーの顔を見つめる。「サムをねたましく思う気持ちはある？」

「いや。けれど、あいつはライバルだ。それに、ぼくはまだ怒っている」

スーが、自分自身に向けるかのように、首を横に振る。「じゃあ、同じじゃないわ」と、しばらくしてから言った。「なぜなら、サムはあなたをねたましく思ってるから」

トニーは否定したかった。「それは、きみが事情を説明していないから――」

「あたしに関してじゃないの」悲しみを帯びたスーの声は、非常にはっきりしていた。「あなたに関してよ。サムはあなたが、自分にない何かを持ってると思ってるわ」

それを聞いて、トニーは気が重くなった。「なぜそんなことを言うんだい？」

「あなたとダンスから戻ったとき、サムがあなたを見る目つきに気づいたの」スーの視線は、当惑しながらも、トニーにまっすぐ向けられている。「でも、それだけじゃない。たぶん、サムの心には、あなたになりたいと思う部分が――」

トニーは肩をたたかれるのを感じた。「代わってくれる？」サムが愛想よくきく。息が酒くさかった。

トニーはサムをじっと見た。挑むような顔をしている。話を聞かれたのだろうか。まだトニーの腕のなかにいるスーが、トニーからサムへ視線を移す。

スーから離れ、何も問題はないというような口調で、トニーは言った。「ふたりとも、パーティーを楽しんでくれ」

スーが笑みを作り、やはりなんでもないというふりをする。「あたしたち、あなたが来てくれてよかったと思ってるわ、トニー」サムは何も言わなかった。

トニーはふたりをそこに残して立ち去った。

まわりでは、さらに多くのカップルが踊っていた。トニーは会場を観察した。体を揺らすカップルたち、一方の側にかたまった親たち、音楽と重なって聞こえる、くぐもった話し声……。だんだんダンスパーティーらしい雰囲気になっている。この夜はじめて、トニーは自分に許可を与え、アリスンといっしょにいる場面を想像した。彼女はどれほど美しく見え、彼女の発する言葉はどれほどおもしろかったり鋭かったりするだろう。ふと、アリスンに対する、そして自分に対する、新たな痛みを感じた。アリスンが死んだころのように強い衝撃を受け、喪失の大きさと理不尽さにふたたび気づかされた。スーが目を閉じサムの肩に頭をもたせている姿を目にして、トニーの胸は寂しさでいっぱいになった。今夜はカップルのための夜だ。

そっとダンス・フロアを離れ、アーニー・ニクスンと彼の元気のない連れと少し話をして時間をつぶした。お目付役のひとり、ピンクのコサージュを付けた母親が、うさんくさげにトニーを見始めた。

「トニー！」

チャーリー・ムーアの連れのジェーンだった。ひとりで、明らかにウィスキーで大胆になっている。丸い顔は少したるんで見え、口の動きは、耳の悪い祖母に話しかけるかのように、誇張されていた。「ほかのひとと踊ればいいのに」

トニーは笑みを作った。「ほかのひとはみんな相手がいるんだ」

ジェーンが神妙にうなずく。「アリスンのことには、今でもぞっとさせられるわね」

トニーは目を見開いた。ため息をついたジェーンは、酔っ払い女にありがちなように、率直さを思いやりと勘違いし、それを他人に押しつける厚かましさを身にまとっていた。トニーの注意を引こうと、顔を上げてじっと見てくる。「ほら、あなたがスーと踊ってるのを見てたら、ここにはアリスンがいるべきだと思えてならなくなったのよ」

トニーは、自分自身のために、返事はすまいと思った。穏やかな声で尋ねる。「チャーリーはどこ？」

「ロッカールームで補給してるわ。なんだかわかるでしょ？」明るい笑顔を見せる。「サムはここに専用のロッカーを持ってる。あのひとたち、メンバーなのよ」突然言葉を切ってから、「アリスンもメンバーだった……」

「知っている」トニーはなおも落ち着いた口調で言った。「きみはここでチャーリーを待ったほうがいいよ。誰かに酔っ払っていると思われると――」

「おい――俺を出し抜く気か？」チャーリー・ムーアだった。ジェーンと同じように酔っ払っており、あけすけなユーモアとアルコールを帯びた威嚇《いかく》との微妙な境界線をふらふらと歩いている。「スー・キャッシュじゃ、じゅうぶんじゃないのか？」

「じゅうぶん以上だよ」トニーが言うと、チャーリーは彼の存在を忘れてジェーンのほうを向き、湿り気のある甲高い笑い声をあげた。

「あん畜生！」と、チャーリー。

ジェーンが目を見開く。「トニーは――」

「サムだよ」チャーリーが陽気さと怒りのあいだを漂いながら、ダンス・フロアにやみくもに目を走らせる。「ボトルが二本あったのに、一本しか見つからねえんだ。あん畜生が盗《と》ったにちがいねえ」

トニーは振り返り、サムとスーを探した。だが、カップルたちで混み合うフロアにふたりを見つけることはできなかった。ジェーンやチャーリーにいとまを告げる必要はないだろうと判断した。

外に出て、自分の車のドアにもたれた。

暖かく、星の多い夜だった。バンドの音がかすかに聞こえるだけで、駐車場は静かだった。時刻は真夜中に近い。もうすぐ、カップルたちがお目付役の目をかすめてゴルフコースに向かい、酒を飲んだり、いちゃついたりするだろう。卒業記念ダンスパーティーが情熱をかき立てる機会だというのは、高校で言い伝えになっていた。これまで何人の娘たちが、卒業記念ダンスパーティーの夜に十八番ホールのそばで処女を失ったのだろうか、とトニーは考えた。彼の一部はまだアリスンが恋しくてたまらなかった。

ボンネットの波の向こうから、ふたりの人間の声が流れてきた。思いにふけっていたトニーは、聞き耳を立てなかった。いっぽうが男で、もういっぽうが女だということは、トニーにとって驚きではなかった。誰かが先陣を切らなくてはならないのだから。

「いやよ」と、女が言う。

トニーは体を起こした。何台か向こうで、女——相手の男よりずっと背が低い——の横顔が、明らかに怒って上を向いた。

暗いなかでも、自分はサム・ロブを見分けられる、とトニーは思った。「行きたくない」と女がまた言い、その声はスーの声だった。

トニーは車のあいだをそっと移動した。

車のトランクがあいていた。トニーに背を向けたサムが、片方の手にウィスキーのボトル、もう片方の手にピクニック用ブランケットを持っている。スーがあとずさった。

「行こう」サムが言った。「誰も俺たちがいないなんて気づきやしない。気づいたって、構うやつはいないさ」

スーが首を横に振る。「あたしが構うわ。とりわけ、あなたがそんなだと」

「そんなって?」

彼らまで三台のところで、トニーは足を止めた。「酔っ払ってる」と、スーが答えるのが聞こえる。

サムはアスファルトにブランケットを落とした。「あいつと違ってか?」

「ほんとに酔ってるのね、サム。でなかったら、そんなこと言うはずがない」スーが息を継いだ。怒りの声が嘆願の声に変わりかけている。「お願いだから、あたしたちの夜をトニーのことでだいなしにしないで」

自分の名前が聞こえて、トニーはびくりとした。サムはすぐには答えない。体をこわばらせていたトニーは、最悪のときが過ぎたと判断した。

サムが静かに言う。「俺は友だちの前で恥をかかされた。あいつらに、トニーといるおまえの態度を見られちまったんだ」

「どんな態度よ?」スーがうんざりした口調できく。

「おまえがあいつを欲しがってるような態度さ」強調するために、サムが酔っ払いそのものというふうにうなずく。「今夜、おまえが欲しいのは、トニー・ロードだって態度さ」

「そうじゃない。あたしはトニーがかわいそうなの。欲しいのとは違うわ」

サムがよろよろと踏み出す。サムの声よりも、このふらつきが、酔いの度合いをトニーに知らせた。トニーは体の緊張を感じながら、サムがスーの両肩に手を置いて尋ねるのを見守った。「じゃあ、おまえは誰が欲しいんだ、スー?」

サムを見上げて、スーは深呼吸したようだった。「誰も。今は……」

「だけど、俺はおまえが欲しいんだ」サムの声は怒りと当惑のあいだを漂っているようだった。「おまえが誰の女か証明するために、俺にはおまえが——」

「あたしのよ。あたしはあたしのものなの、サム」向きを変え、カントリークラブのほうへ歩きだす。

サムがスーの手首をつかんだ。「俺と車に乗れよ。頼む。俺は知る必要が——」

「痛いじゃない」スーが言い、トニーは考えるより前に動いた。

スーが先に彼を見つけた。体をこわばらせ、目を見開き、口が声を出さずに「だめ」という形に動く。まだスーの手首をつかんでいたサムが、相手の視線を追って、トニーを見た。

サムが背筋をのばして、スーの手首を放し、自分では抑えることができないらしい感情——屈辱、嫉妬《しっと》、怒り——を目にみなぎらせる。「きみはぐでんぐでんに酔っ払っている」トニーは言った。「それに、自分のガールフレンドを痛がらせているぞ」

サムが驚いた顔になる。「痛がらせてなんか……」声が尻《しり》すぼまりになり、手がわきに下ろされた。

トニーは両手をポケットに入れた。「勘違いだった」穏やかな声で言う。

一瞬、サムは機嫌を直したようだったが、すぐにまたアルコールに襲われたらしい。

「おまえには関係ないだろ、トニー。おまえのガールフレンドは死んだ。スーは俺のガールフレンドだ」

トニーは自制心が去っていくのを感じた。サムの後ろからスーがこちらを見て、はやまらないでと念じている。サムがふらつく足どりで進み出て、トニーをまともに見る。

「俺に恨みがあるのか、トニー？　なんでスーを横どりしようとした？」

「していないよ」

「うそつけ」サムが背筋をのばす。「おまえはうそつき――」

「やめて」スーが声をあげた。サムのタキシードの袖《そで》をつかんで、「トニーは何もして――」

スーをわきに押しやり、サムがトニーの上着の襟をぐいとつかんだ。「なんでスーがおまえをかばってるんだ？」

トニーは相手の顔をじっと見た。やはり穏やかな声で言う。「家に送ってもらうのに、しらふの運転手が必要だからだろう」

顔をゆがめて、サムがこぶしを上げる。トニーはサムを押してバランスを崩させた。「ばかなことはやめろ」鋭い声でそう言ったとき、サムが向かってきた。スーが悲鳴をあげる。トニーは首を後ろに反らせた。サムのこぶしがトニーの顎《あご》をかすめ、七か月ぶんの怒りを解き放つ。

トニーは一歩横に動いて、ありったけの力でサムの腹にパンチをくれた。腕に衝撃が走る。サムはうっと声をあげ、肺から空気をどっと出し、アスファルトに尻餅《しりもち》をついた。頭を垂れている。

そして体をびくんとさせたかと思うと、吐く声が駐車場にこだました。スーが、目に涙をためて、サムからトニーへ視線を移す。

トニーは怒りが収まるのを感じた。「すまない」と言った。

ふたりのあいだに座るサムが、空嘔《からえずき》を始めた。頭を垂れたまま、自分の嘔吐《おうと》物《ぶつ》を凝視している。スーが屈《かが》み込んだ。「手を貸してくれる?」と、トニーにきく。

片方の腕をトニーが、もう片方をスーがとった。ふたりでサムの上体を起こすと、彼の目は精神的動揺でうつろになっており、タキシードの前の部分が汚れていた。

「彼、なかには戻れないわ」スーが言った。

サムがこの場にいないような口ぶりだ、とトニーは思った。「どうしよう?」

「家へ連れて帰りましょ」スーは怒っているようでもあり、勝ち誇っているようでもあった。「こんな状態じゃ、運転は無理だから」

トニーはサムのポケットを探って車のキーをとり出し、後ろのドアをあけた。スーといっしょにサムを立たせる。開いたドアまでの数メートルを引きずっていくとき、サムはうめきをあげて弱々しく抵抗した。しかし、トニーによって後部座席に引っ張り上げられ、スーに頭を横たえてもらうころには、眠っていた。

トニーはスーを見た。「どっちがご両親を起こす?」

スーが首を横に振る。「あたしはいや。それに、サムの気分がよくなるまで付き添うのもごめん。今は顔も見たくないの」

トニーは頬をふくらませた。「サムの家の裏庭に、ハンモックがある。そこに寝かせよう。この車はきみが運転して。ぼくは付いていく」

スーがゆっくりとうなずく。「わかった」

二十分後、スーが腕を、トニーが脚を持って、サムを裏庭へ運んだ。

ハンモックは二本のりんごの木に結ばれていた。そこに寝かせられたサムは、かすかに身をくねらせたが、また動かなくなった。ほの暗いなかで、顔は青白く、口がわずかに開いている。

スーは二本の指をサムの唇に当て、息をしているか確かめた。

「生きている?」トニーはきいた。

「ええ」

今や赤ん坊のように安らかに眠るサムの顔を、ふたりで見守る。「見てごらん」トニーはささやいた。「この男はいつか、眠っているあいだに老衰で死ぬよ。まったく、平和な顔をしているな」

しばらく、スーは黙ってサムを見つめていた。まるで、顔の下に隠れているものを読みとろうとするかのように。それから、ハンモックを離れ、裏庭のまんなかにぽつんと立って、星を見上げる。少ししてから、トニーはスーのところへ行った。

「あなたの晩をだいなしにしてしまったわね」

「そして、ぼくは、きみたちの晩をだいなしにした」

スーはすぐには答えなかった。「いいえ、そんなことない」

トニーは体の重心を変え、庭のこおろぎの声に耳を傾けた。「そろそろ家に送るよ」

スーが振り返ってサムを見る。「ほんとに帰りたいの？」

トニーは肩をすくめた。「ぼくにとってのパーティーはほとんど終わった。今ごろはみんな、ゴルフコースに向かっている。あるいは浜辺に。日の出を迎えるためにね」

スーが視線を落として、「あなたもそうしたい？　あたしと？　日の出を迎えたいかって意味だけど？」

トニーは躊躇《ちゅうちょ》し、静かなハンモックをちらりと見た。「きみはいいの？」

「ええ」顔を上げ、小さく微笑《ほほえ》む。「あたしたち、遅くまで遊ぶ予定だったのよ。お楽しみはひとつものがしたくないわ」

16

夜明けまで浜辺に行く気になれない、とトニーはスーに言った。夜間、テイラー公園のそばにいる自分を想像できなかったのだ。ほかにスーが知っている場所ということで、放置された楓林《かえでばやし》にやってきた。ここ何時間かは、サムのことをひとに説明しないですむ、できればあまり考えずにすむ場所にいたい、というのがスーの意見だった。

それは無理だとトニーにはわかっていた。楓林は、アリスンが死んだ夜に、スーがサムと行った場所だし、地面に広げたブランケットはサムのものだし、ピクニック・バスケット――オレンジジュース、フルーツ、パン、安物のシャンペンのボトル――は、スーが自分とサムのために用意したものだし、露の降りた草地を今ははだしで歩くスーがまだ着ているドレスは、サムにほめてもらうのを望んだドレスだ。トニーは、自分でさえ、サムを思い出させる人間だとよくわかっていた。ちょうどスーが、アリスンを思い出させるのと同じように。

ブランケットに腰を下ろしたトニーの隣りに、スーも、考えごとにふけりながら座った。月光が暗がりに筋をつけている。暖かく、晴れていて、風のない夜で、聞こえるのは、高くなったり低くなったりするこおろぎの鳴き声だけだ。トニーは言った。「去年、今夜のことを想像したら、サムはきみといて、アリスンはぼくといたんだろうな。彼女が死んだ夜以来、すべてが変わってしまった。サムも含めてね」

スーは無言だった。「あなたも変わった」と、ようやく言う。

トニーは肩をすくめた。「以前は、心の底から悲しんだことはないいんじゃないかな。今は、ほとんどいつも悲しんでいる」

スーがトニーのほうを向いて、「悲しさだけじゃないわ。まるでもう、ここから——レイクシティから、サムから、あたしから、離れてしまったみたい。口にはしない、そしてあたしたちには想像もできない、いろんなことを考え始めてるみたい」

当たっているようだったが、トニーにはその変化がなんなのか、はっきりさせられなかった。「サムみたいなことを言うね」

「そんなつもりはないわ」ドレスの乱れを直しながら、スーは、考えを整理しているようだった。「どんなあなただろうと、あたしは対処できる。でも、サムにはむずかしいのよ」

「どういう意味？」

「あなたがサムから去りつつあるってこと」間をおいてから、自信がなさそうに続ける。「はっきりとはわからない。たぶん、ふたりが同じもの、最優秀運動選手とか町のヒーローみたいなものを望んでると思ってるかぎりは、サムは嫉妬《しっと》する必要がないの。レイクシティでなら、サムはあなたを打ち負かせる。でも、サムが何より望んでるものが、あなたにはそれほど意味のないものだとしたら、たぶん、サム自身がそれほど意味のないものになってしまう——」自分の考えにとまどったかのように、スーが急に口をつぐむ。

「続けて」トニーは言った。

スーがトニーに顔を向ける。「変に聞こえるかもしれないけど、サムはそう感じる自分をきらってるの。なぜなら、ほんとうにあなたが好きだからよ、トニー。喧嘩《けんか》の原因はそこにあると思う。サムは、何があろうと自分はあなたの友だちだと言おうとしてたんだけど、同じ気持ちが返ってくるのを感じられなかった」顔をそむけて、「言ってること、わかる？」

スーがこれほど話をするのを、トニーははじめて聞いた。スーは自分自身にサムの説明をしようと試みているようだ。「たぶん」と、トニーは答えた。「でも、今夜の件は？」

スーがため息をつく。「あれは単純。サムは、あたしが必要以上にあなたを好いてるといつも思ってるの。アリスンが死んだ今では、サムよりあたしのほうがあなたに近いと思ってる」

「ぼくの立場に身を置こうとするのは、いいことだよ、スー。サムは絶対にそうしなかった」

スーが黙る。「それがあたしよ。いいひとなの」

トニーには、スーの口調の意味がわからなかった。ふと、自分が利己的に思えた。これまでの話のほとんどが、サムについて、あるいは自分についてで、スー自身のことはほんの少ししか含まれていない。自分が、ほかの者たちと同じように、スーを明るく分別のある娘としか見ていないことに気づかされた。「だから、サムがあんなふうに飲んだときでも、我慢しているの？　あまりにもいいひとだから？」

「そこまでおひとよしにはなれないわよ——サムだって、あなただって、もちろんあたしだって」空の星を見上げる。「サムから離れない理由はね、彼が、口にするよりも多くのことを感じてるから。それに、あたしはひとに必要とされなくちゃだめな人間で、サムはいつまでもあたしを必要とするだろうから」

「けれど、それがきみの望みなの？」

スーが何げなく髪を後ろに梳《す》く。「まだはっきりとはわからない。ときどき、誰かの人生の一部になって、自分たちの人生をいいものにする足しになりたいと思う。その場合、あたしは幸せになるかもしれないし、不幸になるかもしれない。またあるときは、あなたのようだったらどんなだろうと思う」トニーのほうを向いて、「この意味、わかる？」

「たぶん……」

「つまり、サムが結婚やレイクシティの話をしたら、あたしは自分にふさわしい話題だと思うでしょうね。だけど、家のベッドに横になるころには、彼のことをすっかり忘れてしまうの。かわりに、行ったことのない、行くこともないだろう場所についていろいろ想像し始める」首を横に振る。「じっさい、あたしはどこにも行ったことがないわ」

「ぼくだってそうだ」

「でも、あなたは行こうと思うでしょ？　いつだってそうだったもの」

「ああ」

スーが首を横に傾ける。「どこへ行くつもり？」

「刑務所以外に？」

「刑務所以外に」声がさらに穏やかになる。「あなたは望みの人生を手に入れるのよ、トニー。やってないことで刑務所に入れられることはないわ」

前と同じように、スーの言葉はトニーを感動させた。「じゃあ、きみのシャンペンを飲みながら考えるよ」口もとをゆるめて、「なんと言ったって、今夜は卒業記念ダンスパーティーの夜なんだから」

スーがバスケットに手を入れ、シャンペンのボトルをとり出す。トニーがプラスチックの栓をひねると、小さなぽんという音とともに、栓は夜のなかへ消えた。ふたつの紙コップにシャンペンを注ぐ。

「イタリアに」トニーは言った。

スーが微笑《ほほえ》んで、シャンペンを口にする。そうしてから尋ねた。「どうしてイタリアなの？」

「ひとつには、ソフィア・ローレンが住んでいるから」

怪訝《けげん》な顔をして、「あたしたち、ソフィア・ローレンを祝して乾杯してるわけ？」

トニーはかぶりを振った。「去年の夏、《ナショナル・ジオグラフィック》でそこの記事を読んだ」じつを言うと、今の今まで、記事のことなど忘れていたのだが、スーと話すうちに、その雑誌に載っていた写真が思い出された。「カプリという島があるんだ。洞窟《どうくつ》、釣り船、浜……。水はすごく青くて、それでいながら、手を突っ込んでも見えるぐらい澄んでいる」

スーはその光景を思い浮かべているようだった。「すてきそうね」と同意する。「ほかには？」

「そうだな、ヴェネチアがある。すべてが水の上に造られた街にいる自分の姿を想像してごらん。教会、尖塔《せんとう》。車は一台も走っていない。ゴンドラ、水際《みずぎわ》のカフェ……。ヴェネチアには絶対行こうと思う」

スーが首を横に傾ける。「写真を見たことがある。でも、もっと多くの選択肢から一か所選びたいわね」

その言葉に、トニーは微笑んだ。タキシードの上着を脱いで、シャンペンのおかわりを注ぐ。「トスカナを忘れちゃいけない。記事によると、イタリア・ワインの産地だそうだ。太陽がよく照って、丘がいっぱいあって、そこに別荘や古い城が建っている」にやりとして、「胸の大きな女性もいっぱいいるよ、写真で見たけれど。さすがは《ナショナル・ジオグラフィック》、撮るべきところは撮る」

スーがうさんくさそうな目でトニーを見る。「ほんとうに、もうソフィア・ローレンの話は終わってるの？」

「もちろん」傷ついたふりをしようとしたとき、ハーヴァードや、ソール・ラヴィンからの恐ろしい電話より先の未来を、ここ数か月ではじめて想像し始めたことに気づいた。静かな声で言う。「そうじゃなくて、自由について話しているんだよ。それに、選択肢について」

スーがふたたび黙る。「なら、あたしも行けるかも。おじゃまじゃなければ、だけど」

「ソフィアには言い聞かせておくよ」トニーはシャンペンをまた注いだ。「で、どこか行きたい場所はあった？」

スーがトニーの顔をじっと見る。トニーは、自分の脳裏に心配事が戻ってきたのをスーが見てとって、イタリアの話題を続けさせようとしているのだと気づいた。「カプリ島」と、彼女が言った。

「どうして？」

「浜と暖かな海が好きだから」ためらい。「あなたが構わなければ、だけど」

トニーはスーの顔を見た。急に真剣な表情になっている。「ぼくもカプリ島でいいよ」と、静かな声で答えた。

しばらくのあいだ、ふたりとも黙っていた。暗いなか、今ではさらに寄り添って座りながら、どちらも話すことは望まずに、それぞれの思いに浸っていた。やがて、もう自分はひとりではないという感覚が、心拍のようにすばやく、静かに、トニーを包んだ。

驚きのあまり、トニーはスーを見つめることしかできなかった。

いっときだけ、これは安全な行動だった。スーが、心ここにあらずというようすで、手のなかの紙コップを見下ろしていたからだ。トニーの視線に気づいたしるしは、最初、彼女の新たな静けさに現われた。だが、トニーは視線をはずさない。今この瞬間にスーを発見したような気がした。

疑問に満ちたスーの視線が、トニーの視線とからまる。当初はトニーに対する疑問であったものが、トニーに見つめられるうちに、自分自身に対する疑問に変化する。

トニーは紙コップを置いた。

一瞬それを見ていたスーが、なおも無言のまま、自分のコップをトニーのコップの隣りに置く。

スーに見入られて、トニーは彼女に手をのばした。彼女の目はまだ開いている。唇は柔らかく、温かかった。トニーはやめたくなかった。やめる余地がなくなるように、スーが体を近づけてくる。乳房を手で包み込んでも、スーは動かなかった。やがて、彼女がそっと体を離して、ふたたびトニーを見入る。

「あたしたち、イタリアにはいない」

「知っている」

スーに求めるわけにはいかない、とトニーは気づいた。時間が止まったようだった。少し前まで、自分がスーを欲していることを知らなかった。今は、何も言わずに、彼女を引き寄せたくてたまらない。

一瞬が過ぎた。

スーが、同じ視線を保ったまま、手を後ろにのばし、ドレスのファスナーを引き下げた。月光に、裸の肩があらわになる。

「そう」トニーはささやいた。「そうしてほしい」

スーがしとやかに立ち上がった。ドレスがさらりとブランケットの上に落ちても、視線は揺るがない。ストッキングをはずすときも、視線はトニーに向けられたままだ。まるで、新たな段階ごとに、トニーへ、自分自身へ、同じ質問をぶつけているようだった。それに応《こた》えるように、トニーは無言で立ち上がり、シャツとズボンを脱いだ。スーが、まだトニーを見つめたまま、ブラジャーをはずす。

胸は丸く、大きかった。まさに想像していたとおりで、想像していたこと自体に、トニーは驚いた。スーがすべてを脱ぎ捨てると、トニーの喉《のど》はからからになった。

スー・キャッシュ——彼の友人は、美しかった。

ふたりは歩み寄った。胸に押しつけられたスーの乳房は温かかった。トニーの肩に、スーが顔を寄せる。

トニーはスーを抱きしめ、彼女を守りたい思いと欲する思いのあいだで苦しんだ。と、スーの唇が彼の唇を見つけた。二度めのキスは、深く、長く、確かだった。スーが欲望に打ち震える。

トニーは乳房から腹へゆっくりと唇を下ろしていき、膝《ひざ》をついて、本能のままに、これまでしたことのないことをスーのためにした。彼女の低い叫び声が、遠いものに聞こえる。自分の準備が整っているのがわかり、それでいながら、これもはじめてのことだが、急ぐ気持ちにならなかった。

　突然、スーがひざまずき、彼のものに唇を当てる。あとの動きは、話をせずとも、ふたりともなぜか知っていた——トニーは仰向けに寝て、スーはそれに合わせて首を垂れ、やがて頭を上げて、腰の位置をずらし、トニーをなかに受け入れた。

　トニーにとって、夜はスーの温かさになり、スーの表情になった。

　スーは彼とともにいたが、彼とともにいなかった。最初は笑みを浮かべてトニーを見下ろし、それから頭を後ろに傾けて、目を半分閉じ、喉の途中に叫びを留める。トニーは自分が上昇し始めるのを感じた。自分を抑え、持ちこたえようと努める。すると、まったく唐突に、スーの目がぱっと開き、長く、細く、非常に低い叫びが、ついに彼女の喉から解き放たれた。

　みずからの震えを感じる一瞬前に、トニーはスーに何が起こったのかを知った。それは、どちらにも新しい経験だった。

　スーが前屈《かが》みになって、トニーにキスをする。

「動かないで」トニーはそっと言った。

「動きたくないわ」

　しばらくしてから、スーがようやく体を動かした。ふたりは横になり、抱き合った。話をする必要はなかった。

優しい声で、トニーは沈黙を破った。「文句のないできだったね」

スーがトニーを見つめる。「ええ」静かな声。「文句のないできだった」

スーへ顔を寄せて、トニーはふたたびキスをした。

スーの瞳《ひとみ》に驚きが満ちる。それから、トニーには意外だったが、スーが仰向けになり、激しさを押し殺した声で、星に話しかけた。

「まったく、スー・キャッシュ、あんたって相当なうそつき……」

トニーは肘《ひじ》をついて体を起こし、片手をスーの腹に置いた。「なぜ、うそつきなんだい？」

スーが顔をトニーのほうへ向ける。「説明するまでもないんじゃない？　あたしはサムに、あなたを友だちとして気にかけてると言った。自分にも、そう言い聞かせようとしたわ。その結果が、これ。活躍ちゅうのアメリカ赤十字社ってところ」陰気な笑みを浮かべた。「これが友だち同士のすることだったら、次は何をするようになるの？」

笑みを返したちょうどそのとき、トニーは、しばらく忘れていた外の世界が、ふたりの深い喜びに侵入してくるのを感じた。「さあ。今知る必要がある？」

ブランケットに寝ているスーが、頭を左右に動かす。「いいえ。知りたくもない」

やがてトニーはスーの手をとって彼女の隣りに横になり、星を見上げた。ふたりのあいだで、所有の意識のようなものが大きくなるのを感じた――この夜はふたりのものであり、この夜に起こることはすべて、永遠に自分たちのものである、と。スーが次に発した言葉は、予想外だったが、トニーを驚かせはしなかった。

「最優秀運動選手をとれると思う?」ほとんど何げない声。「誰がとるのか、あなたにはまだ重要なこと?」

脈絡のない質問ではないとわかった。サムの、そしてアリスンの影が見え隠れした問いかけであり、こうして親密になった今、自分たちはそのふたりを避けるわけにはいかないのだと気づかされた。

「重要じゃない」トニーは答えた。「とれないもの」

スーはしばらく黙っていた。「あなたには資格があると思う」

「前はそう思っていた。けれど、あのストラットフォードとの試合を、サムが勝ち越しの点を入れたのに、ひとりでだめにしてしまったから」スーの手を握る指に力が入る。

「まあ、クラス委員を殺した功績で、最優秀運動選手をもらえることはないだろうね。だからサムが有利だよ」

スーがトニーのほうを向く。「罪の意識を感じてるの?　あたしたちのことで」

トニーは自分の思いを分析した。「混乱はしていると思う。さっきのダンスパーティーでは、苦しいぐらいにアリスンが恋しかった」

スーはトニーの顔をじっと見た。「今もそうなんだわ、トニー。ずっとアリスンが恋しくて、あたしがここにいた」

「いや」反射的に言ってから、スーを見て、自分が本気で言ったのだと気づいた。「何があってもアリスンを忘れることはできない。けれど、ぼくたちのことは、アリスンとは関係ない気がする。これまでも、関係なかったんだ」

スーの瞳に新たな感情が現われたように思えた。トニーの言葉を信じたい気持ちと、質問するのはずるいと心の内で思っていることは質問するまいという意志だ。トニーはスーの髪に触れた。「今夜は、アリスンとのときと違っていた」

「どういうふうに？」

トニーは息を吸った。「アリスンが死んだ晩、ぼくは彼女を欲するのを恥じていた。死体を発見する前でさえ、自分たちのやった行為は罪で、告白が必要なことだと信じていた」間をおいてから、しめくくる。「たぶん、ぼくは変わったんだ。きみはぼくにとって罪とは感じない。サムに対しては、違うかもしれないけれど」

スーがトニーの顔に一瞬触れる。「少なくとも、その気持ちはあなただけのものじゃないわ」

トニーはスーの言葉を吟味した。「サムに言うつもり？」

スーがトニーに体を寄せ、強く抱きしめる。「そのことは考えたくない。今のことしか考えたくない」

トニーはスーを抱き、髪と背中を撫《な》でた。しばらくすると、スーの体から緊張が抜け、呼吸が落ち着き、やがて本人が動かなくなる。まるで、ふたりが共有する裏切りからのがれたいというスーの願いが、睡眠に形を変えたかのように思えた。トニーは自分たちをブランケットで覆《おお》った。スーの呼吸のたびに強くなるいとしさは、トニーだけの秘密だった。

トニーは眠れなかった。最初はアリスンのことを思った。深い悲しみを感じたが、罪の意識は覚えなかった。それから、長いあいだ、残った三人はどうなるのだろうかと考えた。自分は？　サムは？　友人であり、ひと夜だけ唐突に自分のものになった、このかわいい娘は？　だが、夜はすでに明け始めていた。曙光《しょこう》が星を消し、あたりが灰色になるころ、腕のなかのスーが動きだす。

目覚めたスーは、さっぱりとして落ち着いた顔をしていた。驚いてトニーを見上げてから、思い出し、口もとをほころばす。

「どれぐらい眠ってた？」

トニーはスーにキスをした。「長いあいだ」

「長すぎたわ」ふたたびトニーを見たスーは、悲しい表情を見せていた。静かに言う。「行かないと」

トニーは黙っていた。すぐに、スーが服を着始めた。「いや、ちょっとだけ待って」

スーが手を止め、裸の姿でトニーの目をのぞき込む。前へ進み出て、さよならのキスをするかのようにトニーを抱いてから、ふたたびドレスを拾い上げた。着ているあいだ、ふたりは見つめ合っていた。

スーが背中を向けて、言う。「ファスナーを上げてくれる？」

トニーは言われたとおりにした。「この部分がきらいなんだ」冗談めかして言ったが、ぜんぜんそう聞こえなかった。スーも、答えたとき、トニーを見なかった。

「わかってる」

スーに手伝ってもらって、トニーはカフスボタンをはめた。ふたりでピクニックの残《ざん》骸《がい》を拾い集めていると、世界の果てのごみ収集人のような気分がした。すべてを車のトランクにしまったふたりは、並んで立ち、つぶれた草地を見た。

スーが言った。「一時間もすれば、誰にもわからないわよ」

黙ってスーの家へ向かう。朝日を受けた町は、どの通りも、まだ静かだ。トニーがこれほど早い時間に目覚めているのは、アリスンが殺された翌朝、悲しみに打ちひしがれて、茫然《ぼうぜん》と警察から帰宅したとき以来だった。

スーの手が膝に置かれたのを感じて、その上に手を重ねた。

「話ができるかな？」トニーはきいた。「二日ほどして、もう少し気持ちが落ち着いたら」

スーが顔を向ける。「いいわ、トニー」

トニーはある種の安堵《あんど》を覚えた。残りの道中、言葉は交わされなかった。スーの家のドライブウェイに入ったとき、トニーの手のなかで、スーの手が丸くなった。

玄関の階段に、サムが座っている。

スーが緊張するのがわかった。どちらも口を開かなかった。車を停めると、スーが手を引っ込めた。

暗黙の合意で、ふたりは、これから起こることに立ち向かうべく、車を降りた。

サムはまだ、タキシードのズボンに、しわくちゃのシャツという姿だった。顔は青白く、髪はぼさぼさ。彼の車のキーはまだスーが持っているので、家から歩いてきたのだろう。目は腫《は》れぼったく、縁が赤く見える。

トニーとスーが数歩手前で立ち止まると、サムがふたりの顔を交互に見た。立ち上がり、トニーのほうへ向かう。

トニーは気を引きしめた。目と目が合い、それからサムがトニーの肩に手を置いて、ゆっくりと首を横に振る。

「すまなかった。ほんとうにすまなかった。謝るよ」

トニーはびっくりした。しばらくしてから、言った。「ぼくもだ」

「おまえのせいじゃない」サムが間をおき、微笑《ほほえ》もうとする。「スーを見てくれて、ありがとう」

ねぎらいの言葉であると同時に、辞去を促す言葉だと、トニーは気づいた。ためらいがちに、スーのほうを向く。突如として涙の浮かんだ彼女の目を見つめた時間は、現実にはもっと短かったにちがいない。

「じゃあね、スー」静かに言ったとき、サムが彼女に目を向けるのが感じられた。スーがトニーに向けた笑みは曇っていた。

「ありがとう、トニー。いろいろと」

トニーは車へ歩いた。エンジンをかけ、振り返ってふたりを見ないようにする。バックミラーでようやく見ると、サムがスーの頭に額を当てて、黙って許しを請《こ》うていた。

17

スーとセックスをしてから二日後、トニーは、これが最後だろうと思いながら高校の体育館に座り、コーチたちが今年度最後の優秀選手賞を贈るのを見守っていた。

レイクシティ高校で新入りから始めたトニーは、最終的にクォーターバックになった。

毎年三回、秋と冬と春に開かれるスポーツ集会は、トニーの高校生活に区切りをつけるものだった。それぞれの集会が、奮闘の一シーズン――チームメイトたちとの一シーズン、新たな思い出の一シーズン――を表わしていた。そして最後を飾るのが、優秀選手に与えられる、高校の頭文字であるLをかたどったバッジだ。今では、トニーの抽斗《ひきだし》には、十一個のバッジがしまわれている。トニーにとって十二回めとなるこの集会は、まだ一年生だったときに、高校生活の頂点となると想像した集会だ。そのときから、自分かサム・ロブが最優秀運動選手に選ばれるとわかっていた。

　体育館の向こう側に、サムがスーと座っていた。見ていて、スーの口数が少ないのがわかった。午後に、トニーはスーと会うことになっている。トニーと同様、おそらくスーも、何が起こるのか確信が持てていないだろう。トニーにわかっているのは、今、スー・キャッシュといたいという気持ちだけで、その願いの強さに、自分でも驚いた。

　トニーの隣りのアーニー・ニクスンがささやく。「もらえると思うかい？」

　トニーはスーから視線をはずさなかった。「いや」と、ようやく答える。「望み薄だ」

　彼らの下方で授与が続いていた。トニーはすでに、野球でバッジをもらっている。彼にとって、陸上チームへのバッジの授与はどうでもよかった。バッジが減るのを、明らかにうわの空で見守るサムを、トニーは落ち着かない気分で見た。やがて、スーがこちらに気づき、首を傾《かし》げて、口のいっぽうの端で、もの問いたげな笑みを作る。ふたりのあいだを流れる電流があまりにも強くて、サムに気づかれるのではないかと思われた。スーが目をそらした。

最後の数個のバッジがメヌエットのようにゆっくりと渡されていく。トニーは目のすみで、サムが演壇を凝視するのを見た。彼がこれほどじっとしているのを見るのははじめてだった。

ようやく陸上部のコーチが座り、マークス校長が演壇に上る。

最優秀運動選手のトロフィーを授ける役割は、ジョージ・マークスがこの劇的行事を好むことから、校長の特権となっていた。校長の背後の折りたたみ椅子《いす》に座る、フットボール、バスケットボール、野球、陸上競技のコーチたちは、すでに選択をすませている。トニーはジャクスン・コーチの顔を読もうとしたが、いつもと変わらぬきびしい顔は、何も明かしていない。賞はサムのものだ、とふたたび自分に言い聞かせた。

体育館のフロアでは、ジョージ・マークスがギリシャのマラソン走者のブロンズ像をうっとりと見つめている。トニーは、生徒の視線が自分やサムに注がれるのを感じた。

ジョージ・マークスが口を開く。「この最高位の賞は、その力量、決断力、たゆまぬ努力がレイクシティ高校の精神を最もよく表わしている四年生に授与され……」

前年まで、この熱弁を聞くと、トニーはにんまりとした。「まるで名誉勲章の授与式だな」と、サムに冗談を言ったことがある。「今にも『異国の地での功績によって』と言いだしそうだ」

「今年の受賞者は」と、マークスが続ける。「例年にも増して優秀な人物です。じっさい、三つの部門——フットボール、バスケットボール、野球で、彼はスターでした。しかしそれ以上に、わたしたち誰もが人生において必要とする特質を見せてくれました。つまりは、人柄、統率力、プレッシャーのもとでの優雅さ、逆境での強さ、そして何よりも、そのときどきの務めに集中する力が……」

トニーははじめて希望のときめきを感じた。「ほかにもあります」マークスがおごそかに言う。「この若者は、悲劇的な喪失にも耐え抜いたのです。弱い人間ならばとり乱し、精神的傷害を負うことさえある状況に……」

トニーは体をこわばらせた。生徒たちの顔が向けられる。向かい側の席で、サムが打ちひしがれたような顔をしている。

ジョージ・マークスがしめくくる。「以上の理由から、熱望の的である最優秀運動選手は、亡《な》き兄のジョーと同じように、サム・ロブに授与されます」

トニーは目を閉じた。

目を開けると、サムは身じろぎもせずに座っていた。それから、誰かに引っ張られたかのように、唐突に立ち上がった。驚きでいっぱいの顔が、歓喜に近い顔に変わる。スーが視線をサムからトニーへ移した。と、そのとき、サムが彼女を抱きしめた。スーはびっくりしたような顔をしてから、すぐにサムを抱き返した。

　サムはスーから離れ、階段を一度に二段ずつ下りながら、フロアへ向かった。喝采《かっさい》が起こる。ジョージ・マークスに歩み寄るサムの顔は、驚きと純粋な喜びで輝いている。自分以外には何も眼中にないようだ。

　べつの日だったら、トニーはいっしょに喜べただろう。サムが喉《のど》から手が出るほど賞を欲しがっていたのを知っていたから。べつの日だったら、このことに感動して、一瞬の持つ並はずれた力に思いを巡らし、このような一瞬が一生を変えられるという幻想——年月がたてば幻想だと気づくはずだが——をいだいただろう。しかし、トニーには驚きであり、恥ずかしくさえあったが、彼が感じたのはねたましさだけだった。彼が願えるのは、サム・ロブの喜びの感情がトニーの今の感情よりも長く続くことだけだ。

「残念だったな」アーニー・ニクスンがささやく。

「どうってことない。期待していなかったんだから」

　スーならば理解してくれるだろう、とトニーは胸の内でつぶやいた。しかし彼女は今、これがサムにとってどういう意味を持つのかを承知して、彼に微笑《ほほえ》みかけている。

　サムは、勝ち誇ってもいなければ、これ見よがしの態度もとっていなかった。ジョージ・マークスからトロフィーを受けとると、それを見つめ、驚異の念に打たれて首を振る。トロフィーによって、サムの最もよい部分が引き出されているのだろう、とトニーは思った。この瞬間のサムには、魅力ばかりか、謙虚ささえ窺《うかが》われる。

サムが観客席のほうを向いた。一瞬、トニーには、サムがトロフィーを手に自分のほうへ来るのが理解できなかった。

トニーが呆気《あっけ》にとられて座っていると、サムが二段下で立ち止まる。ほかの生徒たちが道をあけるなか、サムがトロフィーを下手投げで寄越した。

「ナイスキャッチ」と、サム。

トニーはトロフィーから顔を上げた。サムが残りの二段を上がり、トニーを立たせて、抱きしめる。

最初の拍手はまばらだった。やがて、まるでサムがトニー・ロードに許しを与えたかのように、体育館全体が拍手で満たされた。サムの強い抱擁に、彼の感動が感じとれた。

サムが体を離し、顔を見つめてきたとき、その目が涙で光った。体育館の雑音のなか、しわがれた声でサムが言う。「おまえがもらうはずだったのに……」

「いや。きみのものだったんだ」

サムが首を横に振る。「俺たちが友だちでいられないなら、ないほうがましだ」

トニーは笑みを浮かべようとした。「なら、ぼくらは友だちだ」そう言って、トロフィーを返す。「おめでとう」

ふたりの時間は終わった。

サムはうれしそうにトニーの肩をつかんでから、後ろを向き、体育館の向こう側、スーのほうへ歩いていった。歓声のなかにトニーはとり残された。思いがけない役割の逆転、サムの情けのすっぱい後味……。当然自分がリーダーで、サムのほうは付き従い、ねたむ運命なのだとうぬぼれていたことを、トニーは突然思い知らされた。

ふたたび顔を上げたとき、サムはスーを抱いていた。

愛し合った場所でトニーが待っていると、楓林《かえでばやし》にスーが現われた。彼女は、数歩手前でいったん立ち止まってから、駆け寄ってきて、キスをした。

「会いたかった」トニーは言った。

「あたしも」トニーの両手を自分の手で包む。「悲しいわ、トニー」

スーの言葉の意味を見極めようと、トニーは彼女を見た。静かに答える。「重要なことだったよ、結局。けれど、サムには獲得すべきものが必要だったんだ」

スーが首を傾げ、茶色の瞳《ひとみ》で問いかける。「あたしは獲得すべきもの？」

「そのことを考えていたの？」トニーの声に感情がこもる。「二日前、ぼくたちはまさにこの場所にいた。ぼくがサムといるきみの姿を想像できないとしたら、そのせいだ」

突然、スーの目に涙が浮かんだ。「トニー、これは、あたしが誰と寝るかという問題よりずっと大きなことなの。そもそもあたしに寝る資格があるかどうかという……」

トニーはスーを引き寄せた。肩に頭をもたせかけて、スーがつぶやく。「あたしに起こっていることを、理解してちょうだい」

「話してごらん」

「あたし、あなたに恋したんだと思う」首を後ろに反らし、トニーの顔に触れる。「あたしたちはずっと友だちだったわね、トニー。あなたの友だちのスーが、愛していいのかわからない男の子に恋しちゃって、どうすべきか悩んでるの」

トニーは草地に膝《ひざ》をつき、スーにもそうさせた。「きょう、体育館で、きみといっしょにいたかった」

スーが目を閉じる。「知ってる——わかったわ。でも、それじゃ答えにならない」ふたたびトニーを見て、彼の両肩に手を置いた。「サムもあたしが必要なの。あなたよりも。そこのところ、わかる?」

喉がしめつけられた。「たぶん。けれど、世の中、それがすべてじゃない」

スーが視線を落とす。「ずいぶん簡単に言うわね。これがサムにとってどういうことか、相手があなただという事実で、彼にはよけいつらいことに……」

真実をつく言葉に、トニーは一瞬口をつぐんだ。「けれど、きみはどうなの?」

「あたし?」スーがゆっくりと首を横に振る。「あたしは、落ちているような気分、夢のなかに……。自分がどこにいるのか、夢がどうやって終わるのか、わからない」

「ぼくは夢じゃないよ、スー」

「わかってる」もう一度、トニーにもたれる。「だけど、たぶん、ふたりで夢を見てる」

トニーはスーを抱きしめ、頭のてっぺんにキスをした。スーの声がくぐもる。「いつあなたを愛し始めたのか、ずっと自問してるの。サムがいるのに、ずっとただの友だちだったのに、どうしてあなたにそんな気持ちをいだいたのか。どう思う？」

「サムを愛していないんだよ」

スーがトニーに顔を向けて、「そんなことない。愛してないんだったら、どんなにいいか」言葉を見つけようとするかのように、間をおく。「わかってるのは、あなたに対する気持ちとはぜんぜんべつだってこと。人生がめちゃめちゃになっちゃいそう……」

「ああ、スー、きみを傷つけるつもりは……」

「そんなつもりがなかったのはわかってるわ、トニー」相手をもっとよく見ようとするかのように、スーが体を離す。静かな声できいた。「アリスンがまだ生きてたら、あたしとセックスした？　あたしがサムにしたことを、あなたは彼女にできた？」

トニーは自分が答えられないことに気づいた。「それは、そんなに重要なこと？」

スーの目で涙が光った。「不公平よ、トニー。あなたが答えられないって、もうわかってるんだもの」

スーの口調が胸に突き刺さった。「スー、重要なのは、ぼくたちの今の気持ちだ……」

「いいえ」静かで決然とした口調は彼女自身に向けたもののようだった。「気持ちは同じじゃない。あたしたちは同じじゃない」

トニーは嘆願するように手を左右に開いた。「どうして？　理由を聞かせてくれ」

「ああ、トニー……」言葉をつまらせ、首を横に振る。「ぜんぜんわからないの？」

トニーはふたたび腕をのばし、スーの両手首を持った。スーが、言うべきことを言おうとするかのように、新たな決意を込めた目でトニーを見る。「あなたが願うなら、あたしの心の奥底には、あなたについていこうという気持ちがあると思う……何もかも、安定も捨てて。サムに対して、サムを傷つける自分自身に対して、どう感じようと、あたしは、想像すらしたことのないやりかたで、あなたにすべてをあげる。二日前に感じたように感じられるのなら」間をおいて息を継ぎ、ふたたび静かな声になる。「だから、あなたには友だちでいて欲しいの。あなたの気持ちはそうじゃないとわかってるから」

トニーは息を吐き出した。「どうしてわかっているんだい？」

「友だちだからよ」穏やかに答える。「それに、あたしがとてもいいとおしく思ってる友人のトニーは、まだアリスン・テイラーを愛してるとわかってる。なぜなら、彼女は彼にぴったりだったから」

トニーは目を凝らした。「きみだって、心の一部ではサムを愛している。だからといって、きみを望む気持ちに変わりはない」

スーはかすかに微笑《ほほえ》んだが、視線は変化しなかった。「これがサムとアリスンだったら……」力なく肩をすくめる。「でも、そうじゃない」

「ほかには？」

「あなた。そして、あたし」スーの声はもの悲しく、非常に澄んでいた。「アリスンは落ち着いていて、洗練されていて、とても頭がよかった。あたしは、ただのあたし……」

「ただのきみ？　そのきみがぼくにはどんな存在なのか、わからないの？」

スーが首を振る。「今のあなたにとってなら、どんな存在かわかるわ。愛するひとを失ったあなた、町の半分から白い目で見られてるあなた、エネルギーのすべてをこの最終学年を乗り切るために使ってきたあなたにとってなら。そして、最終学年も終わろうとしてる」言葉を切り、ふたたびトニーを見たとき、目が愛情と率直さをたたえていた。「あなたはあたしと違う。……いつだって、いつか町を出る必要があったし、今ではもっとそうする必要がある。この秋には、ハーヴァードに行って、アリスンみたいな女の子といっぱい出会う。そのうちのひとりを愛するなと、どうしてあたしが頼める？　そんなことはないと信じろと言うの？」

トニーは胃がしめつけられるのを感じ、スーを引き寄せた。黙って彼女の髪を撫《な》で、顔にキスをする。スーは抵抗も反応もしなかった。「お願い、トニー。友だちでいて」

抱きしめると、スーは目に涙を浮かべ、体を震わせた。「スー、このままきみを失うのはいやだ」

スーが抱きついてくる。「あたしだって、あなたを失いたくない。胸が張り裂けてしまうわ」

トニーの目に涙が込み上げてきた。暗い気持ちで言う。「きみになんと言えばいいのかわからない」

スーが体を押しつけた。「あなたは言ったわ、トニー。もう言ってる。ただ、しばらくのあいだ、このまま抱いてて」

言われたとおりにした。ふたりで、黙って泣いた。

スーが泣きやみ、トニーの顔を両手で包んだ。「お互い、手紙を書きましょ。向こうに着いたら、ハーヴァードのことを何もかも教えて」

トニーは信じられない思いを打ち消そうとした。「書くよ、もちろん……」

「少ししたら、出会った女の子たちのことを教えてくれてもいいわ」小さく微笑む。「きのうの夜、あたし、賭《かけ》をしたの。ハーヴァードを卒業したら、あなたは女相続人か映画スターと結婚するって」

トニーは微笑むことができなかった。「きみを失って、結婚なんてできると思う？」

スーの顔に影がよぎった。「あたしも同じ質問をしてたの——自分に対して。だけど、あなたはできると思う。レイクシティを離れたら、あなたにはいろんなすてきなことが待ち受けてる。今はまだ自分が欲しがってると知りもしないすてきなことが」

スーの顔を見ながら、トニーは、彼女なしの人生を想像できなかった。ありったけの自制心を集めて、きいた。「それで、きみはどうするの？」

スーが見せた、哀愁を帯びた笑みを、トニーは彼女と肉体関係を持つ前に見たことがなかった。「どうするか、わかってると思ってた。でも、ほんとうはわかってない。あたしって、思ってたよりもあなたに似てるみたい」

トニーは急に喉が詰まるのを感じた。「こんなことは望んでいないんだ、スー。別れを言うためにここへ来たんじゃないんだ」

スーの目に新たな涙が浮かぶ。「でも、あなたはわかってくれると思ってた。だって、あなたは友だちだもの」

スーがそっと唇を重ねてくる。彼女のキスは長く、ゆるやかで、情熱的だった。「愛してる」そう言うと、立ち上がり、いきなり後ろを向いて、走り去った。

トニーは卒業式にもそのあとのパーティーにも行かなかった。行きたいと思わなかったし、サムといっしょにいるスーを見るのは、どちらにとってもつらすぎた。あすには、夏のあいだ働くために家を出る。

スペリオル湖のそばのメサビ山地からスティールトンへ鉄鉱石を運ぶ船に三か月乗れば、父親が弁護料に払った金額を稼げるはずだった。この仕事に就けて、トニーはついていた。ジョー伯父さんが鉄鋼労働者組合に話を通し、数週間前に知らせてくれたとき、頭に浮かんだのは、金額をべつにすると、レイクシティを出られるということだった。スーへ思いを寄せている今、これは、苦痛であると同時に慈悲だった。

眠れなかった。カリフォルニア州の大統領予備選がきょうあるのを思い出す。ケネディとマッカーシーの戦いで、勝者には、民主党候補の座を賭けてハンフリーと対決し、秋にリチャード・ニクスンと争うチャンスが与えられる。とうとう午前一時に起きて、地下室へ行き、テレビをつけた。

ロバート・ケネディが画面に現われ、支持者たちを前に笑っているのを見て、ケネディが勝ったと知った。

しばらく耳を傾ける。政治にそれほど興味がなかったので、なぜ自分がボビー・ケネディを好きなのかわからなかった。ただ、ケネディはカトリックで、兄のジョンとは違って、演説がうまくないところが親近感を持たせてくれる。だが、そのケネディが今、聴衆に冗談を言っている。

「義弟のスティーヴ・スミスに感謝したいと思います。彼は無情でありながら有能で……」

笑い声。

「愛犬のフレックルズにも感謝の意を表したいと……」さらにいくつかの謝辞が続き、それからまじめな口調になる。

「そして、この選挙運動で大いに尽力してくれた黒人社会の友人たちにも感謝したいと……」

トニーはまたアーニー・ニクスンのことを思った。ロバート・ケネディが好きな理由は、この七か月のどこかにあるのかもしれない。トニーが奮闘し、それを通して、他人のなかにさまざまなものを見た七か月。鉱石運搬船では、この月日について、そして自分がどういう人間になるべきかについて、考える時間がたっぷりあるだろう。

「みなさんに感謝します」ロバート・ケネディがしめくくる。「そして、次のシカゴでも勝ちましょう」

画面がテストパターンになるまで、トニーはぼんやりと観《み》ていた。地下室のソファーに横になったまま寝入る前に思ったのは、アリスンのこと、そしてスーのことだった。

報道記者の声で目が覚めた。

「ロバート・ケネディ上院議員は、頭に銃弾を受け、きわめて危険な状態で……」

わけがわからず、テレビを見据える。報道記者の慎重なコメントから、ケネディが死にかけているとしだいにわかってきた。心臓の痛みに、トニーはとまどった。これが、みんなにとって、そしてたぶん自分にとって、何かの終わりを告げているのだと、なぜか感じた。スーがここにいてくれたらと思う。

テレビを消す気になれなかった。茫然《ぼうぜん》自失の体で階上へ行き、荷造りを始めた。

18

二か月半、トニーはロバート・ミランド号で甲板当直員として働いた。メサビ＝スティールトン間の果てしない航行――昼夜を分かたず、八時間働いては四時間休む――の単調さを破るのは、悪天候と、波止場の酒場で過ごす週に数時間だけだった。

ロバート・ミランド号は全長六百フィートの鋼鉄製タンカーで、世紀の変わり目に造られ、ボイラーが割れるか船が嵐《あらし》で沈むまで現役でいそうだった。トニーは、二台の二段ベッドが狭い空間に押し込められた四人用の船室を、大学生と、上官に暴行を働いて海軍を追い出されたマッキノー・インディアンと、十二年間五大湖で働いている、しわくちゃの元アルコール中毒者と共用した。船長は性格の悪いいやなハンガリー人で、三日間ぶっとおしで船長室で酒を飲み続けるような男だった。日にちがたつにつれ、トニーの生活は、船長を避けることと、船体をこすったりペンキを塗ったりする仕事と、重心がずれたときに船倉の鉄鉱石をシャベルですくう作業と、目についたペーパーバックや雑誌を手当たりしだいに読むことに縮小された。ある雑誌に、サンフランシスコの記事が載っていた。異国情緒にあふれ、どことなく地中海的な、丘の上のその街を見ながら、そんな場所に住むのはどのような感じだろうかと想像した。五大湖の何もない空間で宙ぶらりんの生活を送るトニーにとって、その地は、どこよりも現実的に思えた。自分が逃亡者のような気がした。

次の航行の終わりには逮捕令状が待っているという恐怖を、トニーはつねに感じていた。アリスンを思うとき、心に浮かぶのは、生きているときの彼女ではなかった。誰が殺したのかと、何度も何度も考えた。高校が遠いものになりつつあるトニーの殺人者に対する憎悪《ぞうお》の気持ちは、どんな目的意識によっても癒《い》えなかった。スーといるサムのことも同時に思ったが、やはり心は癒《いや》されなかった。スーの手紙は、ほとんど何も伝えてくれなかった。

八月の中旬、スティールトンまで一時間の場所で、ロバート・ミランド号は突然の嵐に見舞われた。空が暗くなり、風雨が横から吹きつける。船は大きく揺れ、波に呑《の》まれ、鋼鉄の船体が曲がり、ひび割れた。甲板で、トニーはウェブベルトでつながったほかの五人の乗組員とともに、ミランド号が浸水しないよう、ハッチを守った。激しい上下動のなかでできたのは、鋼《はがね》のロープにしがみつくことだけだった。そばで、大学生が暗黒のなかへ吐く音が聞こえた。

トニーはこれまで、命が危ういと感じた経験がなかった。天地創造さながらに恐ろしい雨と嵐と強風のなかで、トニーは真っ暗な気持ちになった。と、嵐が突然過ぎ去り、完全な静寂が訪れた。それまでとの大きな落差に、よけい気味が悪かった。

午前十一時少し過ぎにスティールトンに到着し、トニーの当直番は終わった。

船室へ戻り、黄色い雨がっぱを脱ぎ、疲れ切って寝台に倒れた。今しがた切り抜けたことをぼんやりと受け入れるのがやっとで、まるで、ほかの感覚を受容する力がなくなってしまったかのようだった。そのとき、ソール・ラヴィンが波止場で待っていると三等航海士に告げられ、トニーは、恐怖の感覚が残っていることを知った。

薄汚れた波止場地区——鋼鉄の埠頭《ふとう》、巨大クレーン、なまこ鉄板の倉庫——に、嵐のあとの奇妙な無風状態と、あざやかな空と、きらきらした水たまりがもたらされていた。トニーはうつろな気持ちで〈ウォーターフロント・バー〉へ行き、テーブルについているソール・ラヴィンを見つけた。ウィスキーの入ったショットグラスがふたつ、前に置かれている。グラスのあいだに、黒人の顔写真があった。
「ほら、きみの救世主だ」ソールが前置き抜きで言う。「亡《な》きドナルド・ホワイトだよ」

トニーは腰を下ろした。小さく笑って、ソールが言う。「調子はどうだ、トニー？」

トニーはショットグラスに手をのばさなかった。「誰なんです？」

「アリスン殺しの犯人だ。おそらく」

トニーは目を凝らした。ドナルド・ホワイトは髪を短く刈っており、顔が細く、恐怖か憎悪か無関心と解釈できる、心ここにあらずという表情をしている。トニーにはなんの感情も湧《わ》かなかった。

「どういう人物なんです、ソール？」

「有罪判決を受けた婦女暴行魔だ。ジョニー・モレリから聞いた。オハイオの刑務所に七年いて、一九六七年の五月に釈放」写真から顔を上げる。「去年の秋に起きた二件の婦女暴行事件の容疑者でもある。十月四日にコロンバス、十月二十一日にアクロンでだ。どちらも夜、公園でだった」

「目撃者はいるんですか？」

「被害者だけだ。どちらも十代の少女で、黒人の男だったと言っている。だが、ホワイトがそこにいたのはわかっているんだ。事件があったそれぞれの日に、デトロイトの妹にコレクトコールをかけている」ソールがひとつ息をつく。「十一月四日、アリスンが殺された翌日には、きみの大好きなレイクシティの酒場の外の公衆電話から電話をしている。わたしはその妹と話したんだが、ホワイトは、あるトラブルに巻き込まれているから故郷に帰ると言ったそうだ。これは偶然以上のものだとモレリに指摘しておいた」

写真を見るうちに、トニーは安堵《あんど》を覚え、それから、男がアリスンの首を絞めているところを想像して、胸が悪くなった。ソールが静かに続ける。「警察がひとりの女性から証言を得ているのがわかった。あの日の夕暮れどきに子どもふたりとテイラー公園にいた母親だ。母親によると、ホワイトぐらいの背格好の黒人がテイラー家の敷地わきの灌木《かんぼく》のあたりをうろついていたそうだ。ホワイト本人であってもおかしくない」

トニーは写真から視線をはずせなかった。凝視していると、ドナルド・ホワイトの凍りついたような目が、うつろで、非情に見えてきた。「アリスンがどんなことをされたのか、教えてもらえましたか？」

ソールが腕に触れてくる。「アリスンは強姦《ごうかん》されたんだ、トニー。当局はそれだけしか話してくれん。それに、きみと同じように、ホワイトの血液型が、彼らの持つ、なんらかの物的証拠と一致していることしか。つまり、ホワイトである可能性も除外できんのだよ」弁護士の視線は冷静で、哀愁を帯びていた。「彼女が何をされたのか知っていたら、きみに話すよ。しかし、知らないんだ」

しばらくたってから、トニーは顔を上げた。「ホワイトはどうして死んだんです？」

「トレドで強盗をやらかそうとした。ガソリンスタンド併設のコンビニエンス・ストアでな。経営者がショットガンでホワイトの頭を吹っ飛ばした。ろくでもない人生のみじめな終わりさ。こいつがアリスンを殺したのなら、きみにとっても、ろくでもないなりゆきってことだ」

トニーは椅子《いす》の背に寄りかかった。酒場は、揚げ物と、気の抜けたビールと、薄汚れたスティールトンの波止場のにおいがした。アリスン・テイラーの世界からひどくかけ離れた場所で彼女の死の答えを知るのは、受け入れがたいことのような気がした。

「この男がやったと思いますか？」トニーはきいた。

ソールが肩をすくめる。「ひょっとすると。たぶん。起訴に持ち込むには弱いが、ホワイトは死んでしまったのだから、当局が望めば、裁判の手間をかけずに、こいつのせいにできる。ホワイトは、われわれにとっても、彼らにとっても、好都合な人物だ」

トニーは弁護士の顔を見守った。「でも、あなたは疑っている」

「疑うのはわたしの仕事ではない」ソールがグラスをあけ、おかわりの合図を送る。「仕事だとしたら、なぜホワイトがアリスンを殺したのか疑問に思うね。ほかの被害者たちのときは、傷つけないように注意していたようなのに」顔をしかめる。「犯す以外は、と言う意味だが。だから、それは疑う価値のない問題だと思う。だいたいホワイトは言うことをきかせるのに武器を使っていないし、アリスン殺しの犯人にも凶器の使用はないと見られるのだから。レイクシティの警察もたいして問題視しないだろう」

「警察はどう出るでしょう？　謝ってきますか？」

ソールがわずかに口もとをゆるめた。「それはない。だが、わたしの求めに応じて、ジョニー・モレリは、きょうの午後、マスコミに声明を出して、アリスン・テイラーがドナルド・ホワイトに殺害された可能性を明らかにする」まじめな顔になる。「彼らにとっては逃げ道なんだよ、トニー。きみを犯人にできる論拠はもっと弱いし、今では、強くなる見込みはないと考えられているようだ。それに、警察もある程度肩の荷が降ろせる。つまり、ハーヴァード大生で高校の元英雄であるトニー・ロードと、黒人の連続婦女暴行魔であるドナルド・ホワイトのどちらがアリスン殺しの犯人だと、町の連中は考えると思う？」

ソールの言うとおりだ、とトニーは思った。「ドナルド・ホワイトです」と、ゆっくりと答える。

ソールがうなずく。「一部の連中にとって、黒人が犯人だという考えは断然心地よいものなんだ。ほかの多くの連中は、犯人が自分たちのなかで暮らす少年ではなく、よそ者で、しかも死んでいるという事実に安堵する。それはとりもなおさず、レイクシティが自分たちの考えていたとおりの場所であり、安全が戻ったことを意味するからね」

トニーは、安堵を覚えるべきだとわかっていた。しかし、それよりも、苦々しさを感じた。「少し遅すぎますよ。たぶん、彼らにとってではなく、ぼくにとって。やっていないことを許されて、何がうれしいんです？　ぼくは、そんな町の連中よりもずっとずっとアリスンを愛していたんです。ご両親をべつとして」

ソールが険しい顔でグラスをにらむ。「そう、テイラー夫妻のことを話したほうがいいな。彼らは、その考えを受け入れないだろう――とりわけ、父親のほうは」

それによって、トニーの怒りが中断された。静かにきく。「なぜ？」

「なぜなら、ジョン・テイラーは、あの晩自分が見たと思っていることを、今なお信じているからだ。この先も考えを変えんだろう」ソールが顔を上げ、トニーを見る。「彼らのことは気にするな、というのがわたしの忠告だ。ふたりがあきらめるのを待つんだ」

トニーは首を振った。「では、ぼくの立場は、ソール？」

ソールが手を握り合わせる。「きみの見かたしだいだ」と、しばらくしてから言った。「言ってみれば、きみは法律の煉獄《れんごく》に入ったんだ――起訴されることはないが、疑いが晴れることもおそらくない。一部の連中にとって、きみはつねに殺人罪をのがれた男だ」ソールの声が穏やかになる。「けれど、きみは自由だ、トニー。人生をとり戻した。手に入れたんだよ」

一瞬、トニーはどう考えていいのか、どう感じていいのかわからなかった。ソールが優しく付け加える。「こう言って慰めになるかどうかわからんが、これまでに、きみほどりっぱだと思った依頼人はいない。今後何をするにしても、いい人生を送れるだろう」

トニーはソールをじっと見た。このくせ毛の皮肉っぽい男が、トニーの人生を救うという、誰にもできなかったことをやってくれた。突然、涙が込み上げてきた。事件がすっきり解決しないのは、ソール・ラヴィンのせいではない。「ぼく、弁護士になれると思いますか、ソール？」

ソールがトニーの顔を見ながら、ドナルド・ホワイトの写真をしまい、彼の手にショットグラスを持たせる。「わたしのおごりだ、トニー。じっくりと話をしよう」

19

トニーはサム・ロブの姿を見つけた。裏庭のハンモックに手枕《てまくら》をして横になり、トランジスター・ラジオで野球中継を聞いていた。サムが視線を上げ、しばらく何も言わずにトニーを見る。

「あしたハーヴァードに発《た》つんだな」

「ああ。さよならを言おうと思ってね」

サムがトニーの顔をじっと見たまま、身を起こす。「これが最後みたいな言いかただな」

トニーは肩をすくめた。「家族はシカゴに引っ越すんだ——父が転勤願いを出した。だから、こっちには家がなくなる」

サムが、ポケットに手を入れて、草地を見つめる。低くため息をついた。「俺は、自分の気持ちをちゃんと言うことができなかった。そして話をこじらせて、大事な親友を失った」

トニーは首を横に振った。「きみのせいじゃない。もろもろのことが悪いんだ」

サムがトニーと視線を合わせる。「だけど、おまえの容疑は晴れた。終わったな」

「ぼくには終わっていないよ」

サムが庭のほうを向き、物思いにふける。トニーはその視線を追った。ふたりが友だちになった日にゴールポストの役割をした栃《とち》の木。「あのプレーを組み立てたこと、憶《おぼ》えてるか？」サムがきく。

「もちろん」

「いつまでも忘れないよ。あの日のことを」ふたたびトニーに視線を戻す。あの時が、あの感情が、どのようにして手からこぼれてしまったのかいぶかっているような、とまどいを浮かべた顔。「一生、友だちでいると思ってたんだ、トニー。俺たちの子どもがいっしょにフットボールをする姿を見るとさえな」

トニーはすぐには答えられなかった。「ここでそれはないな。この先ずっと」アナウンサーの南部なまりの声が、ボールだ、ストライクだと言っている。サムがラジオのほうを向いた。「このノーラン・ライアンという、メッツの新人投手を知ってるか？　すごい速球を投げるらしい」

返事は求められていなかった。サムが、変化した物事に直面できず、時を引き延ばしているのを感じた。だが、トニーがいちばん悲しみを覚えたのは、今ではサムと同じ感情を持てないことだった。

サムの目に涙が浮かぶのがわかった。

友が自身の弱さに当惑して肩をすくめ、それから、トニーを抱きしめようとするかのように前へ進み出る。途中で動きを止め、手を差し出した。「幸運を祈る」と、静かに言う。「おまえのことは忘れない」

友と握手をしながら、トニーは自分の人生におけるひとつの時が去るのを感じた。サム・ロブは永遠に、楽しくもあり悲しくもあり混沌《こんとん》としたその時の一部をなすだろう。「ぼくもだ」トニーも静かに答え、それ以上は何も言わずに立ち去った。そのときはじめて、どちらもスーの話をしなかったことに気づいた。

「あいつは知っているの?」トニーはきいた。

夕方、ふたりはレイクシティ桟橋の突端に腰を下ろしていた。西の夕日が湖に影を投げかけ、湖水を青灰色にしている。

「いいえ。少なくとも、あたしは言ってない」スーが、トニーには視線を向けず、間をおく。「あたしの態度からわかるかもしれないと、ときどき思う。だけど、彼はもう結婚の話まで口にしてるの」

気がつくとトニーも、スーに視線を向けられなかった。「それできみは?」

「わからない。考えることがたくさんあって」

トニーは無言でスーの手に触れた。

「あなたが行かなくてはならないことはわかってる」しばらくしてから言う。「ただ、想像できなくて。あの晩、あなたは現実の存在だったのに、今は、夢のなかのひとになろうとしてる」

最初、トニーは何も言えなかった。そっとスーの顔を自分のほうへ向ける。「きみは永遠に現実の存在だよ、スー。きみがぼくを必要としたときは、訪ねていく」

スーが静かに顔をトニーの胸に当てる。「わかってる」ささやくように言った。「わかってる」

家の前で車からスーを降ろし、去ろうとしたとき、ドライブウェイに立つスーの影がこちらを見守っているのが、バックミラーのなかに見えた。突然、これがレイクシティとのほんとうの別れだとさとった。

トニーはハーヴァードの生活にどっぷりと浸《つ》かって、ボート・チームに入り、感謝祭にはルームメイトの家を訪れた。クリスマスまでに、両親は引っ越した。トニーがレイクシティに戻ることはなかった。サムが電話してきて、それからスーが電話してきたとき、何を話したらいいのかわからなかった。

悪夢のほうは、同じ姿で、いつまでもつきまとった。

高校の最終学年が、その後のトニー・ロードのすべてに関係した。だが、そのことをほとんど話さないまま時は過ぎ、やがて、歌手であり女優であり、彼の二番めの妻となるステイシー・タラントに、結婚を数か月後に控えたあるとき、何もかも打ち明けたのだった。

第二部　マーシー・コールダー〔現在〕

1

十七歳の誕生日を二日後に控えた日に、マーシー・コールダーは、自殺、あるいは事故、あるいは殺人で死んだ。

スティールトンに到着する三十分前、アントニー・ロードはほとんど知識のない事件の概略を調べた。新聞に載った写真では、マーシーは髪が黒く、ほっそりしていて、かわいらしい。三人姉妹の長女。レイクシティ高校の成績はオールB。敬虔《けいけん》なカトリック教徒で、かつてトニーが通っていた聖ラファエル教会の信徒。スティールトン・プレス紙は、内気な生徒だったと伝えている。親友のジャニス・ダブルーツィは、葬儀のあとのインタビューで、決まったボーイフレンドはいなかったと言っている。悲報に接した同級生に、事態に向き合う方法を教えるカウンセリングの記事もあった。その記事は、マーシーのことよりも、ティーンエイジャーにおける悲しみの熱病的伝播《でんぱ》と、不可解な事態に対処しようとする町の強い決意をトニーに教えた。レイクシティがこれほどの悲劇に見舞われたのは、アリスン・テイラーの事件以来だ、とバートン校長は言っている。

校長が語る最も印象深いマーシーの思い出は、トニー・ロードの胸を塞《ふさ》いだ。それは、マーシーが陸上チーム一の俊足で、喜びと躍動感いっぱいに走る姿は、見ていて美しかったというものだった。

死ぬ四日前に開かれた最後の競技会で、マーシーは力を発揮できなかった。終わったあとの彼女は物憂《ものう》げでぼんやりしていた、とチームメイトは話している。死体は、朝、テイラー公園の下の浜で、警察が発見した。頭から頬にかけて、血の筋がついていた。死体の状態から、彼女が夜のあいだに死んだのは明らかだった。原因は不明。

いくつかの推測がされている。崖《がけ》の上から浜までの距離は三十メートル。ブルージーンズに付いた泥と、崖の跡から、マーシーは落下したように見える。しかし、浜に転がっていた石に、マーシーの血液と髪が付着していた。その夜、彼女を公園に連れていった男性――生きている彼女の最後の目撃者――からは、コメントが得られていない。その男性とは、マーシーの陸上部のコーチであり、レイクシティ高校教頭のサム・ロブである。

トニーは最後に、マーシー・コールダーの写真と、その隣りに載せられたアリスン・テイラーの写真を見つめた。アリスンの写真を見ると、まるできのうのことのようにはっきりした悲しみと喪失感を覚えた。

新聞を革のブリーフケースに入れてから、サム・ロブの妻は、二十八年後の今、どのように見えるのだろうかと考えた。

カプリ島の浜辺でも彼女だとわかっただろう、とトニーは心のなかでつぶやいた。トニーはいちばん先に飛行機を降りた。彼女はまだちゃんと心の準備ができていないようだった。一瞬のちにためらいがちな笑みを浮かべ、なつかしいえくぼがかすかに現われる。トニーがブリーフケースを下ろし、腕を広げると、駆け寄ってきた。

しばらくのあいだ、トニーはただ彼女を抱きしめた。何はともあれ、スー・キャッシュがふたたび腕のなかにいるという驚きと不思議の念に胸が満たされる。さわやかで清潔なにおい、妙になじみ深い感触……。「ああ、トニー」スーがささやく。「ほんとうにあなたなのね」

「そうだよ。自分で来ることにしたんだ」

スーが首をそらし、トニーを見る。悲しみと、彼に会えた感激と、彼がここにいる安堵《あんど》が複雑に混じった表情。しわが刻まれているが、肌は滑らかで張りがあった。茶色い目はあいかわらず溌剌《はつらつ》としていて、茶色いカールした髪は短くなったものの、以前と同じようにたっぷりしている。少し痩《や》せたようだった。

トニーは一歩下がり、相手をじっくりと見た。喉《のど》がしめつけられるような感覚もまた驚きだった。「こう言ったら失礼かもしれないけれど」と、ようやく声を出す。「きみはきみのままだ」

スーがふたたび笑みを浮かべようとする。「そういう言葉はいつでも歓迎よ。ちょっとの化粧品と、ジムでたっぷり過ごす時間のおかげ。二、三年前、振り返ってお尻《しり》を見たとき、いったい誰がついてきてるんだろうと思ったの」突然、目が涙で光った。「自分がちょっとしたものに見えるなんて、びっくり」

トニーはふたたびスーを抱き寄せた。顔を上げた彼女の目に涙はなかったが、声は震えがちだった。「あなたもすてきよ、トニー。自分じゃ想像できないぐらいにね」


はじめのうち、マーシー・コールダーの話はしなかった。

スーが、フォード・トーラスを空港からレイクシティへ走らせる。春の朝のまぶしい陽光に目を細めながら、トニーは、今走り抜けている住宅団地やショッピングモールが平らな草地だったのを思い出した。スーが元気にやっているかどうか、これまでのサムとの生活はどんなものだったか、を何よりも知りたかったが、きかなかった。もっとありきたりのことをききだすほうが、無難なようだった。彼らの子どもふたり、サム・ジュニアとジェニファーは、大学を卒業していた。ジュニアは、父親が願ったような運動選手にはならず、カンザス大学で経営学修士をめざしている。ジェニーのほうは、フロリダで幼稚園の先生をしている。スーは大学で図書館学を学び、レイクシティ公立図書館に非常勤で勤め、児童書部門の手伝いをしている。スーの口調はほとんどふつうのように思えた。まるで、話し続けていれば、屈辱感が表面化しないですむかのようだ。サムの話は出なかった。

「町はどう?」トニーはきいた。「変わっていない?」

「空き地に家が建ったことをべつにすれば、見た目は同じ。でも、内面は変わったわ。高校には麻薬が蔓延《まんえん》してる。プロテスタントはもうカトリックをきらってない。二家族に一家族は離婚してるか、両親ともに働いてる。子どもたちはカーセックスの必要がなくなった。自分の家でプライバシーを与えられて、放課後にセックスできるから——」スーが唐突に言葉を途切らせる。彼女の考えを想像する必要はなかった。スーが静かに続ける。「あいかわらず小さな町よ、トニー。こういうとき、どんなに小さな町かを実感する」

一瞬、現在が消え去り、トニーは満員の高校の体育館に戻った。

〝ひと殺し、ひと殺し……〟

「テイラー夫妻は、まだ健在なの?」トニーは尋ねた。

「ええ」スーが道に視線を据える。「あなたが彼らのことをどう憶《おぼ》えてるか知らないけど、あたしには、人生の終わった、不満だらけの老人に見える」ためらってから、「ほんの四、五年前、キャサリン・テイラーが母に、一日たりともアリスンのことを思い出さない日はないと言ったそうよ。マーシー・コールダーのご両親のことを考えるとき、それを思い出すの」

トニーはスーを不憫《ふびん》に思った。しばらくしてから言う。「あいつはどんな具合だ、スー？」

ハンドルを握るスーの手に力が入ったようだった。「こわがってる。どんな気持ちか、わかるでしょ」

トニーはなぜか比較したくなかった。「わたしにわかるのは、自分がどんな気持ちだったかだけだよ」

スーはすぐには返事をしなかった。「夫は殺人罪で起訴されるかもしれない」単調な声。「あるいは、運がよければ、あたしたちが心配するのは、彼の教師としての職歴の終わりだけですむかも。テイラー公園で、夜、陸上部の女の子と何をしてたのかを、あのひとが教育委員会に説明できればべつでしょうけど」

サムはスーになんと説明したのだろう、とトニーは思った。「サムがわたしの弁護士としての忠告を受け入れた場合は、教育委員会には何も言わないことになる。彼女の死について、郡検事長がどうするのかわかるまではね」

スーは返事をしない。道が狭くなった。野原のはずれに、トニーは最初のなつかしい目印を見つけた。アリスンの葬式が行なわれた聖バルナバ監督教会の白い尖塔《せんとう》だ。やがて、トニーが憶えているのとは違う、白い木の看板を通り過ぎた。「レイカーズの本拠地、レイクシティへようこそ。人口一五、五三七人」

次の数キロは妙な感じだった。あまりにもひさしぶりなためか、一瞬、映画でしか見たことのない土地へ入っていくような気がした。最初に感じたのが郷愁で、それから、アリスンの死の前後の強い感情を思い出し、やがて、戻ってくるべきではなかったという迷信的な確信を得た。低い声で言う。「ここへ帰ってくるとは思わなかった」

「そうでしょうね」

カーブを曲がり、小学校と何軒かの木造家屋を通り過ぎたとき、以前にはなかったもの——煉瓦《れんが》のランチハウス群の入り口にある強大な錬鉄製の門——を目にした。開発業者は門の上部の鉄製文字を正当化するのにぎりぎりじゅうぶんの楓《メープル》を残していた。〈メープル・パーク・エステート〉

トニーは思わず振り返った。スーに見られているのがわかった。

「憶えてる?」スーがきく。

トニーが感じたのは、甘ずっぱさと、記憶力に対する驚きと、青春時代が間近に残っているという思いだった。「憶えているかって? あれは、わたしに起こった、いちばん甘美なできごとだよ」

スーが口もとを小さくほころばせる。「それを知ってたら、もう一度ってせがんだのに」

無言で進むうちに、トニーは不安感が戻り、現在が去るのを感じた。レイクシティにいるという事実よりも、ふたたびサム・ロブ――どんな人物になっているにしても――について考えることから来るものだった。

町の広場に入ると、警察署が見えた。「頼みがあるんだけれど」しばらくしてからトニーは言った。「弁護士として、だと思う。サムに会う前に」

「何？」

トニーはスーのほうを向いた。「テイラー公園へ連れていってくれないか？」

道を曲がって公園に入ると、トニーはそこを冷静な目で、犯罪現場として見ようとした。しかし、一瞬、体がこわばった。

スーがそっときく。「見たかったのは何？」

「その娘が飛び出したという崖かな」

崖の近くは、鉄の杭《くい》が地面に突き立てられ、マーシー・コールダーが落ちたとされる場所を区切るための黄色いテープが結ばれていた。だが、トニーはそこへ行かなかった。

車を降りると、アリスン・テイラーとセックスをした木立ちが見えた。

「いいかな？」スーにきいた。

「ええ」スーが間をおく。「あたしに来てもらいたい？」

「よかったら」

歩きだしたトニーの数歩後ろを、スーが歩く。ふたりは無言だった。

公園は陽光にあふれ、エリー湖からの風がさわやかに吹いていた。だが、アリスンと愛し合った木陰には日があまり射《さ》し込まず、地面は暗く、苔《こけ》むしている。公園にほとんどひとがいないのが印象的だった。

トニーは立ち止まり、弁護士としての自分を呼び戻した。「公園を利用するのは誰？」

スーが後ろに立つ。「子どもたちに、家族連れ。あたしたちも、子どもと来たものよ」

「夜は？」

「子どもが、カーセックスをしに」スーが間をおく。自分たちの娘よりも若い十代の少女とカーセックスをする夫を想像しているのが、トニーにはわかった。のっぺりした声で、スーが付け加える。「アリスンが死んでから、しばらくのあいだ、高校生たちはほかの場所を見つけてた。そのうち、みんな忘れてしまったわ」

「ほかには？」

「地元の新聞によると、麻薬を売買する若者とか、数は少ないけど、ホームレスとか」口調がふたたび平板になる。「サムはジェニーに、ここへ来るなといつも言ってた」

スーを見ないのはよくない、とトニーは自分に言い聞かせた。目を向けると、スーが肩をすくめる。目はうつろで、ほとんど生気がない。前より小柄になったように見えた。サムのことはきかなかった。

ふたりは木立ちを離れた。

二十八年前、一時間後には死体で見つかるアリスンと急ぎ足で家へ向かったのと同じ道筋をたどって、トニーは草の生える公園を歩いた。テイラー家の敷地を示す並木のそばで、胸がいっぱいになって立ち止まる。心臓の鼓動が感じとれた。

テイラー邸は塗り替えの必要がありそうだった。屋根のこけら板は反って、ひび割れ、ゴシック様式の尖塔はくすんでいる。裏口から裏庭へ視線を移動させた。懐中電灯に照らされたアリスンの顔が目の前に浮かぶが、事はそう単純ではない。それは三十年近くくり返されてきた悪夢であり、光線が彼女の顔を明らかにした瞬間、トニーは目覚めさせられるのだった。

背後でスーが言う。「夫妻の姿を見かけることはほとんどないわ」

トニーはふたたび家を振り返った。「アッシャー家ほどではないな。けれど、昔の面影もない」

アーニー・ニクスンに教えてもらった隠れ場所の茂みは、どちらかといえば、前よりも繁茂しているようだった。わざわざなかを見ることはしなかった。

「あの夜、誰かがここにいたんだ、スー。四日前にも誰かがいたのかもしれない」スーのほうを向いて、「マーシー・コールダーは車から出た、とサムは言っているんだね？」

スーの顔からあらゆる表情がなくなる。「ええ」

しばらくして、トニーはうなずいた。「見てみよう」


犯罪現場はふたつの部分からなっていた。ひとつめは、約十メートル平方の盛り上がった草地で、崖っぷちまでのびている。崖は浸食によって切り立っていた。そして、岩と粘土と、ところどころにある風にさらされた低木からなる三十メートルの崖を下りたところ、浜の一部が、上よりも多くの杭とテープで封鎖されている。崖のふもとのそばに、今度は白いテープで、子どものお絵描きのようなマーシー・コールダーの体の輪郭がかたどられていた。

トニーは言った。「暗いなかだと、簡単に落ちたかもしれないな」

「湖の波音が聞こえなかったのかしら？」スーがそう言って、視線をはずす。彼女は夫――トニーがもはや知らない男――を殺人犯かもしれないと思っているのだろうか、と、低い波音のなかで考えた。腕を組み、足もとを見ているスーのところへ歩み寄る。

「警察はきみから話をきいた？」

スーの視線は上がらない。「きこうとはした。あなたに電話するちょっと前、家宅捜索をして、あたしの車を押収《おうしゅう》したときに。あの夜、夫が使った車なの」

トニーは両手をスラックスのポケットに突っ込んだ。「サムがわたしを呼びたいと思ったのかな、スー？　それとも、きみが？」

「あたしの考えだった、最初は」視線をトニーに合わせる。「サムは誇り高いひとなのよ、トニー。今でも。彼はアリスンのことであなたを傷つけたと言ったわ。それでどうやって今ごろ、あなたに助けを求められる？　でも、しばらくして、あなたがどうしても必要だとわかった」一瞬、間をおく。「テレビであなたがキルキャノン上院議員を撃った男を弁護するのを見たわ。サムはあなたの手腕が信じられなかった。でも、あたしは信じた」

トニーはスーを見つめた。彼女は変わっていた。この二十八年のあいだに、時と失望によって、心のなかを読みとるのがむずかしい顔になっていた。

「あいつはどんな人間？」

「今より前ってこと？」トニーを見て、おもしろさからではない笑みを見せる。「あなたのようではないわ、トニー。サムは、あまりにも早い時期に、目標に到達してしまったの」

「どういう意味？」

「あら、わかるでしょ。彼はレイクシティに留まった。あたしと結婚した。まるで、十七歳のサム・ロブを、そのときの感じかたを保存しておけるかのように。でも、そんなこと、できなかった」笑顔が、あまり表情を変えることなく、渋面になる。「サムは校長ではなく、教頭よ。彼には、よい判断をするために、助けてくれるひとが必要なの――自分でそれを承知しているし、憎悪《ぞうお》してもいる。あのひとの目には、小さな町で小さな男になった自分が映ってる。冗談のうまい、生涯教頭のサムおじさんが。そこに、こんな恐ろしい不運が降りかかってきた」

「きみのほうは？」

「あたしは違う。あたしたちには優しい子がふたりいて、友だちがいて、自分はやりがいのあることをやってると思ってる。サムが幸せなら、あたしも幸せになれた」首を振る。「おもしろいのよ。以前、ステイシーといるあなたを見た。何かの授賞式だったと思う。あたしは内心微笑《ほほえ》んでた。なぜなら、あなたが映画スターと結婚して、そのひとがうっとりするようなひとだったから。でも、夫がこっちを向いて、『トニーの相手を見ろよ』と言った瞬間だけ、自分が彼女だったらと願った。なぜなら、サムがあなたに嫉妬《しっと》してて、人生に満足してないとわかったから」

「けれど、わたしなど、関係ないだろうに」

「サムにとって？　いろんなことに、ときどき関係してるんだと思う」スーは間をおきながら、声に出して考えているようだった。「あなたは長いことここを離れてたから、妙に聞こえるかもしれない。でも、あなたがここに留まって、野球のコーチか何かになってたら、サムも今ほど自分自身に失望してなかったと思うの」

意味のないことを言っていると、スーはすでにわかっているはずだ。トニーは静かに言った。「あいつがわたしのようになる可能性はなかったよ、スー。アリスンの死後、わたしの頭にあったのは、自分がどんな人間になるかだけだった」

スーが小首を傾けて、「あなたは今の自分に満足してる？」

「ほぼ。アリスンの死のせいで、いまだにわたしの一部には、過去を断ち切りたいと願う気持ちがある。ときどき、気がつくと、不幸のだめ押しを待っている自分がいるんだ。ステイシーかクリストファに、あるいは自分に、何か恐ろしいことが起こるのではないか、とね」ひと呼吸おいてから、「でも、そんなことはまだ起こっていない。そして、わたしの残りの部分は、だいたいは、自分が予想していた以上に幸せだと感じている」

スーは黙っていた。やがて、みずからの友人が望みどおりの人生を送っている事実をうれしく思い、友人として、頰に触れてくる。その瞬間、トニーは、今でも、スーといるとありがたいほど心休まることに気づいた。今でも、自分のことを、自分が愛するふたりの人間よりも、スーは理解してくれる。ここにいる自分たちのために、もう一度彼女を抱きしめたかった。

たぶん、スーもそれを望んでいるだろう。しかし、トニーがこの地へ来たのは弁護士としてであり、そうふるまい始めなくてはならない。「きみの力になれればいいと思っているよ。そしてサムの」

「もう力になってくれてるわ」指でトニーの頰を撫《な》でて、手を離す。「行きましょう、トニー。サムが待ってる。待つのはこの四日間でじゅうぶん」

2

地階のカウチから、サムが見上げた。

スーをちらりと見て視線をそらしたのは、本能的な恥の意識からだろう、とトニーは推測した。しかし、トニーに向けられた陰気な笑顔は、ゴルフでずるをしているところを見つかった男のものに似ていた。おそらくサムは、自分に降りかかったことをまだ理解しようと努めている最中なのだろう。トニーと同様、相手に対する準備ができていないように見えた。トニーの頭に最初に浮かんだのは、目の前にいるのは殺人者だろうかという、胸が悪くなるが避けることのできない思いだった。

「やあ、サム」

サムがぎこちなく立ち上がり、ふたりの男は抱擁した。「トニー・ロード」サムがささやく。「いとしのイエス・キリストよ」

「おいおい」トニーは思わず言っていた。「わたしはそんなに偉大ではないよ」

サムが唐突に、短く、耳障《みみざわ》りな笑い声をあげた。トニーの肩をつかんだまま、後ろへ体をそらす。サムの顔はぽっちゃりしており、ホワイトブロンドの髪に白いものが交じっている。しかし、目には、突然、きらめきが浮かんだ。まるで、十七歳のサムがマスクの下から覗《のぞ》いているようだった。「スーは、そんなに偉大だと思ってる」サムが答え、それから声を低くして言う。「俺としても、どうしてもそうあってもらいたいんだ」

スーが夫からトニーへ向き直って、「あたしは上階《うえ》にいるわ。サンドイッチか何か欲しいときは……」

「ありがとう、お嬢さん」サムが妻に言う。

スーの視線が揺らぐ。サムと同じ部屋にいると、彼女はどことなく窮屈そうだ。夫へ反応を示すことなく、スーが上階へ行く。

サムが息を吐き、指で髪を梳《す》いた。はいているスエットパンツの上の部分に、小さいがそれとわかるぐらいの腹が出ているのを、トニーは認めた。顎《あご》はたるんでいて、顔にしわがある。そのせいで下卑た感じがするが、魅力がないわけではない。放蕩《ほうとう》のわりには老いていない、全盛期から十年たったかつての若手俳優という趣で、少年らしさが顔を覗かせている。トニーは一瞬、十代の少女といっしょにいるサムが想像できて、思わず嫌悪《けんお》を覚えた。

しかし、悲しみと、暗い前途という感覚は残った。ふたりのいる部屋は暗く、狭苦しかった。地面の高さにある小窓から、細長い陽光が射《さ》し込んでいる。薄い煉瓦《れんが》張りの暖炉の上に、レイクシティ・カントリークラブの金のトロフィーがふたつあった。それから、サムと、細身で茶色い髪をした、母親似の少年の写真。もうひとつトロフィーがあって、トニーはなんのトロフィーかすぐにわかった。真鍮《しんちゅう》の文字で、こう書かれている
――〈サム・ロブ、一九六八年度最優秀運動選手〉。急にトニーは息苦しさを覚えた。

サムに見られているのに気づいた。「スーに、おまえは戻ってこないだろうと言ったんだ」サムが静かに言う。「だが、考えてみると、おまえに関して、あいつの勘はいつでも当たってたんだ」

「きみはやっかいごとに巻き込まれている」

「おまえもかつてそうだった」突き刺すようなサムの凝視。「まだそれを乗り越えてないんだろ?」

「乗り越えることは、ありそうにない」

サムが突然視線を落とす。低い声で言った。「俺は殺してない、トニー。だから、警察へ行ったんだ」

その言葉を信じたいという思いの強さに、トニーは驚いた。やはり低い声で尋ねる。

「何があったんだ、サム？」

　サムが窓のほうを向く。すぐには返事をしなかった。「俺たち夫婦に問題はなかった。申しぶんないとは言えなかっただろうが、問題はなかった。いい親だった。正しいことをした——子どもたちを育て、金を節約して、大学へやった。子どもたちは俺たちの人生の中心だった。やがて、あの子らは行ってしまい、俺はどこへも行かず、いまだにここにいて……」言葉を途切らせ、ふたたびトニーを見る。「だから、おまえには来てもらいたくなかった。見られたくなかった」

　率直な言葉に、トニーはびっくりした。サムがみずからの感情を自覚していて、これほど易々《やすやす》と打ち明けてくるとは思ってもいなかった。「マーシー・コールダーのことを話してくれ」

　サムが上階に目をやる。スーの存在が、夫婦間の微妙なバランスが、トニーにはっきりと伝わってきた。

「散歩に行こう」サムが言った。


　かつてサムの両親のものだった家は、高校から数ブロックのところにあった。歩いているあいだ、ふたりは黙っていた。一本一本の通りになつかしさを覚えながら、知り合いだった子どもの木造家屋や煉瓦の平屋を思い出しながら、トニーは、あるひとときとのつながりを感じた。アリスンが死ぬずっと前、この町とこの町の単調さが安らぎであり、彼が気にかける唯一《ゆいいつ》の世界であったころ……。白い家の前で立ち止まる。今ではアルミの羽目板で覆《おお》われているが、メアリ・ジェーン・クーラスの住んでいた家だ。

「彼女、どうなったと思う？」サムが口を開く。「看護婦だよ。それに、孫がいる」

「なんと」

「それだけじゃないんだ。百キロは優に超える巨体になっちまって……」

妙な感じだった。聞いているうちに、トニーは幽霊になったような気がした。〝見たんだよ、トニー・ロードを〟誰かが言っているのが想像できる。〝アリスン・テイラーを殺したあの男が、サム・ロブと歩いてたんだ。きっと、とり調べの受けかたを伝授でもして……〟

サムはしゃべるのをやめていた。「ぞっとするだろ？」やがて言う。

「まあな」

ふたりは歩道に向かい合って立っていた。サムが言う。「あれ以来、家を出てないんだ。誰とも顔を合わせられない」目に涙が浮かんでいる。「そのあいだに、おまえになんでもなくひどいことをしたのに気づいた。大昔のことで」

ふたりは木の観客席に座り、がらんとしたフットボール場を見ていた。あたりには誰もいない。

「ジャクスン・コーチはどうしている？」トニーは尋ねた。

「ああ、あいつは死んだよ。大動脈破裂で。おまえが行って、五年後ぐらいに」サムが頬杖《ほおづえ》をつき、まっすぐ前を見る。「あいつがおふくろとやってたの、知ってただろ。誰もが知ってた」

沈黙がじゅうぶん返事になる、とトニーは思った。

しばらくしてからサムが言う。「まあ、少なくともおふくろは高校生じゃなかった」

あからさまな自己卑下を、トニーは不快に思った。知り合いの少女の死に対する悲しみを、なんらかの遺憾の念をサムが見せることを望んでいたせいだろう。しかし、こういう反応を見るのははじめてではなかった。殺人罪の告発に直面した人間は、自分のことで頭がいっぱいなうえ、圧倒的な恐怖を感じていることもあって、しばしば被害者の存在を忘れるのだ。そして、その人間が無罪の場合、とくにそうなりがちなのをトニーは思い出した。

サムがトニーに目を向けていた。「でも、いつもいぶかってたことがあるんだ。スーに関して。おまえはあいつとやってたんだろ？」

びっくりして、トニーは無表情を決め込んだ。弁護士の反射行動だ。「きみはわたしに多大な信頼を置くくせに、スーにはそうしないんだな」

サムがうなずく。「ああ。あいつも俺にそうしてくれないだろ」

その言葉も、自己をおとしめる性質のものだった。「きみはあのとき、マーシー・コールダーと〝やって〟いたんだろう」

サムが息を吸い、背筋をのばす。返事は返ってこなかった。

「ひとつ、はっきりさせよう」トニーは穏やかに言った。「わたしは今、きみの弁護士だ――昔の友だちでも、高校の同窓会で再会して、偉ぶってみせたい相手でもない。弁護士としてのわたしの役目は、きみを評価することではなく、最良の助言をし、必要とあらば、最良の弁護をすることだ。

そのためには、きみが彼女と寝ていようがいまいが問題ではない。友だちとしての感情がどれほどあろうと、わたしにとっては、そんなことが問題となってはいけないし、きみにとっては、問題となるはずがない。だが、うそをつかれた場合、わたしは弁護を断る。なぜなら、きみがわたしを利用しようとしたら、それは重大な問題となるからだ。そんなことをしたら、きみが手にするのは、そんなきみにふさわしい、ばかげた助言だけだ」

サムが顔を赤くして、トニーのほうを向く。「なあ……」

「わたしをもてあそぶがいい」不満の色を最大限に出した声で言った。「仕事と、おそらくは残りの人生を失っていいのなら。わたしがきみを助けられる唯一の方法は、真実を得ることだ。どんな真実であろうと」

サムが深呼吸をする。「おまえは真実を受けとるよ、トニー。いつも俺にくれてたようにな。だから、おまえのほうこそ、うそをつくな。おまえは気にするよ。十七歳のとき、おまえ自身のガールフレンドが殺されてるんだから、ものすごく気にするはずだ。セックスについては、気にしないかもしれない。だけど、昔の友だちのサムが殺人者かどうかについてはな」

トニーは自分が緊張するのがわかった。「いいだろう、サム……きみには無罪でいてほしい。アリスンのためだけでなく、スーのために。そしてきみのために」一拍間をおいてから、口調をやわらげる。「もしきみが罪を犯しているのなら、今、言ってくれ。べつの弁護士を見つけるよ。きみに必要なのは、わたしではないから。それは最初からわかっている」

サムが上体を乗り出し、トニーと視線を絡《から》み合わせる。「俺はいろんなことをしてきた。おまえが眉《まゆ》をひそめるようなことを。だが、殺してはいない」ひと呼吸おいてから、しめくくる。「頼む、おまえに信じてもらわなくちゃどうしようもない」

サムの声は、押し殺した感情によってしわがれ、真実の響きを有していた。トニー自身、信じたいという思いから、気がつくと、今の言葉のどの部分が真実だろうかと考えていた――すべてか、それとも最後だけか。やがて、返事をした。「なら、信じよう」

サムの大きな体から力が抜けたように見えた。しばらくしてから、彼が言う。「それで、何を知りたい、トニー？」

「すべてを。まずは、マーシー・コールダーがどんな女の子だったか」

長いことトニーを見つめてから、サムが答える。「じつを言うと、トニー、彼女はアリスンを思い出させるんだ」

ふるまいかたがそうなのだ、とサムが説明する。優雅で、秘密に包まれて暮らしているかのように、少しよそよそしい。マーシーはアリスンのようには頭が切れないし、もちろん、特権階級に属してもいない。しかし、なぞめいた、打ち解けない雰囲気が似ている。彼女がいちばん溌剌《はつらつ》とするのは、運動しているときのように思えた。

背が高く、細身だった、とサムが言う。色白で、まっすぐな黒髪が頬にかかっていた。口数が少ないのは、ひとりでいるのを好むからというよりも、内気であるからのようだった。アリスンが実際的――サムの記憶によれば、現実主義者――なのに対し、この娘は夢見がちな感じがした。コーチであったサムは、彼女の才能をのばすことになった。

しかし、彼女はじつに才能にあふれていた。そして、サムは認めるのだが、マーシーを、彼女が注意深く彼の話に耳を傾けるようすを、彼を信頼しきった目を、見るのが好きだった。目のほかには、脚が抜群だった。胸はぺちゃんこだったが、脚はバレリーナの脚のように美しく、百ヤード走だけでなく、二百二十ヤード走でも力強さを発揮した。サムが女子陸上部の顧問に任ぜられたのは、校長の思いつきからだった。サムはその役割を侮辱と受けとった。校長がサムの時間を重要ではないとみなしているから顧問にされた、と思ったからだ。サムも栄光を過去のものと認め、かつて秀《ひい》でていた分野で若い娘たちを指導しているうちに、その行為は行き詰まった人生の単調な仕事になった。だが、マーシーが変化をもたらしてくれた。彼女がサムを尊敬したばかりではなく、サムのほうでも彼女を優れた選手にすることができた。はじめてマーシーが、短距離走でいちばん重要なスターティング・ブロックからの飛び出しかたを練習後に教えてくれと言ってきたとき、サムは喜んで指導した。一時間後、マーシーはずっとよくなった。トラックで前のめりになったマーシーの姿を後ろから見ながら、サムははじめて、彼女の腿《もも》の腱《けん》に、尻《しり》の堅さに見ほれた。体を緊張させ、サムからのスタートの命令を待つ姿には、肉欲をそそるところがあった。

シーズン最初の競技会で、マーシーは二種目とも優勝した。

そのときでさえ、マーシーは口数が少なかった。だが、サムは彼女の目に気づいた。目がきらきら光っていたんだ、とサムはトニーに語った。マーシーが走ることへの愛情以上に大事なものを見つけるのを、サムは手伝った。彼女は、マーシー・コールダーは、最高だった。駆け寄ってきた彼女に抱きしめられたとき、サムは、思ったよりもぴったりと体を押しつけられて、自分の体が反応するのがわかった。

選手たちはロッカールームへ行った。サムは、校長室の隣りにある自分の執務室へ行った。秘書たちは帰宅しており、校長は会議に行っていた。サムは、競技会の報告書を書き始めた。

執務室の外で足音がした。静かな足音。生徒による盗みが問題になっている時期だった。サムが立ち上がろうとしたとき、マーシー・コールダーが戸口に現われた。まだトラックスーツを着たままだ。その姿に驚いて、サムの心臓がどきんとした。彼女の長い脚を見つめ、それから真剣で落ち着き払った目へ、鼻梁《びりょう》に散った薄いそばかすへ、視線を移す。口が開かれる前から、男なら誰でも知っているあの奇妙な電気——言わずともわかるという感覚——を感じた。

サムは微笑《ほほえ》もうとした。「やあ、マーシー。どうした？」

マーシーは目をサムに据えたまま、肩をちょっとだけすくめた。「お礼を言いたくて」

「なんの？　あのレースに勝ったのは、きみだ」

マーシーがゆっくりと首を横に振る。「先生のおかげで勝てたんです」低い声。「あの、ドアを閉めていいですか？」

サムは喉《のど》がしめつけられるのを感じた。ドアを閉じた部屋で生徒に会ってはいけない、と何度教師たちに言っただろう、と自問する。今どきの親は猜疑《さいぎ》心《しん》が強いから、性的いやがらせで訴えられる危険がある。プライバシーは高くつくのだ。「いいよ」気がつくと、そう言っていた。「その必要があると思うのなら」

マーシーがうつむいてドアを閉める。サムに顔を向けたとき、少しとまどいを見せた。「先生が大好きです」

頭を血液がどくどくと流れるのを感じながら、サムはもう一度微笑もうとした。「娘のジェニファーもそう言ってたよ。俺の本質を見抜くまでは」

マーシーの目はその言葉を受け入れていない。どうしてそんなに確信を持っているのだろう、自分のどの態度が心の内を明かしてしまったのだろう、とサムは考えた。マーシーが穏やかに言う。「女としてです、ロブ先生」

サムはにこやかに受け流すべきだった。だが、口から出たのは、「ああ、そうなのか」という言葉だけだった。

マーシーが椅子《いす》のすぐ前まで来る。彼女の首から下がる十字架が、繊細な鎖骨が見えた。「男のひとと寝たことはありません」静かに言う。「まだ準備ができていないと思うんです」

「先生もそう思うぞ。そして、準備ができたときはな、マーシー、相手は年相応のひとだよ」

「いいえ。先生がいいんです。今はだめだけれど」

わきにあるブラインドが上がっていることに、サムは気づいた。中庭から用務員に見られるかもしれない。「じゃあ、何が望みなんだ？」

マーシーはサムの視線を追っていた。彼女がブラインドを下げるのを、サムは止めなかった。

マーシーがひざまずき、サムのベルトのバックルをはずす。

「マーシー、よさないか……」

マーシーが顔を上げる。「やりかたは知っています。やったことはないけれど、話はきいているから……」言葉を途切らせ、頭を下げた。

サムは思考を止めた。

体をわずかに起こす。視線を下げると、すでに感じていることが行なわれているのが見えた。マーシーの黒髪が彼の腿をこする。

しばらくのあいだ、サムは動かなかったし、声も出さなかった。

トニーには、事実とは思えなかった。魅惑的な生徒と、中年男……。

「『ロリータ』は終わったか？」トニーは言った。「典型的な男の空想だな」

サムが、まっすぐ前を見つめたまま、肩をすくめる。「だからあんなことになったんだろうな」

トニーは間をおき、疑問点を考えた。「十六歳の生徒がそんなふうにきみのところへ来た？　きみからの誘いも、思わせぶりな言葉も、彼女が少し常軌を逸していたという事実もなく？　いきなりやってきた？」

「真実を知りたかったんだろ」サムがくってかかる。「これによって、俺はレイクシティから追い出されるだけじゃないし、教員免許をとり上げられるだけでもすまないんだ。ほかの教師があす、そんな話を打ち明けたら、俺はその話を郡の検事長に持っていかなきゃならないだろう。サンフランシスコは知らないが、この州では、承諾年齢未満の少女との性交とオーラルセックスは、刑務所に入れられる犯罪なんだ」苦々しさの交じった低い声。「教頭という立場の俺は、どこかの判事にとって恰好《かっこう》の具体例となる。すでに俺は、彼女とセックスしたかもしれないという理由で、休職になってるんだ。だから、俺の〝典型的な男の空想〟は、うそですますには重すぎる話なんだよ、トニー。スーに出ていかれ、子どもたちに目をそらされるとしてもな」

トニーは背もたれに体を預け、フットボール場を眺めた。スーとアリスンに見守られて、自分とサムが、夢見てきた瞬間を勝ちとった場所……。「わかった」と、静かに言う。「彼女が死んだ晩について話してくれ」

3

ふたりは夕暮れどき、八時半ごろに、今は使われていないガソリンスタンドの駐車場で会った。こうして待ち合わせるのは二回めだった。前回と同様、マーシーは自分の車を降りて、サムの隣りの助手席に移った。六週間前の最初の夜は、何ごとも目新しく感じる自発的な娘とのデートという新鮮さに、待ち合わせの危険性が加わってわくわくした、とサムはトニーに打ち明けた。そのときふたりはテイラー公園へ行った。灌木《かんぼく》に囲まれた場所で、マーシーは服を脱いだ。サムがコンドームを付けているあいだに、マーシーは寝袋に横になり、彼のために脚を広げて待った。サムは彼女を傷つけないよう注意した。なかに入ったとき、彼女の心臓のかすかな鼓動と、顔にかかる息が感じられた。やがてマーシーがささやいた。「大好き」あまりにもか細く、あまりにも若々しい声に、サムは恥ずかしさを覚えながらクライマックスに達した。

サムの話では、マーシーが消えた夜は最後の夜になるはずだった。弁護士としてのトニーは、それが事実だとは思えなかった。だが、サムには話術の才能があった。出だしの部分から、トニーは車のなかの静けさを想像できた。自滅の道から引き返したがっている男、ふたりのあいだの深淵《しんえん》を忘れて、空想に夢中になっている娘……。

トニーは椅子《いす》に深く腰掛け、サムの話す夜を心に描くのを自分に許し、ときには、信じさえした。

その晩は涼しく、晴れていた。平日だったので、テイラー公園の駐車場にひとけはなかった。車が停まると、マーシーが体を寄せてきて、ささやくようにきく。「今夜は何がしたい？」

サムはすでに気をもみながら、腕時計を見た。書類を忘れたから学校で仕事をしてくる、とスーには言ってあった。だから、いまだに彼をあがめ、いまだに秘密を誓っているマーシーと別れるのに、だいたい一時間ある。

「きみがここにいるのを、誰も知らないんだね？」サムは尋ねた。

すばやいうなずきと、サムの頬へのキス。「今はまだ、わかってもらえないもの」

純潔を捧《ささ》げた男をののしることになろうとは夢にも思っていないマーシーを見て、サムは胸が詰まった。やがて、彼女の言葉の意味に、強い衝撃を受けた。マーシー・コールダーは、空想の未来で、レイクシティのひとびとにわかってもらえると信じているのだ。

「ちょっと話をしよう」と、サムは言った。

マーシーがそれをすんなりと受け入れ、サムの膝《ひざ》に身を滑り込ませ、顔に頭を押しつけてきた。いちだんと細くなった感じがする。サムは、クリスマスイブに、綿のネグリジェを着たジェニファーが、自分の腕に抱かれて、スーに『クリスマスのまえのばん』を読んでもらう姿を思い出して、心を乱した。

「わたしたち、結婚すべきだと思う」マーシーがささやく。

暗いなかで彼女を抱きながら、サムは驚きに言葉を失っていた。まだ十六歳とはいえ、この娘があまりにも幼いことを、どうして忘れていたのだろう？　彼女がいだいているのは、映画スターにあこがれるような幼稚な恋心、あるいは、同じように幼稚な、父親のかわりを求める感情ではないか。

しばらくして、サムは答えた。「それはできないと思う」

マーシーが上体をそらし、サムの顔を覗《のぞ》く。「どうして？」

どこから始めたらいいのだろう？　「俺には妻がいる」ありていに言った。

その言葉が理解されるのを見守りながら、サムは状況の異様さを感じずにはいられなかった。二十四年連れ添ったスーのことを、彼女のかわりになろうと空想している十代の娘と話し合うとは……。「ほかにもいろいろある」続けた。「きみのご両親、俺の仕事、他人が俺をどう見るか。こう見るんだよ――女生徒の両親を、学校を、教師への自然な愛情を裏切った中年男と」

「違う」マーシーが突然涙声になった。「わたしの先生に対する気持ちは、それよりもずっと強くて……」

「なら、俺はついてる」必死のあまり、サムは口のうまさに頼った。「きみの人生の一部になれたことでも、ついて――」

突然、言葉を切った。バックミラーにヘッドライトが映ったのだ。振り返って、警官でないことを祈る。やがて、車が離れた場所に停まり、ライトが消えた。胸が高鳴るなか、ふたたびマーシーを抱き寄せると、その細い体に強靭《きょうじん》さを感じた。

「先生に、わたしの人生になってほしいの」声が力強くなり、不気味なほど自信がこもる。「結婚してしまえば、みんなは受け入れるわ。わたしは高校を卒業して、大学に行く。両親が望んだとおりに――」

「マーシー」サムは声を高くし、さえぎった。「きみのご両親には会ったことがある。きみのお父さんが、自分より年上の義理の息子と、きみの陸上のコーチといっしょにいる姿を想像できるか？」相手を怒らせるのではないかと怖《おそ》れて、サムは自分を抑えた。「俺たちが愛し合うことはできないんだ、マーシー。きみの人生になるには、俺は歳《とし》が行きすぎてる。あまりにも年上の男と十年暮らして、あとの二十年を、老人の世話でむだに費やす気か」

マーシーは静かになっていた。先ほどよりも冷静で大人びた声で言う。「じゃあ、奥さんと別れられないのね」

サムは彼女の声の低さに不安を覚えたが、その現実的な言葉にすがった。「ああ。そんなことはできない」

緊張しながら、マーシーの返事を待つ。「わかったわ、サム」はじめて使われた名前には、若者の軽蔑《けいべつ》の響きがこめられていた。「誰にも言わない。それがお望みなんでしょ?」

サムが次に吐いた息は、ため息に近かった。「ああ。それがきみにとっていちばんいいんだよ、マーシー。それに、俺も助かる」

「助けてあげるわ」マーシーが冷たく言う。そのとき、細い明かりのなかに、彼女の顔が現われた。肌は青白く、涙は大理石のすじのようだ。と、マーシーが体を離し、車のドアをいきなりあけた。「今すぐ、助けてあげるから――」

サムはマーシーの袖《そで》をつかんだ。「待って――」

マーシーがその手を振り払う。「なんのために?」激しい口調。「大切な思い出をもっとくれようとでも……?」

言葉が途切れ、マーシーはいきなり外へ出ると、走り去った。

サムは何も考えずに運転席側のドアをあけた。冷たい空気に顔を打たれながら、目を凝らしてマーシーのほうを見ると、湖の上の月に照らされて、黒い影が駆けていく。追いかけようとしたが、もう一台の車を思い出して、足を止めた。マーシーは暗闇《くらやみ》に消えた。

サムは決心がつかずに、その場に立っていた。やがて、現実の生活がこの窮地から自分を引っ張り出そうとするのを感じた――ここを去って、周囲の期待どおりのサム・ロブになれる場所にふたたび身を置かなくてはならない。マーシーの車は、五百メートルと離れていない場所に駐《と》まっている。感情の高ぶりが収まれば、彼女も門限のある十六歳の少女に戻って、帰宅の途につくだろう。あすになったら、サムは学校で、マーシーとは何もなかったような顔をするむずかしい作業を始めるのだ。

後ろをちらと一瞥《いちべつ》してから、車に戻った。

隣りの席が、がらんとして見えた。身を乗り出して、助手席側のドアを閉め、心を落ち着かせるためにラジオをつける。まだ動揺していた。公園を出るとき、ヘッドライトの明かりに、駐まっている例の車の黒っぽい姿が映し出され、ダッシュボードの上に、頭がひとつ、ぼんやりと見えた。こちらを見ているようだった。

サムは家へ帰れなかった。直感に従って、スーに言ったとおり、学校へ行く――うそをつくいちばん簡単な方法は真実を混ぜることだと知っていた。考える時間が必要だった。

陰気な蛍光灯の明かりの下、サムは執務室の椅子にどさりと腰を下ろした。心が千々に乱れた。できるのは、一歩一歩、以前の生活へ戻ることだけだ。最初の一歩はスーに電話することだと決心した。

番号を回し、妻の声を待つ。留守番電話の自分の声が聞こえてきたとき、根拠のない恐怖に突き刺された。どういうわけかスーがあとを尾《つ》けてきて、あの黒っぽい車にいたのはスーで、今はテイラー公園でマーシー・コールダーと顔を突き合わせているのではないか。

電話では、テープの声が終わり、ピーという音が鳴った。

「やあ、うるわしのきみ」いつもどおりの声を、できれば少し疲れ気味の声を出そうと努めた。「思ってたよりもこいつが——勤務評価の仕事が、時間を食いそうなんだ。もう少ししたら帰るよ」

受話器を下ろしながら、これが最後のうそになると思って、一瞬、ほっとした。やがてすぐ、不安の波が押し寄せ、スーがなぜ電話に出なかったのかとふたたび考えた。

帰り道——たぶん四分ぐらい——は、マーシーのことで頭がいっぱいだった。もしかするとまだ公園にいるかもしれない。戻るべきか迷った。と、マーシーが両親といる光景が脳裏にはっきりと映し出された。彼女は感情をほとばしらせて、サム・ロブにされたことを訴えている。気がつくとサムは、びくびくしながら自宅のドアをあけていた。

地階は暗く、静かだった。気分が気分なだけに、静けさに不安が増した。

ゆっくりと上階《うえ》へ上がった。

寝室から声が聞こえてくる。サムは静かに廊下を歩いた。ドアの前で耳を澄ませてから、どきどきしながらなかに入った。

スーはベッドにいて、爪《つめ》にやすりを掛けながら、半ばうわの空で十一時のニュースを聞いていた。

「電話したんだよ」サムは言った。

スーが興味なさそうに顔を上げる。「シャワーを浴びてたんだわ」そう言ってから、顔をしかめる。「また爪を折っちゃって――まるで洗濯女の手よ」

サムは一瞬その場に立ち尽くした。「きみの手は美しいよ、お嬢さん。指が長い」

スーが口もとを小さくほころばす。「まあ、ジェニーほどじゃないけど」

その言葉を聞いて、サムはなぜか妻にキスをしたくなった。だが、思い止《とど》まった。どんなふるまいが奇妙に、あるいはやましいところがあるように見えるのか、わからなかったからだ。ボクサーショーツに着替えて、ベッドに入った。

「疲れたよ」真実を言えて、満足だった。

スーがリモコンに手をのばす。「じゃあ、お眠りなさい」そう言って、テレビを消した。

もとの生活へのさらなる一歩だ、とサムは胸の奥でつぶやいた。マーシーについて考え、あすの対面を怖れながら、暗闇のなかで、スーの注意を引かないよう、じっと横になっていた。

翌朝、空の胃に入った三杯のコーヒーを酸のように感じながら、レイクシティ高校教頭のサム・ロブは、自分の執務室で、ホームルームの出席表が来るのを待っていた。かつてのクラスメイトの妻、ジェーン・ムーアが、教務課の秘書をしている。サムはドアの外に顔を出した。

「出席表は来た？」

ジェーンが、眉《まゆ》をひそめた顔を向ける。「いいえ。でも、ナンシー・コールダーから、マーシーのお母さんから電話があって……」

「何かあったのか？」

「そうじゃないといいけれど、居場所がわからないそうよ」

サムは首をかしげた。彼の人生におけるこの最悪の瞬間、足もとの地面が崩れ去るのを感じながらも、教頭らしい声――動揺ではなく、ほどよい気づかいの混じった声――が出たのを誇らしく思った。「ナンシーが最後に娘さんを見たのはいつ？」

「昨夜八時ごろ。友だちのところへ行くと言って、戻ってこなかったそうよ。ナンシーくれ」

は警察に連絡したわ」

ジェーンを見つめながら、サムは自分の沈黙の重みを感じた。「連絡を絶やさないでくれ」

九時半になっても、誰もマーシーを見ていなかった。

執務室を出て、サムは駐車場の車のなかにいた。擦り切れたフェルトの助手席に、マーシーの体が残した小さなへこみが見えるような気がする。

あれこれ考えた。時がたつにつれ、自分の臆病《おくびょう》さがはっきりしてきた。勇気を奮い起こし、肚《はら》をくくって、警察署へ向かった。

ふたりの刑事、ジャック・シードとカール・タリーが、コーヒーを手に立っていた。なぜかほっとした。ふたりとも高校に息子を行かせていて、自分たちの子どもを好いている人物としてサムを知っているからだ。ジャック・シードが眉を上げた。「やあ、サム。どうした？」

「マーシー・コールダーの件で来た。昨夜、両親よりあとに、彼女を見たんだ。八時半ごろから、たぶん十時までのあいだに」

「十時？」ジャック・シードが安堵《あんど》したような声を出す。「どこで？」

「テイラー公園」

このときはじめて、サムはシードの目の鋭さに気づいた。「テイラー公園」刑事がくり返す。「いっしょに来てくれるか?」

パトロールカーが駐車場に停まった。サムは後部座席にいる。夜のうちに雨が降りだし、公園は光沢があって、湖に冷たい靄《もや》がかかっていた。

サムは前の座席へ身を乗り出し、指さした。「あそこだ。最後に見たとき、あそこを走ってた」

ジャック・シードが振り向く。ほっそりした顔に穏やかな好奇心が現われる。「夜に? なぜ走ってたのか、知ってるのかい?」

「話をしてたんだ。彼女が……動揺して」

シードが唇をすぼめる。「ほう」そう言って、タリーのほうを向く。「ちょっくら見てこよう」

サムの顔を見ていたタリーが、視線を移す。ふたりは車を降りた。サムがあとに続いても、文句は言われなかった。

草地を歩きながら、シードがまわりを見て言う。「くそみたいな日だな」

「くそみたいな夜だよ」タリーが答える。サムがいないような口ぶりだった。

崖《がけ》まで数メートルのところで、シードが地面を見ながら立ち止まった。振り返って、小声で言う。「そこで待っててくれないか、サム」サムは足を止め、ふたりの刑事が、何かを踏むまいとするかのように、わずかに方向を変えるのを見た。

刑事たちが崖っぷちへ歩き、下を覗く。

少し身を乗り出したのはタリーだった。シードは身を凍らせた。「なんてこった」シードが低い声で言う。

サムは近寄った。ふたりのあいだに立って、マーシーを見下ろしたとき、誰も口をきかなかった。

彼女は崖のふもとに顔を上にして倒れていた。昨夜と同じ、陸上チームのトレーナーを着ていた。トレーナーは、彼女がサムの車に入ってきたとき、媚態《びたい》を示すように言った秘密——ブラを付けてないの——を隠していた。上から見ると、小さなぬいぐるみの人形のようだった。

サムは呆然《ぼうぜん》として、崖っぷちに座り込んだ。上方でシードがささやくのが聞こえた。

「救急車を呼んだほうがいい」

そのときようやく、これまでの人生が終わりを告げたと、サムは気づいた。

長いあいだ、トニーは口を開かなかった。サムの話はトニーを過去の奥深くへ、アリスンのもとへ連れていった。自分自身のことのように、サムのことがわかった——無実で、恐怖におののいていて、ぬきさしならない状況に置かれている。しかしトニーは、マーシーの悲劇のほうにより同情した。ティーンエイジャー特有の感情の大きな高まりは、いやというほどよく覚えている。たとえ事実だとしても、サムの話の大部分——身勝手な行動、信頼に対する裏切り——は、利己的で卑《いや》しむべきものだ。

木製の観客席に長く座っていたために体がこわばり、トニーは立ち上がった。隣りのサムは、腰を下ろしたまま、ぼんやりと空《くう》を見つめている。「俺のせいで死んだんだ」

サムがつぶやく。「それはわかってるが、今さらどうしようもない」

サムはこちらに顔を向けられないのだ、とトニーは気づいた。「警察にはなんと言った?」

サムは勇気をかき集めているようだった。低い声で言う。「たわ言さ」

「どんなたわ言を言ったのかときいたんだ」

意図したよりもきつい口調になった。サムが背筋をのばす。「おまえが予想してるようなことだ。マーシーが一方的に熱を上げたとか、俺は拒絶したとか。マーシーとふたりきりになったのは、とりわけ公園でそうなったのは思慮に欠けてたけど、マーシーにあまりにも聞き分けがないから、ドラッグか何かの問題があるんじゃないかと思ったとか。俺の頭にはマーシーを助けることしかなかった、と説明したよ。だけど、ほんとうに俺の頭にあったのは、なんとかして自分を救うことだけだった」

「そんな話が通用すると思ったのか？」

サムがトニーのほうを向く。目に、見覚えのある挑戦的な光をたたえていた。「死人に口なしだ、トニー」

あからさまな言葉に、トニーは返事ができなかった。現実的で無情なこの発言は、サムが警察に語った話にも当てはまれば、今トニーに語った話にも当てはまる。落ち着かない気持ちで、トニーは、どの部分が創作で、どの部分が真実なのだろうかと考えた。きのうのことのようにはっきりと、アリスンについて、自分が警察にうそをついたことを思い出した。

「それで、スーには？」ようやく、トニーはきいた。

挑戦的な光が消えた。「同じことを言ったよ」サムが言葉を切り、立ち上がる。「マーシーと寝たことを告白しといて、誰かにきかれたときはうそをつけと頼めるか？　スーを思っての説明さ。たとえ彼女がひと言たりとも信じちゃいなくても」

またもやトニーは、サムの生存本能のしたたかさに驚かされた。安全だと知って、トニーにはより真実味のある話をして、自分の恥を認めると同時に、偶然殺人の疑いをかけられた無実の人間として、トニーの同情を得ようとしている。サムが静かに言う。

「これは誰にも認めたくなかったが、トニー、スーがおまえに連絡したがったとき、俺は自分がおまえの目にどんなにみじめに映るかってことしか、考えられなかった。だけど、こんなにいやな気分だとは思ってもみなかったよ」

トニーはポケットに手を突っ込み、黙っていた。

「それで」サムが言葉を継ぐ。「スーについちゃどうする？」

どうにでも解釈できる質問に、トニーは心を乱された。サムを見ると、皮肉っぽい、うっすらとした笑みを浮かべている。「あいつには言えないだろ、もちろん――おまえは俺の弁護士なんだから。どんな気持ちだい、いちばん古い友人とその女房のあいだにっちもさっちも行かなくなって？　それを言うなら、いちばん古い友人とその亭主か」

一瞬、トニーは、なじられているような、屈辱感を持ったサムから巧妙な仕返しを受けているような気がした。静かに答える。「スーに説明するつもりだよ。きみの問題をさらに増やすことなど、気にならないから」

サムがまばたきをする。顔から、皮肉っぽい表情が消えた。「謝るよ、トニー。ほんとうに。今のことも、これまで言ったことも全部。だが、俺は決して殺しちゃいない」

家に戻ると、サムは上階の寝室へ行き、トニーはスーとふたりきりになった。トニーに向けられたスーの陰気な微笑《ほほえ》みは、サムのそれを思わせたが、スーのほうがより悲しみがこもり、悪意はまったく見られなかった。

「あたしに言うことがあるんでしょう」スーが言った。

トニーはカウチの、彼女の近くに腰を下ろした。「サムの弁護士として、何も話せないということだけ。サムのほうも話せない」

スーがトニーの目を見つめる。「妻は夫に不利な証言ができないと思ってた」

「そこはちょっと込み入っている。だが、要点を言えば、場合によってはきみしだいなんだ」スーの手に触れると、自分の役割の奇妙な二重性をふたたび感じた。「今のところは、関わりを持たないほうがいい。あとになって、法律ではなく、きみたちの結婚についての問題になったら、あいつと話し合うことができる」

スーはトニーを見続けた。「ああ、トニー、あのひとはその娘《こ》と寝てたのね？」

トニーは答えなかった。スーの疑問はトニーに向けられたものではなかった。やがてスーが言う。「状況がこれ以上悪くならないことを願うだけだわ」

「あいつは、彼女を殺していないと言っているよ、スー。その点は世間に受け入れられると思う」ひと呼吸おいてから、スーを元気づけるように言う。「あす、郡の検事補に会いに行く。たぶん、そこのところは消えてくれるだろう」

スーが口もとを小さくほころばせる。「消える？　そういう話は〝消え〟ないものよ。誰よりもよく知ってるくせに」

ふと、トニーはほかのことを思い出した。いっそう声を低くして言う。「少なくともひとつだけ、言っておかなくてはならないことがある。きょう、サムと話をしているときに、きみと寝たことがあるのかときかれた」

スーの顔に驚きは現われなかった。ゆっくりとうなずいて、「以前、その話題が出たことがあるの。あのひとにはなんて言ったの?」

「たぶんきみと同じことを」

スーはしばらく黙っていたが、やがて首を振った。「かわいそうなトニー。いろんな秘密を胸にしまっておかなくちゃならないのね。あたしたちのまで」

4

時の経過はスティールトンの外見の変化にはほとんど寄与していないようだ、とトニーは思った。煤煙《ばいえん》ときびしい気候が灰色のコンクリートの気孔に染《し》み込むようすも変わっていなければ、河岸の緑地の保護に対する重工業の一世紀にわたる無関心も変わっていないし、どこにも木立ちがないのも以前と同じだし、いくつかの没個性的なガラス建造物はべつとして、斜陽鉄工業《ラスト》地帯の最後の最盛期、四〇年代と五〇年代の姿を保つ退屈な建物も同じだった。街を代表する鳥は、いまだに鳩《はと》らしい。スティールトン広場の無味乾燥なコンクリートの上を、鳩の群が行ったり来たりし、そこに鎮座する鋳鉄《ちゆうてつ》製のピウスーツキ元帥《げんすい》（訳注　一八六七〜一九三五。ポーランドの軍人・政治家）像の台座を汚している。トニーは常々、東ヨーロッパを灰色で封建的な場所だと想像していた。彼の心のなかでは、スティールトンに住みついたポーランド人とチェコ人とリトアニア人とスロバキア人は、工場を建てたカルヴァン主義の実業家たちがもたらした荒涼とした風景と調和してしまっていた。裁判所の隣りにある、四〇年代のコンクリートの倉庫という趣の郡検事事務所に近づきながら、トニーは、自分の運命がここで決まったことを、落ち着かない気持ちで思い出した。自分の、あるいはアリスンの名前の載ったファイルが、いまだに内部に保管されているのではなかろうか。

四階へ行き、防弾ガラスの仕切りの向こうにいる男の受付係に名を名乗って、ステラ・マーズに面会を求めた。

彼女は、活力のみなぎる動きで、標示のないドアを抜けてきた。手を差し出し、好奇心と最小限のユーモアのかけらをともなって、トニーを検分する。まるで、一介の郡検事補の前にアントニー・ロードが現われたことが好機、あるいは少なくとも刺激となるかもしれないと思っているかのように。

「ステラ・マーズです」それだけ言うと、トニーの先に立って、迷路のようなリノリウムの廊下を歩き、セメントの防波堤越しにエリー湖が見える――灰色の上に灰色――オフィスへ行った。窓のほうへうなずいて、「景色を楽しんでくださるといいのですけれど。先週までは、駐車場を見渡すオフィスにいたんです」口調から、彼女自身は忙しすぎて景色に注意を払っていられないことが伝わってきた。きびきびした職業的な態度の下に、仕事中毒者の顔があることを、トニーはたちまち見抜いた。

歳《とし》は、三十代半ばから後半ぐらい。トニーの経験がなんらかの判断基準になるとすれば、注目の殺人事件となる可能性のある事件を任されたということは、新進気鋭の検事補なのだろう。こうしてふたりきりで会っていることから、もはや刑事部の責任者の付き添いは必要としていない。がっしりした体つきで、顎《あご》にくぼみがあり、どことなくエキゾチックな茶色の目を持つ丸い顔はきわめて魅力的で、スラヴ系の女性を想《おも》わせるユーラシア大陸の雰囲気があった。髪は茶色で、肌は白く、化粧と仕立てのよいグレーのスーツから見て、外見に気を遣っている。部屋のすみに置かれたジム用のバッグは、もうひとつの推測を補強した。すなわち、彼女は体を鍛えており、しかもそれに関して時間をむだにしない。

「遠いところをようこそ」ステラ・マーズが言った。

「そんなに遠くはありませんよ。ここは生まれ故郷です」

「存じております。あなたの伯父さんだと思うのですけれど、父が鉄鋼労働者組合に入るのに手を貸してくださいました」

トニーは微笑《ほほえ》んだ。「ジョー・スタニチェック。母の兄です」

「そのひとですわ。でも、わたしが生まれる前に、あなたの家族は引っ越してしまいました」

またもや推測が当たった、とトニーは心のなかでつぶやいた。彼女は労働者階級出身のポーランド系市民で、懸命に這《は》い上がってきたのだ。トニーの両親が引っ越してから、彼に起こったことについて、目の前の女性はどの程度知っているのだろうか。「レイクシティに移ったんですよ」トニーは言った。「それでサム・ロブと知り合いなんです」

ステラが首を傾《かし》げて、トニーを観察する。トニーは、両親がかつて住んでいた地をここ何十年も訪れていないことを、親戚《しんせき》に関して言えば、クリスマスカードを送るだけの付き合いだということを、ステラが知っているのをさとった。加えて、ステラ・マーズにとって、そういう義理堅さが重要であることもさとった。「サム・ロブは運がよかったわ」ステラがようやく言う。「この件について、どの程度ご存じなのですか？」

トニーは肩をすくめた。「彼が警察に語った内容は知っています。だが、そちら側の情報はまったく知らない。何かわたしが知っておくべきことはありますか？」

ステラが眉根《まゆね》を寄せる。「隠しごとをしても意味はないと思っています、ミスター・

ロード――」

「トニーと呼んでください」

「訴追することになった場合、わたしは証拠を開示しなくてはなりませんし、トニー、事件に問題があるかどうか前もって知っておきたいと思っています」指を組み合わせる。「それがわたしの仕事の進めかたです」

どこか身構えた発言だ、とトニーは思った。ステラは、トニーの評判が高かろうと、光沢紙の雑誌に妻といっしょに載ろうと、わけもなくひれ伏す気はないと知らせておきたいのだろう。トニーは丁重に言った。「それはすばらしいし、いいことだと思いますよ。双方にとって」

ステラが小さく口もとをゆるめる。その顔はこう言っていた。〝さて、自分たちがどんなにいい人間かを認め合ったところで、今度は実際にはどうか見てみましょう〟

「まず最初に」と、ステラが口火を切る。「被害者は殺されたのだと、わたしは強く確信しています」

直截《ちょくせつ》な物言いに、トニーはたじろいだ。「事故か自殺ではなく？　マーシー・コールダーについて、わたしはほとんど知りません。でも、彼女は動揺していた、とサムは言っていますし、十代の子どもは恐ろしく感情の起伏が大きい。すべてのつらい経験がはじめての経験です。落ち込みをやわらげる手段を持たない子もいる」

「まさに〝落ち込み〟ですね」ステラの目は笑っていない。「あるいは、わたしたちが考えているとおりであれば、押し出された、と言うべきでしょうか」

「その理由は？」

「レイクシティの警察が――最近ではとても優秀なのですよ――犯罪現場で慎重な捜査を行ないました。検死官事務所の専門家もです。

まず、死体発見現場の上方の崖《がけ》は、へりまでの一メートルがむきだしの土で、草地ではありません。マーシー・コールダーの靴のサイズの足跡はありませんでした。しかし、足跡はあったのです――十一サイズのランニングシューズの」眉を上げて、「サム・ロブの靴のサイズです」

トニーは微笑んだ。「わたしもそのサイズですよ。もちろん、合致するランニングシューズを求めて、彼の家を捜索したんでしょうが……」

「ほかの十一サイズの靴はありました。つまり、足跡が彼のものではないか、彼が靴を処分してしまったか、です」間をおき、指の先を突き合わせる。「もっとやっかいなのは、崖の上に付いていた滑り跡です。十一サイズの靴の跡と平行に走っていました。誰かに引っ張られた、べつの誰かの足によってできたような跡です。マーシーのテニスシューズのつま先に、同じ土が付いていました。だから、マーシーが引きずられて、それから崖の向こうへ放られた、と推測するのが順当でしょう」

ステラの顔がけわしくなっている。少女の最期《さいご》の瞬間を想像する検事補を見ながら、トニーは、彼女に検事をめざさせた情熱を感じた。「だとすると、彼女は死んでいたか、気を失っていたんでしょうね」

「死んでいた、と思います。崖の上にあったフットボール大の石で、頭部を三度打たれて。少なくとも検死官はそう考えています」

「落ちるときに頭を打ったということはありませんか？」

ステラがうなずく。「ありえます――ひょっとすると。でも、マーシーの髪と彼女のAB型の血液がいたるところに付いた石が発見されています。遺体から数メートル離れた場所に、投げられたかのように転がっていた。そうでないとすると」ここでステラが唇を固く結ぶ。「マーシーの頭はその石に横からぶつからなくてはなりません。玉突きの玉のように。物理的にとても妙です。それに、ぶつかったにしてはあまりにも多くの毛髪と血液が石に付着しています」

こういうことを約二十年やってきた、とトニーは心のなかでつぶやいた。だが、どの殺人事件でも、死そのものを想像する瞬間が必ずあった。今、トニーは無意識に、黒髪の少女の頭蓋骨《ずがいこつ》を石が砕くところを、目で見、耳で聞いた。

トニーは言った。「これが殺人であるというあなたの考えが正しいとしても、わたしは長年サム・ロブを知っています」

ステラがうなずく。「そして、今後彼が警察に話をすることはない、ですね？」

「そのとおり。すべて、わたしを通すことになります」

ステラがトニーの顔をじっと見る。「では、わたしにかわって、あなたの古いお友だちに、ひとつきいてもらえませんか？　なぜ、彼の車のハンドルに血のしみがあったのか」

トニーは唖然《あぜん》とした。「何型の？」

「AB型」ステラの声には抑揚がなかった。「たぶん、単純な理由があるんでしょうけれど……」

トニーは必要以上に動揺した。突然、自分の弱点がわかった。トニーとしては、サムが無実でなければならないのだ。精いっぱい何気ない声で言う。「言うまでもなく、DNA鑑定に出しているんでしょうね」

「もちろん。でも、すぐには結果が出ません」

「検死報告書は？」

「まだです」間をおいてから、「それは、やむをえないとき――正式に起訴となった場合にのみ、そちらに渡します」

トニーは思案した。「仮に、あなたが正しいと――彼女は誰かに石で殴られて殺されたとしましょう。血液は、殺人者の体全体から見つかるだけじゃない。彼女の体からも、そして、殺人が起こった場所のそばの地面からも見つかるでしょう」

ステラがトニーを見据えたまま、ゆっくりとうなずく。「そう考えてもいいです」

「サムの家で、あるいはサムの服から、血液が見つかりましたか？」

「いいえ。正気の殺人者なら、服を始末するはずです」

「でも、崖のそばはどうでした？」

「あの晩は雨が降ったのをご存じでしょう？」

「目撃者も見つかっていませんね」

「今のところは」ステラがはじめていらだたしげな顔になる。「起訴できるだけの要件がそろっていれば、とっくに彼を起訴しています」

トニーは攻撃の手を少しゆるめることにした。「それを聞いてうれしいですよ、ステラ。だが、サムの動機がどう考えられているのか、首をひねらずにはいられないんです」

ステラが両眉を上げる。「十六歳の少女とセックスしたからというのは？　彼女が事をおおやけにすれば、サム・ロブはおしまいです」

トニーは淡々とした口調を保った。「わたしの記憶によれば、彼はそんなことはなかったと警察に語っていますよ。いずれにしても、進退窮《きわ》まったからといって、殺人を犯すのはふつうじゃない。うそをつくのなら、わかりますけれどね。ひとを殺すには、それができる能力がないとだめなんです。そしてサム・ロブの人生には、彼にその能力があることを示すものは何ひとつない」トニーは言葉を切り、身を乗り出した。「事がばれるのをそんなに怖《おそ》れていたとしたら、どうして彼は警察へ行ったんです？　サムが仕事を、そしてそれ以上のものを失いかねない境遇に置かれている一方で、あなたとわたしがここに座っている唯一《ゆいいつ》のわけは、彼が警察に行ったからなんです」

ステラの表情に、心を動かされたようすは見られない。「目撃者が出てくることを怖れての行動かもしれません。彼は警察に、ほかの車を見たと言っていますから。それに、彼は、自分のためにうそをついてくれと奥さんに頼める立場にないでしょう？」

行き詰まりだった。「スー・ロブのことだが」と、トニーは言った。「今回の件は彼女にとってありがたいものじゃない。警察には、彼女を構わないように伝えてください」

「配偶者間の秘匿《ひとく》特権ですか？」

「そう」

ステラがうなずく。これは予想していたことだと、検事補の表情は告げていた。そして彼女は職業意識に長《た》けていたので、その程度のことで心を煩《わずら》わせなかった。「ほかにお役に立てることはありますか？」

「偏見のない心を保ってください」トニーは間をおいた。「これを殺人事件かもしれないと思っているにしても、夜の公園にはたくさんひとがいるんです」

ステラはすぐには口を開かなかった。やがて、トニーを見ずに言う。「あなたに起こったことを知っています」彼女が目を向けてきて、目にしたものに顔をほころばせたとき、トニーは自分が落ち着きを失ったのだと知った。「けさ、ある記者から電話がありました」ステラが続ける。「誰かが、あなたが空港でスー・ロブといっしょにいるのを見たのです。わたしは、アリスン・テイラーの事件を憶《おぼ》えているには幼すぎたかもしれないけれど、あれはレイクシティでいちばん最近の殺人事件なのです。記者は、あなたが容疑者だったことを思い出させてくれました」

トニーはふたたび、帰郷による気の重さをずしりと感じた。「なら、わたしがこの件に関して特別な思いがあるのを知っているんですね」

トニーが自分の無実を主張するのを待つかのように、ステラは彼を見つめている。彼がそうしないでいると、ステラは言った。「わたしは、あなたのお友だちのサムによくない印象を持っているのです――彼がなぜマーシー・コールダーと公園にいたのか、わたしにはわかっているし、あなたにもわかっている」確信があるような口ぶりだった。今、彼女は話している以上のことを知っているのだろうか、とトニーはいぶかった。「わたしは、人間にはみな価値があると信じています」ステラが続ける。「それが、中絶から死刑に至るまでの、わたしの宗教的、道徳的信念です。だから、ある種の殺人を公益事業と見、死刑執行を神の意志と見るような、この事務所の友人たちには違和感を覚えます。しかし、これが殺人事件だとして、十代の少女が殺されるというのは、何よりもわたしの心を揺さぶる。彼女は殺されてはいけなかったし、彼女の両親は、今味わっているような思いを味わうことになってはいけなかったんです」

「アリスンとアリスンの両親に関して、わたしも同じ気持ちでした」

ステラがうなずく。「わたしはこう言いたいのです――もしあなたの友人がマーシー・コールダーを殺したように思え、起訴するに足るだけの要件がそろった場合、わたしは全力を尽くしてサム・ロブを追い込むつもりだ、と。でも、決断するときは、慎重の上にも慎重を期するつもりです。それに、あなたはいつでもわたしから話を聞けます」

「それでじゅうぶんです」ふと興味を覚え、トニーは続けた。「では、今でもミサに行っているんですか？」

「毎週日曜に」小さく口もとをゆるめて、「なんと言っても、教会はポーランドの解放を手助けしましたから」

「ポーランドはね」トニーは言わずにはいられなかった。「でも、女性は違った」

「それはこれからです」歯切れよく答える。「なぜ男性と教会を離れたカトリック教徒はわたしにかかわって心配したがるのだろう、と思うことがあります」いっとき、間をおく。「とりわけ、自分のお里を忘れてしまったらしいひとたちにその傾向が強い」

トニーは考えてから答えた。「そのとおりです。他人の信仰を、あるいは人生を判断するのはむずかしい。わたしが教会を離れた件は、あなたにはわからないほど込み入っていて、ある時期と状況に根ざしています」声がわずかに鋭くなる。「ほんとうのところを言えば、ステラ、わたしは何も〝忘れて〟いない」

どことなく悲しげな笑顔をステラが向ける。「すみません。言葉が過ぎました。実際には、わたしにとって、あなたはちょっとした英雄です。とりわけ、お里を知っているという理由から。ロースクールにいたとき、カースン事件の公判がテレビで放映されていて、時間の許すかぎり、あなたを見るようにしていました。あなたのようになりたいという気持ちと、あなたみたいな弁護士がハリー・カースンのごとき人間を無罪にするのを阻止するような検事になりたいという気持ちのあいだで揺れたものです。いずれにしても、高名な法律家になられたあなたに感じ入りました。だから、この会見は興味深いものでした」

トニーは頬をゆるめた。「最後の部分を加えてくれて、うれしいですよ」

ステラが立ち上がり、手を差し出す。「とにかく、お帰りなさい。マスコミに対する心構えができているよう願っています」

「避けて通れると思いますか？」

ステラがまじめな顔になって、首を横に振る。「いいえ。もう無理でしょう」

5

「これはこれは」ソール・ラヴィンが言った。「ハリウッドのトニー・ロードではないか」

トニーは笑った。「やあ、ソール」

握手を交わしてから、ソールが一歩下がり、わざとらしくトニーを眺める。「服も高級品だな。ポーランドのガキにしては悪くない」

「あなたは怪物を造ってしまったんですよ、ソール。間違いなく」

「怪物なら慣れている――何人か弁護したことがあるんでね。だが、刑事弁護士とは……」言葉を途切らせ、首を横に振る。「まあ、しかたがないな、トニー。もはや手遅れだ。座ってくれ」

ソールのオフィスは以前とほとんど同じだった。ソールのほうは違った。くせ毛の髪は白い雲を想《おも》わせ、太鼓腹は相撲とりかマフィアのドンにふさわしいものになっている。目はまだ輝いていたが、赤ら顔は気になるし、午後二時を少し過ぎたこの時刻に、机の上にはスコッチのボトルがある。このような光景を目にするのははじめてではなかった。頭はまだ切れるのだろうが、飲酒と皮肉なものの見かたにどっぷりと浸《つ》かり、長年の多すぎる裁判の疲れから、ときおり冴《さ》えた働きをするだけになった老刑事弁護士……。自分がソールを救い主、最盛期の弁護士として記憶していて、今でもそうであって欲しいと心の一部で思っていることを、トニーは自覚した。ふと気がつくと、刑事弁護士の人生における隠れた犠牲——立証責任や無罪の推定というような理論的な原則に従うため、刑事弁護士は個人の感情を抑えなくてはならない——について、またしても考えていた。

「飲むか、トニー？」

「いいえ、結構です」

ソールがボトルに目をやり、それには手を触れずに、肩をすくめる。「一日が長くてな。この仕事が身に応《こた》えると思ったことは？」

思ったとおりだ、とトニーは胸の奥でつぶやいた。「ときどき。ストレスがたまります」

「無理もないと思わんか？　ふつうの人間なら考えて当たり前なこと——たとえば、依頼人がしたことや、次にするかもしれんこと——を考えないよう努力して、裁判制度を公正なものに保つためにエネルギーを使わねばならんのだから」顔をしかめる。「先日、気がつくと、ある児童虐待《ぎゃくたい》者のことを考えていた。子どもがこわがって証言しなかったおかげで、無罪にしてやれたんだ。二年後、パパはご愛用の暖炉用具を使って子どもを殺した。彼のことは何年も考えたことがなかった。だが、無意識にずっと考えていたんだろうな」ゆっくりと首を振って、「だんだん、感傷的になってきてね、トニー。歳《とし》を重ねれば重ねるほど、きみのような依頼人がありがたく思えてくる。わたしの依頼人には、無実だと確信できたり、もっとましな判決がされるべきだと思えたりするのがいて、そのうちの何人かはやがて、わたしが手助けして与えたものを有効利用する。きみはそういう精鋭のひとりだよ。きみがこんな神経の細い人間でないよう願っている」

トニーは肩をすくめた。「そうならないよう心がけています。依頼人と、自分自身の正気のために。ときおり、妻は、わたしがうまくやっていると思っている」

ソールが手を振る。「素人《しろうと》というのはな」皮肉を込めて言う。「われわれがすることの道徳性の高さを理解しておらん。まあ、奥さんに才能があり、美しいことで、きみにはじゅうぶんなんだろう」

「それ以上望んだら、ばちが当たります」トニーは微笑《ほほえ》んだ。「ですが、最初の妻と違って、ステイシーは、わたしの依頼人とわたしを区別するよう努力しています」

ソールが頰杖《ほおづえ》をつき、トニーをじっと見ながら、無言で考える。「こうして、法曹界の兄弟がここに顔を合わせた」しばらくしてから言った。「そして、きみの旧友のサムは十代の少女を殺したと思われている」

「ステラ・マーズはそう考えているようです」
「ステラ――事件の審理を怖《おそ》れない女だ」ソールの目が狭まる。「きみの鞄《かばん》を持つつもりはないよ、トニー。金は必要ない」

ソールの声に新たなきびしさが加わった。トニーが想像した心温まる再会は、さらに少し後退した。法廷弁護士の例に漏れず、ソール・ラヴィンは大きな自尊心を持っている。それに、十代の少年の慈愛に満ちた相談相手という役割のほうが、よそから来た有名な弁護士によって影の薄くなった存在という役回りよりも、明らかに合っている。ソールがおそらく落ちぶれかけていて、しかもそれを自覚している事実は、状況をさらに悪くさせるだけだろう。

「金はないんです、ソール――少なくとも、最高の弁護団を編成するほどは。あなたが言ったように、わたしとサムは友人同士ですし、ステイシーの成功のおかげで、わたしはときどき、信用できる依頼人をただで引き受けることができる」

「そいつはすてきなぜいたくだな」ソールが眉《まゆ》を上げる。「彼とのあいだに、それほどのきずながあると感じているのか？」

「わたしのすべきことだ、というだけの理由です」ソールのからかうような微笑みを見て、トニーは肩をすくめた。「ええ、確かに、サムがしていないよう願っています。たぶん、それだからから、彼がしたとは思えないんでしょう。だから、ここにいるんです――

精神的な相談に乗ってもらいたくて。時給を請求してくれて結構ですよ」

なおも微笑みながら、この言葉を検討するかのように、ソールが目を細め、首を傾《かし》げる。「請求書の件は考えておこう」それから、実際的な口調になって、「きみの友だちは彼女と寝ていた、と言ったね」

「残念ながら」

人間の大いなる愚かさを突きつけられ、ソールが首を横に振る。「彼女が死んだ晩も寝たと思うか？」

「サムは寝ていないと言っています」

「それが真実であるよう願ったほうがいいぞ――ちょっとした個人的な相談のために公園にいた、と警察に言っているんだからな。あるいは少なくとも、コンドームを使ったことを祈ろう」

トニーは考えた。「コンドームを使っても、陰毛が残るでしょうし、石油系の潤滑油が見つかるかもしれない。しかし、少なくとも、精液のＤＮＡ鑑定はできませんね」

ソールが意地の悪い笑みを向けてくる。「こんな会話をしているのがわれわれとは、おかしいと思わんか？」

「笑うのは一時間前にやめましたよ、ソール。サムの車のハンドルに血液が付いていた、とステラ・マーズに聞かされたときに」

ソールの笑みが引っ込む。「それには千もの説明がつけられる。たとえマーシーの血液だとしてもな。それで有罪にすることはできん」

「わかっています。しかし、それだけでは、わたしの気は楽になりません」

ソールがボトルに手をのばし、タンブラーにきっかり五センチ注ぐ。そしてゆっくり、慎重すぎるぐらい慎重に、ストレートで飲んだ。その映像が昔の映像と重なり、トニーは、そのころから飲酒癖が始まっていたにちがいないと気づいた。「奥さんと息子さんのいる家へ帰ったほうがいいかもしれんぞ、トニー。これ以上ステラの側が有利にならんよう願って、事を荒立てんことだ」

トニーはサムの日々の苦悩とスーのそれ——宙ぶらりんの結婚生活、不気味に立ちはだかる殺人罪の起訴——を思い、ゆっくり首を振った。「こういう状態がどんなものか、わたしは覚えています——待つというのは、生殺しにされるようなものです。あなたがわたしのためにしてくれたように、起訴すべきではない積極的な理由をマーズに与えたいんです」

ソールがスコッチを長々と喉《のど》に流し込む。「マーシーが精神科医に診てもらっていたとしたら？　医者は、彼女にべつのボーイフレンドがいたかどうか知っているだろう。あるいは、彼女に自殺傾向があったかどうかを」

「あるいは、サムと寝ていたことを」

ソールがうなずく。「それこそ、わたしが事を荒立てるなと言った理由のひとつだよ」

トニーは立ち上がり、窓辺へ歩いた。はじめてソールのオフィスに来たときもそうしたのを思い出した。当時見た煙突は、それが象徴した仕事とともになくなっている。

「なんという土地だ」トニーはつぶやいた。

「スティールトンの文芸復興には感心しないようだな。今では毎年、アイススケートのショーがやってくる。それとも、懐《なつ》かしの故郷、お上品なディズニーワールドのことを言ったのかね？」

トニーは振り返らなかった。「マーシー・コールダーがどういう人物だったのか、知る必要があります。彼女の両親から、友人から、そのほかのひとから、話を聞きたい。サム・ロブを、レイクシティ警察という運命に任せたくないんです」

ウィスキーが注がれる音が聞こえ、やがてソールが窓辺へぶらりとやってきて、おかわりの飲み物を手に、隣りに立った。昔の面影の薄れた横顔が見える——縮緬《ちりめん》じわのある顎《あご》、毛細血管の破れた頬、擦れたような肌。落ちぶれゆくただなかで、老弁護士の目はひどく悲しそうで、痛々しいほど澄んで見えた。

「忠告をしていいかな？」ソールがささやくように言う。

「それが聞きたくて、ここへ来たんです」

ソールは神経を集中したようだった。「きみの事件を、今度の事件の手本にせんことだ。きみは、自分が無実だと知っていた。サム・ロブについては、きみは知らないし、知ることもできん。当たっているかどうかわからんが、わたしの勘が、そうすべきでないと言っている」言葉を切り、トニーのほうを向く。「彼は罪を犯しているかもしれんのだ。もし、きみがそうだと気づくときがあっても、わたしはうらやましく思わんよ。それよりもまずいのは、きみがサム・ロブとトニー・ロードの区別をつけるのを忘れて、弁護に失敗し、弁護士としての自分を失ったときだ」ソールの声が穏やかになる。「完全に道徳意識に欠けているのでなければ、最強の被告側弁護士は被告と弁護士のふたりなんだ、トニー――そうでなくてはならんのだ。この事件はきみたちふたりを傷つけかねん」

トニーは黙っていた。ソールが言ったことは、反駁《はんばく》できるものではない。ソールがトニーを見て、窓台にタンブラーを置き、尋ねた。「では、妻のほうはどうなんだね？」

「スーですか？」

「家にいなかった、と言わなかったかね？　少なくとも、サムが電話をしたときに出なかった」

「サムはそう言っています」今ごろになって、トニーは不審の念に打たれるのを感じた。「本気で言っているんじゃないですよね」

「どうして？」

「なぜなら、わたしは彼女をよく知っているからですよ」

ソールの表情が変化する。一瞬、彼の目が容赦のない冷静さをたたえた。静かな声で言う。「指摘するのに、そんなにむきになることはないよ」

トニーは痛いところを突かれたように感じた。「いいですか、ソール――彼らの結婚生活に、あるいはサムの弁護にいちばん不必要なのは、スーに疑いを向ける行為です。サムが何より必要としているのは、とりわけ誠実で物静かな妻なんです」

ソールは感銘を受けなかったようだ。「きみの先入観を頭から否定したわけじゃない。ただ、その存在を指摘しただけさ」飲み物のことは忘れたようだった。「スーはどの程度知っている？」

「ほとんど知らないと思います」

「なら、ある程度、操作できるな。とくに、裁判になった場合は」

「わかっています。でも、あなたはスーを知らない」

「きみは知っているのか？　二十八年も離れていたのに？」

トニーはうなずいた。「そう思っています。とにかく、そんな気がするんです」

両手をポケットに入れ、ソールがゆっくりと窓のほうを向く。「夫のことより、妻のことのほうがよくわかっているみたいだな」

トニーは無言で自分の数々の感情を探った。ソールの言葉は、その意図どおり、トニーがめざす、外科医のような弁護士から彼がかけ離れていることを痛感させた。「スーのことのほうがよくわかっているように思えるときがあります」トニーはようやく認めた。「昔からそうだったのに、気づかなかったのかもしれない。あるいは、ある意味で、サムとの関係よりも入り組んでいないというあかしなのかもしれない。たしかに、複雑な感情はずっと少ないですから」

ソールが街を見渡した。ガラスのタワー、空の駐車場、閉鎖された工場――不景気の残骸《ざんがい》。「きみの言うとおり、この街はときおりベイルートみたいに見える」間をあけてから、「わたしが言いたいのは、つまりは、慎重に行動しろということだ。この事件はあまりにもきみとの結びつきが大きい」

トニーはもう議論する気になれなかった。「ステラ・マーズは、わたしという人物を知っていました。ずっと以前から」

「そりゃそうだろう。きみはすべてを捨てたかもしれんが、べつの人間になったわけじゃない」ソールがふたたびトニーを見る。「きみの評判は、依頼人にあまり有利に働かないかもしれん。あるいはきみにとっておもしろくないだろう話題をもたらす。『ひと殺しがひと殺しを弁護』というな」

「かもしれません。ですが、わたしはそれに対処できる年齢になりましたし、サムたちはわたしを必要としています。それに、犠牲を払うだけの価値はありますよ」

ソールがタンブラーを手にとって、「たぶん、彼らにとってはな」

6

彼女の墓は花が供えられたばかりだった。

三十年近くが経過している。レイクシティ墓地の、ジョン・テイラーとその家族用の区画は、今ではもっと新しい墓に囲まれていた。遠くから見ると、空いた土地のなかに、御影石《みかげいし》の墓石がぽつんと立ち、その事実だけが、彼女の若すぎた死を物語っている。

〈アリスン・ウッド・テイラー〉と、墓石には書かれていた。〈一九五〇年五月四日――一九六七年十一月三日〉彼女のミドルネームを忘れていたとは、不思議だ。

供えられた花が気になった。テイラー家の人間が墓参りに来ていることの、アリスンの死が彼らにとって忘れがたいものであることの証左だ。望んだ結果ではないが、トニーは彼女をこの地に残すことができた。やがて彼女の両親は、娘といっしょになれるだろう。

今、トニーは、オークの木陰に彼女とともに立ち、春の午後の柔らかな木漏れ陽を見つめていた。

マスコミは彼に気づいた。レイクシティ唯一《ゆいいつ》の宿屋、アーバー・モーテルには、二件のメッセージが残されていた。どちらも、インタビューの申込みだった。あすには第一報が報じられるだろう。

それを知って、やり残していることがひとつあるのがわかった。

テイラー家の玄関に立ちながら、トニーは、誰も出てこないよう願っていた。ドアがかちりとあく。老婦人が、口をぽかんとあけて、トニーを見つめた。彼が誰であるか気づいてゆく、白亜のように白い老婦人の顔に、トニーは、アリスンの母の面影を見た。

「おじゃましてすみません」トニーは言った。「でも、来るべきだと思ったんです」

相手の無言がつらかった。まるで、脳卒中の後遺症で、彼女は考えたり話したりするのに大きな努力が要るのではないか、と思われた。理解を示すしるしが、目のなかにだけ認められた。

「少し話をさせてもらえませんか？」トニーは尋ねた。

「入れてやりなさい」しわがれた声が言った。キャサリン・テイラーの背後のドアが大きく開き、トニーは、帰郷と引き換えに受ける苦痛の最たるものを見た。

ジョン・テイラーの顔はやつれ、つやのない肌に無数のしわが走っていた。トニーに向けた目は、まばたきをせず、冷たく、鳥の目を想《おも》わせる。背後の部屋はあまり変わっていなかった。年代物の家具は同じで、博物館のように静寂が満ちている。炉棚には、新しい色合いが加わっていた――アリスンの妹の、花嫁になったときの、そして母親になったときの写真だ。そのあいだに、永遠に一九六七年に封じ込められたアリスンがいた。対照的な写真に、トニーはびくりとした。

アリスンの写真と同様、ジョン・テイラーもじっと動かない。キャサリン・テイラーのほうは、夫の隣りに身を引っ込め、黙っている。

「サム・ロブを助けるために戻ってきました」トニーは口を開いた。「マスコミが、昔の事件をまた掘り返すのではないかと思うんです」

「もう電話がかかってきた」ジョン・テイラーの唇はほとんど動かないように見えた。

「皮肉な巡り合わせだと思ったね」

「わたしもそう思いました」トニーは言葉を切り、それからみずからを奮い立たせ、先を続けた。「ですが、わたしは罪を犯していなかったし、サムについても、同様だと強く信じ――」

「罪を犯していない、か」ジョン・テイラーの声が高くなる。「きみは誰を思い出させると思う？ O・J・シンプスンだ。自分の妻を殺した犯人を見つけた者には、謝礼金を出すと言っている。おそらく、アリスンのときと同じく、犯人は、質問に答えられない男で――」

「ジョン」彼の妻がはじめて発した言葉は、ささやき声に近かった。だが、ジョン・テイラーを我に返らせるのにはじゅうぶんだった。

トニーは胃がねじれるのを感じた。このふたりが相手の場合、十七のときと同じように、話すことや沈黙に対する恐怖を感じずにいるのは無理なようだ。「わたしは彼女を愛していました」ようやく言った。「あなたがたにはわからないぐらい深く。ですが、あなたがたが失ったもの、経験したことをほんとうに理解できたのは、自分の子どもを持ってからです」

ジョン・テイラーがうなずいた。目の険しさは変わらない。「なら、わたしたちのきみに対する感情もわかるだろう、アントニー・ロード。これからもずっと」怒りのこもった低い声。「どのみち、きみが娘の死を引き起こしたことに変わりはない」

無言のまま、トニーは、クリストファが死んだら自分はどうなるだろうかと想像してみた。はっきりとはわからない。だが、これだけは確かだ。アリスンがこの状況を見ていたら、自分の死が彼らに成したことに嫌悪《けんお》をいだくだろう。しかし、これはトニーが言うべきことではない。

「おじゃましてすみませんでした」そう言って、立ち去った。

7

コールダー一家は、トニーの少年時代の家に似ていなくもない煉瓦《れんが》造りの平屋に住んでいた。家には猫の額ほどの庭があり、簡素なたたずまいの同一の家々に囲まれて、ほかの家との区別がつきにくくなっている。テイラー邸から直接やってきたトニーは、コールダー家の前に駐《と》めたレンタカーのなかに座り、生々しい悲しみをいだいている両親と顔を合わせるのをためらっていた。しかし、ナンシー・コールダーの許可は得ており、面会をあすまで引き延ばすのは、朝刊の見出しを思うと、愚かな行為だ。八時少し過ぎ、トニーは呼び鈴を鳴らした。

最初のあいだは、とまどいを覚えるほどの装《よそお》われた平静さが幅を利《き》かせた。ナンシー・コールダーが戸口に出てきた。目の下の隈《くま》とげっそりした顔を除けば、保険外交員を迎え入れるような応対がされた。まるで、保険外交員が自分の家にいるのは日常生活に欠かせないことだというような雰囲気だった。夫人はトニーにコーヒーを出し、自分のカップをぎゅっと握って、小さな居間のカウチに座った。部屋はきちんとしており、彼女もまたきちんとしていた。スラックスにセーターというでたちで、写真の、かわいい黒髪の娘を四十代にした感じだ。やがて、夫が部屋に来ると、ナンシー・コールダーは夫の顔を見ずに、静かに泣き始めた。

トニーは立ち上がった。フランク・コールダーはすべてにおいて出し惜しみをしているように見えた。クルーカットの茶色い髪、細い青色の目、よそよそしいアイルランド系の顔、薄い唇、高い頬骨、肌は骨にぴったりと張りついているので、引っ張って広げられたように見える。だが、この家を訪問しなければならなかったことをトニーに後悔させたのは、コールダーの妻のほうだった。

「ナンシーがあんたに会いたがったものでね」いきなりコールダーが言った。「わたしは会いたくなかった。なんで、あの男の弁護士に会わなくてはならないんだ?」

トニーは心を引きしめた。「わたしは、この事件を理解しようと努めているだけです。サム・ロブは古い友だちで、今度の件に打ちのめされている。でも、サム・ロブが娘さんに危害を加えたとはっきりわかったら、わたしはすぐにレイクシティを去ります」本気だった。罪を犯した依頼人を弁護したことはあるが、友人のサムが十六歳の少女を殺したとしたら、それはできない。テイラー夫妻との最後の瞬間が、アリスンの墓で過ごした時が、トニーに決心させた。

「『危害を加えた』」フランク・コールダーがくり返す。「あんたはあれをそう呼ぶのか？」

コールダーは妻の存在を忘れたように見受けられた。まるで、敵意は彼の恒久不変の一部分だが、夫婦の悲しみは薄い覆《おお》いであるかのようだ。ナンシー・コールダーが、夫の怒りから身を引くように、首の十字架を指で触れた。彼女を見て、トニーは静かに言った。「なんでしたら、もっとご都合のよいときに……」

ナンシー・コールダーがゆっくりと首を振る。「もっと都合のいいときなんてありません」彼女がそう言い、トニーは涙が止まっていることに気づいた。

フランク・コールダーのほうを見ずに、トニーはふたたび夫人の向かいに腰を下ろした。「残念ながら、わたしは娘さんを知らないんです、ミセス・コールダー」

ナンシー・コールダーが顔をしかめる。「この二年間、わたしは働いていました、ロードさん。だから、わたしも娘を知らなかったんだろうと思います」

ここはただ耳を傾けるほうがいい。「トニー」穏やかな声で言った。「わたしはトニーと呼ばれています」

ぽかんとした顔で、ナンシー・コールダーがうなずく。「わたしは放課後に家にいたことがありません」しばらくしてから、彼女が言った。「女の子が生き生きとしていて、その日のことを話してくれる時間に……」

「わたしらは大学へ行かせる費用をためていたんだよ」妻の隣りに座ったフランク・コ

ールダーが、しわがれた声で言う。「近頃の大学は金がかかるんでね」

妙に弁解がましい口調だった。おそらく、フランク・コールダーにとって、自分の稼ぎだけで暮らせないのは業腹《ごうはら》なことなのだろう。コールダーが大きなトラック運送会社の経理係だと、新聞の切り抜きで読んだのを、トニーは思い出した。スタンリー・ロードはずっと穏やかな人物だったけれども、その彼と同じような鬱積《うっせき》した不満を、実験用の箱のなかの鼠《ねずみ》みたいな、あるいは刑期を務める男みたいないらだちを、感じとれた。

「まあ」フランク・コールダーが妻に言う。「これでもう、節約はしなくてすむな」

不人情な言葉だとも言える。しかし、それはトニーにとって、はじめて夫妻が喪失感を分かち合う言葉だったし、疲労によって夫の声からとげは消えていた。フランク・コールダーの目は充血していた。

トニーは低い声で尋ねた。「娘さんに気になる点はありませんでしたか？　ここ数週間、という意味ですが」

フランク・コールダーが無言で妻のほうを向く。「以前よりもぼんやりしているように思えました」と、少ししてから、ナンシー・コールダーが言った。「心ここにあらずという感じで」

「もっと具体的なことはなかったですか？」

ナンシー・コールダーが首を横に振る。「成績が少し下がりました。でも、わたしたちとミサには行っていました。多くの若いひとたちと違って、カーニー神父に反抗したり、疑問を投げかけたりすることはありませんでした。妹たちにはとても優しかったし――」唐突に言葉を切り、それから今までとは違う、怒りを抑えた平板な声で続けた。「それに、もちろん、トラック競技が好きなことも変わりませんでした。最後にサム・ロブに会ったとき、娘が一生懸命やっていると話していました」

トニーは道徳的な点で自分があいまいな立場にいると感じた。サム・ロブから、マーシーと関係を持ったことを、あるいはサムの言い分によると、マーシーに誘惑されたことを、聞いているのだ。用心深く尋ねる。「マーシーは彼に惹《ひ》かれていたようでしたか？」

ナンシー・コールダーの目が苦々しさで曇る。「あの男が警察に話したところでは、娘は彼にのぼせていた。でも、そんなようすは見られませんでした」夫のほうを向いて、「あの子はニクスンさんのこと以上に彼のことを話したかしら？」

フランク・コールダーの視線は絨毯《じゅうたん》に向けられていた。「いや」

ナンシー・コールダーが同意してうなずく。「娘は親のような存在を求めていたのかもしれません――わたしたち以外の。でも、情事を求めてはいなかった」

夫は妻を見ようとしない。トニーが〝親のような存在〟という文句を頭のなかで再生させると、〝父親〟という言葉が聞こえた。コールダー夫妻が言っているほど、マーシーは親と親密ではなかったようだ。「何か問題点はありませんでしたか？」トニーは聞いた。「意見の不一致とか」

ナンシー・コールダーが夫をちらりと見た。「ひとつだけ」夫がそっけなく答える。「わたしは娘をカトリック系の女子高へ行かせたかったんだ。ドラッグとかセックスとか——」言葉を途切らせた。「娘は行きたがらなかったし、ナンシーも後押しをしたがらなかった。だから、あれはわたしが悪かったんだろう」

これはかなり真実を突いているように思えた。フランク・コールダーはどうやら考えかたの古い男で、ひとの話に耳を傾けるよりも、難癖をつけるほうがうまいらしい。ナンシー・コールダーが穏やかに言った。「あなただって無理強いはしなかったはずよ、フランク。マーシーはそれがわかっていたの」

悲しいやりとりに、トニーは胸を打たれた。突然、なんの説明もなく死んでしまい、今では言葉もかけられない娘に言ったことを悔いる頭の堅い男と、おそらく本心では信じていない慰めを言うその妻。「情緒的な点で心配なことはありませんでしたか？」と、トニーはきいた。

「いや」フランク・コールダーはトニーに目を向けていた。「そんな問題はまったくなかった。娘は精神科医なんかに用はなかった」

ナンシー・コールダーが唇を引きしめる。「自殺の問題はありませんでした——そのことをおききになっているのでしたら。マーシーは度が過ぎるぐらい精神的に安定していた。ちょっと口数が少なかったけれど、それだけです。それに、敬虔《けいけん》なカトリック教徒でしたから、自分で自分の命を奪うことを考えるわけがありません」声がきつくなる。「娘の陸上のコーチか、ほかの誰かが奪ったのならわかりますけれど」

トニーは話題を変えることにした。「ニクスンさんという名前が出ましたね」

怒りにとり乱したまま、ナンシー・コールダーが小さくうなずく。「アーニー・ニクスン。町のレクリエーション指導者です。黒人のかた」

トニーは驚きを隠した。「ええ。知っています。というか、知り合いでした」

「最初にマーシーに走ることを勧めてくれたひとなんです。彼が奥さんと別れる前、マーシーはときどき彼の子どもたちの面倒を看《み》ていました」ナンシー・コールダーの目が急に曇る。「マーシーは子ども好きだったし、子どもに好かれました。妹たちをはじめとして……」

この顔合わせの水面下には悲しみよりも激しい何かが存在する、とトニーは突然感じた。低い声できく。「娘さんに何が起こったんだと思われますか？」

ナンシー・コールダーは顔を上げた。「サム・ロブが殺したんです」静かに言う。「発覚を怖《おそ》れて。遅かれ早かれ、あなたもその事実に向き合わなくてはならないでしょう」

コールダー夫妻はサムと自分たちの娘が寝ていたことを知っている、とトニーは今確信した。しかし、それを話題にするわけにはいかない。同じように静かな声で言った。

「事故だったかもしれないんです、ミセス・コールダー。あるいは、ほかの誰かか」

ナンシー・コールダーの顔が赤くなる。「ほかの誰かなどいない」夫のほうが興奮して言った。「マーシーは尻軽女《しりがる》じゃない」

「そんなことは言っていませんよ。〝ほかの誰か〟というのは、見知らぬ人間かもしれません」

夫妻は黙り込んだ。堅い表情から判断するに、見知らぬ人間の可能性によってではなく、トニーの譲歩によって、慰められたようだ。慰められるということがあればだが。まだ何かが語られていないと感じて、トニーは心を悩ませた。

「マーシーは誰と親しかったんですか？」

その問いかけが、娘をほったらかしにしていたという非難であるかのように、ナンシー・コールダーの目がぱっと開く。やがて、そっけなく答えた。「ジャニス・ダブルーツィ。いちばんの友だちです」

吐き捨てるような言いかただった。フランク・コールダーがいきなり立ち上がった。「自分の家に帰ってくれ」と、トニーに言う。「わたしらが娘の思い出に浸り、少なくとも正義が行なわれる希望を持てるように。それがあの男のためだ」部屋を出ていった。

ナンシー・コールダーが夫を目で追う。「わたしたち、くたくたなんです」そう言われて、トニーは時間切れだとわかった。

気をとり直したナンシー・コールダーが、戸口まで見送ってくれた。目が合った。

「お願いです」思いつめたようすで彼女が言う。「サム・ロブの弁護をしないで。あなたがちゃんとした弁護士さんだったら……」

8

記事はスティールトン・プレス紙の第三面に載っていた。トニーとステイシーの写真の隣りの見出しは、『ロブの弁護士、過去の殺人に関連』。写真のなかで、トニーは満面に笑みを浮かべている。

「いい写真だ」サム・ロブが言った。「殺人犯の笑みとして最高だよ」

ロブ家の朝食のテーブル越しに、トニーはサムをにらんだ。友人の気楽さにいらつき、ステラ・マーズとテイラー夫妻とマーシーの両親を思って、暗澹《あんたん》とした気持ちになる。

「わたしがきみだったら、そんなに喜びはしないね」

サムが顔を上げる。「喜んじゃいないよ、トニー。おまえがどんなにこの件をそっとしておきたがったか、今でも憶《おぼ》えてる」言葉を切り、それからトニーの腕に手を置く。「俺はこう言いたいんだ。おまえが助けてくれることに感謝してるし、おまえが今でも友だちなのを誇りに思ってるし、このばかげた記事におまえが困惑させられることに同情している、と。たぶん、この休暇ちゅうには、自分の言いたいことをおまえに伝える方法を身につけるさ」

意外にも、トニーは胸がつまった。「新聞のせいじゃないんだ、サム。気になっているのは、四六時ちゅう、アリスンのことを思い出してしまう自分の心だよ。そういう弁護士は望まれない」

サムがうなずく。「コールダー夫妻に会ったのがきつかったんだろう」

「ああ。それにテイラー夫妻もね」

「会ったのか？」

「そうするべきだと思ったんだ」

「なんと」サムの目がふたたびトニーの目と合う。「なあ、このごたごたを生んだのは、俺が判断力をなくしたからだ。おまえは少しも苦しむ必要はない——昔も今も」

トニーは肩をすくめた。「世の中は不公平だ、と以前ソールに言われたよ」

サムが唐突に立ち上がった。意向を問わずに、トニーのカップにおかわりのコーヒーを注ぎ、それから自分のに注ぐ。「俺が間違ってたんだ、トニー。おまえをここに来させて」

その言葉が気になった。「なぜ〝間違ってた〟んだい？」

「間違ってたんじゃないな、たぶん。自分勝手だったんだ」サムが腰を下ろし、カップのふち越しにトニーを見る。「おまえがここにい続けたら、これからも書かれる。《ヴァニティー・フェア》の表紙を飾ることになるぞ。レイクシティでも《ヴァニティー・フェア》は買えるんだ」顔をそらし、窓の外に目をやった。「大勢の人間が俺をひと殺しだと思ってる町に一週間暮らして、たとえ殺《や》ってないとどうにか証明できても、俺のここでの人生は決してもとどおりにはならないと、すでに骨身に沁《し》みたよ。おまえは有名人だ、トニー――アリスンの事件はおまえにつきまとうだろう。そして、けさのおまえの表情からするに、おまえはそれに耐えるつもりらしい」トニーのほうを向き、静かにしめくくる。「サンフランシスコへ帰れ。俺は彼女を殺しちゃいない。だから、少なくとも、殺ったと証明されることはない。それに、うそをつかないかぎり、どうせ職は失うんだ」

この二日のあいだに、サムはある種の落ち着きを得たようだ。「さとりでも開いたのか？」トニーはきいた。

サムが小さく微笑《ほほえ》む。「じつを言うと、十七のときを思い出してるんだ。おまえには芯《しん》があったから――みんなが憎む〝ひと殺し〟が自分じゃないとわかってたから――前進することができた」笑みが消えた。「まあ、俺もひと殺しじゃない。俺じゃないんだ」

トニーは、弁護士と友人のどちらの役割を務めるべきか迷った。やがて、ぽつりと言った。「スーがいないようだね」

「ジムに行ってる」サムの目が鋭くなる。「なぜだ？　何かまずいか？」

「警察が、きみの車のハンドルから、血液を採取した。きみはAB型じゃないだろ？」

サムが腰を下ろす。「ああ」と、ぼそっと言った。「スーはそうだよ」

「マーシー・コールダーもだ」

サムが椅子《いす》に深く腰掛ける。驚きにぽかんとした顔になり、それから、まぶたが下がった。「区別はつくんだろ？　DNAで」

トニーはうなずいた。「マーシーの血液だとして、それがきみの車にあった理由はあるのか？　ステラ・マーズに説明できる理由は？」

サムが首を振る。「誰かがそこに付けたんでなきゃな」と、やがて言った。

トニーの声は穏やかだった。「〝真の殺人者〟がか？　それとも警官か、O・J・シンプスンのときみたいに？」

サムは今や青い顔をしている。「考えさせてくれ、トニー。じっくりと考えさせてくれ」

トニーは相手の顔を見つめた。「考えるついでに、マーシーの両親が、きみとマーシーがセックスしていたのを確信——推測じゃなくて、確信だ——しているように見受けられる理由も考え出してくれ」

サムが下唇を噛《か》む。「誰かがしゃべったんでなきゃ、あり得ない」しばらくしてから言った。「両親はなんて言った?」

「はっきりとは言っていない。わたしがそう感じたんだ」

サムはすぐには口を開かなかった。「彼らは俺を憎んでるんだ、きっと」

「もう少し具体的だよ。彼らはきみが殺したと思っている。自分たちの長女にちょっかいを出したのを隠すために。恥ずかしがり屋の娘が求めていたのは、せいぜいが父親のような存在だとさ」

サムがさっと顔を上げる。「いったい何が言いたいんだ?」

「コールダー夫妻が知っていることで、わたしが知るべきことがあるかどうか。じっくり考えなくても答えられるだろ」

サムは腕組みした。「家へ帰れ。それでなくても最悪なのに、おまえが猜疑《さいぎ》心《しん》に苦しむ姿まで見せられちゃたまらない」

「わたしの質問にちゃんと答えろ」

強要に屈するつもりのないサムは、しばらく無言だった。抑えた声で言う。「俺は殺ってないよ、トニー。おまえと同じように。俺がおまえを信じた以上に、おまえも俺を信じてもらいたいね。同じことを何度も言わせるな」

娘たちの一団が五十ヤード・ラインのあたりを動き回り、応援の練習をしている。フェンスのそばに立って、トニーは、どの子がジャニス・ダブルーツィだろうかと考えた。キャプテンだ、と判断する。黒髪のその娘の潑剌《はつらつ》とした動きは、スーを思い出させた。練習が終わり、真っ先にフィールドを離れたその娘に、思い切って声をかける。

「ジャニス？」

娘が足を止め、用心深くトニーを見た。浅黒く、非常にかわいらしい顔の持ち主に、トニーはフィレンツェ的なものを認めた。オリーヴ色の肌、申しぶんのない体つき、じっとしていても動きと生を感じさせる、はちきれそうな活気……。十七歳の娘がどんなに魅力的になれるかを想起させられて、落ち着かない気持ちになった。

「ジョニーの娘さんかな？」トニーはきいた。

娘がうなずく。じっと動かず、黙っている。

「記者じゃないよ。お父さんといっしょに、何百年も前にフットボールをした。今は弁護士をしている。名前はトニー・ロード」

ジャニスがチアリーダーのジャケットの前をかき寄せる。「誰だか知ってるわ」

低い、ハスキーな声だった。どことなくセクシーで、女っぽさを感じさせた。「お父さんは元気?」トニーは尋ねた。

答えがすぐには返ってこない。「死んだの、半年前に。心臓発作で」

トニーは驚いた。これは、これから何度も味わわされる驚きの先駆けであり、中年を襲う災難の始まりなのだろう。「そう。それはほんとうにお気の毒に」

ジャニスがわずかに首を傾けた。それが唯一《ゆいいつ》の返答だった。低い声できいてくる。「なんの用?」

トニーは一瞬ためらった。「マーシーのことで話ができたらと思って。彼女とは親友だったんだよね」

ジャニスが黒い瞳《ひとみ》を凝らす。「誰が言ったの?」

トニーはふたたび躊躇《ちゅうちょ》した。「彼女のお母さんが」

ジャニスが顔を赤くし、目を伏せる。彼女を見ながら、トニーはクリストファと彼の友だちのことを思った。ティーンエイジャーは、彼らが望むように、そして彼らの調子がいい日はそうであるように、大人として扱ったほうがたいていうまく行くことを思い出す。大昔に、ソール・ラヴィンがもうひとりの十七歳の若者に話したように……。

「ジャニス、きみとマーシーの両親とのあいだに何か問題があるのはわかっている。だが、わたしには皆目見当がつかない。問題をこれ以上こじらせたいんじゃないんだ」

ジャニスがふたたびトニーを見る。「じゃあ、何をしたいの?」

彼女の声が震えているのにトニーは驚いた。「マーシーに何が起こったのか知りたい。それに理由も」

ジャニスが、ロッカールームへ向かうほかの娘たちをトニーの肩越しに見つめてから、トニーに視線を戻した。「このことにはほんとうに参ったの。もう警察には話してあるわ」

「このことって？」

「マーシーのこと」と、ぶっきらぼうに言う。「あの子が死ぬのを手伝ったこと」

トニーは首を傾《かし》げた。「どうやって？」

ジャニスの瞳に新しく何か——真剣で、感情的なもの——が現われた。「あの晩、マーシーのお母さんがあの子を捜して電話してきた。あたし、いっしょにレポートを書いてて、今は図書館に行ってるって言ったの」声がかすれ気味になる。「ほら、調べものをしによ」

トニーは、サムといっしょにやった、たいていは無分別な、小さな反抗を思い出した。そうやって、親との違いをはっきりさせていたのだ。と、そのとき、遅れてきた衝撃のように、アリスンとあの晩、彼女が家を抜け出す計画を立てたのを思い出す。「マーシーにそう言ってくれと頼まれたんだね」

「ええ」今度は声がきつくなる。「親友だもの」

「なら、彼女は理由も言ったんじゃないかな」

ジャニスが、留まるべきか立ち去るべきかを決めるかのように、一瞬トニーを見つめた。それから、フットボール場を囲むフェンスのところへ行き、それにもたれて、太陽に顔をさらした。「少しだけ」ようやく言う。「彼氏がいたの。でも、誰だか言おうとしなかった」

トニーは情報を漏らさずに、彼女の思考を映す鏡となるべく、こう質問をした。「なぜ言おうとしなかったのか、心当たりはある？」

「彼が困るからってマーシーは言った。彼に約束させられたのよ」

いかにも、十代の友人の劇的世界に浸りきった娘らしい口調だった。しかしトニーが思ったのは、裁判のさい、この言葉がどれほど致命的に聞こえるかということだった。

「彼を守る理由を何か言っていた？」

ジャニスがまともに見つめる。「年上だってことだけ。それに、奥さんがいるって」

トニーは相手の視線を受け止めた。「じゃあ、マーシーはなぜ彼と付き合ったんだろう？」

ジャニスが眉根《まゆね》を寄せる。「マーシーはすばらしい友人だった――頭がよくて、誠実で、話しやすかった。でも、男のひとに関しては、レイクシティでいちばんうぶだった。とくにセックスとなるとね。そのひとがはじめてだったのは、まず間違いないわ」腕を組む。「マーシーのお父さんは、いつもマーシーにがみがみ言ってた。娘に尼さんのようになってほしかったみたい。そのひとは信頼してくれるんだって、マーシーは言った。だから、そうね、あの子が自分にがみがみ言わない年上の男性に恋したのもむりないわ」

ジャニスがいっぽうで大人のように鋭く分析しながら、もういっぽうでマーシーの怒りに同化していることを、トニーはおもしろく思った。ジャニス・ダブルーツィは、ばかでもなければ単純な娘でもない。「少し傷つかなかった?」トニーはきいた。「つまり、マーシーが打ち明けてくれないことに?」

ジャニスが首を横に振る。「あなたはあの子を知らないのよ。マーシーはそのひとに約束して、その約束を守った。つまり、もしあたしが誰にも話さないでって言ったら、あの子は誰にも話さないの――絶対に」言葉を切った彼女の目に、涙が浮かんだ。「親友のそういうところを知ってるのって、すてきなことよ。マーシーのお母さんにうそをついたとき、そう思ったわ」

トニーは黙って相手を見守った。少女は顔を下に向け、やがて落ち着きをとり戻したようだった。トニーはだしぬけに、ジャニス・ダブルーツィに対して心から親しみを覚え、より大きな悲しみを感じた。ジャニスは、ジャニスの父親となった公明正大な少年を、もっと複雑にした人間のように見えた。しばらくしてから、尋ねる。「相手が誰だか、考えたろうね」

ジャニスが元気なく肩をすくめた。「ええ、まあ」

「サム・ロブだと思った？」

ジャニスの視線はトニーに向けられず、用心深い。「いいえ。思いもしなかった」

トニーはうなずいた。「アーニー・ニクスンだと思ったんだね？　お父さんの友だちの」

ジャニスが用心深い視線を向けてくる。返事はなかった。

「何も言う必要はないよ」トニーは言った。「マーシーがニクスンさんを好いていたのは知っている」

やがて、ジャニスの表情がやわらいだ。「マーシーは夢見る少女だったのよ」

その言葉は、ジャニスが意図したよりも、ジャニスについて、マーシーについて、互いの相手に対する感情について、多く語っていた。「マーシーにボーイフレンドはいたの？」トニーはきいた。「高校にって意味だけれど」

ジャニスが首を振る。「ううん。男の子も女の子も混ざった、気の合う仲間ってのはいたけど。ああいう友だち関係は、あの子のお父さんには絶対理解できないわね。でも、マーシーがいっしょにダンスに行ってた相手、グレッグ・マーシュは、ゲイなの」言葉を切ってから、「そのことは、ほとんど誰も知らない。とくにテイラー夫妻——彼のお金持ちのお祖父《じい》ちゃん、お祖母《ばあ》ちゃんは。だけど、マーシーはグレッグを好いてて、彼の隠れ蓑《みの》になってあげてた。あの子、男の子に対しては物怖《ものお》じするところがあったから、どっちにとっても好都合だったのよ」ひと息ついて、小さく微笑む。「でも、グレッグが結婚したときに困らないように、さよならのキスは必ずさせるんだって言ってた」

マーシーのユーモア感覚を示す言葉をはじめて耳にして、トニーは、描きかけの人物像――親切で、若い娘なりの信念を持っている――にその点を加えた。少年のほうは、アリスンの甥《おい》だとすると、前途は多難だと想像できた。また、ジャニス・ダブルーツィは、空想の世界に生きるような娘の親友だったとは信じられないほど現実的な感じがした。

「マーシーはすてきな子だったみたいだね」やがて、トニーは言った。

ジャニスが空《くう》を見つめる。「マーシーは、すばらしい子だったわ」

トニーはポケットに手を入れ、彼女がしばらく思いを巡らすのに任せた。「マーシーは彼と結婚したがっていたと思う？」

その質問に、ジャニスの表情が変わる。最初はぽかんとした顔になり、それから驚いた顔になった。「年上の彼のほうと？　まさか」

「どうして？」

「だって、マーシーは彼を愛してたもの――あたしにそう言ったわ。あの子はばかじゃなかったし、彼の人生を壊したいとは願ってなかった。自分たちには自分たちの世界があって、それをそっとしておきたいって言ってた」言葉を切り、首を横に振る。「お父さんに処女マーシーの存在を信じさせ続けなくちゃならない、って言ってたのを憶《おぼ》えてる。せっかくのそのうそを、だいなしにするわけないじゃない」

いかにも若者らしく相手の言葉を完璧《かんぺき》に否定するあざけりの言葉は、それまで耳にした何よりもトニーの心を乱した。ジャニスの説明するマーシーは、サムが言った、結婚願望で頭がいっぱいの娘とは、あまりにもかけ離れている。慎重に質問した。「マーシーに口裏を合わせてくれと頼まれた晩、彼女はなんて言っていたのかな？」

ジャニスがフェンスに背中を預け、空を見上げる。一瞬、トニーは相手にされなくなったのかと思ったが、やがて彼女は話し始めた。

ジャニスの話によると、マーシーはおびえているように見えた。

五時半になろうというころで、夕方の最初の兆《きざ》しがジャニスの寝室に忍び寄りつつあった。ふたりは、ジャニスのピンクのベッドカバーの上に、脚を組んで座っていた。マーシーは顔色が悪く、このときに限って、親友の顔を直視できなかった。

「彼に会わなくちゃならないの」マーシーが言った。「どうしても」

「なぜ今晩なの？」

「話し合う必要があって」マーシーの喉《のど》が動く。「話せるようになったらすぐ、何もかもあなたに話すわ。でも、今はまだむり」

ジャニスは友人をじっと見た。マーシー・コールダーと知り合って何年にもなり、毎日顔を合わせていたため、十歳のときや十二歳のとき、あるいは十四歳のときのマーシーの顔をはっきりとは思い出せない。しかし、今夜のマーシーはとても幼く見え、ジャニスは、黙り、途方に暮れている友が心配になった。

「あんた、面倒なことになってるの?」ジャニスはきいた。

マーシーがすばやく首を振る。「ううん」そう言ってから、はじめて顔を上げる。「お願い、ジャン。頼みを聞いて」

切羽詰まった声に、ジャニスは不安を覚えた。友のきらめく茶色い瞳と淡いそばかすを見ると、ますます自分の妹に似て見える。ジャニスはきいた。「お母さんが電話してきて、あんたがここにいなかったら、なんて言えばいいの?」

「わからない。なんでもいいわ」マーシーがジャニスの両手を自分の両手で包む。「ここにいて、レポートを書いていたって言って。でも、くわしい資料を探しに図書館に行ったって。それならパパが喜ぶ。〝努力〟が大切だって、いつもうるさく言っているから」

ジャニスはためらった。彼女が反対しているのは、道徳的な理由からではなく、現実的な理由からだった。マーシーの両親にうそがばれるのがいやだったのだ。

「お願い」マーシーがくり返す。

ジャニスは友の表情を見て、思わずうなずいてしまった。

抱きついてきたマーシーの目に涙が浮かんでいたのを、ジャニスは憶えている。今、トニー・ロードのほうを向いたジャニスの目に、同じものが浮かんでいた。

「お葬式のとき、あたし、あの子のお母さんを見ることができなかった」ジャニスが低い声で言う。「ご両親を見られなかった。二度と顔を合わせられない」

ジャニスの頬を伝う涙を見て、トニーは、アリスンを見つけたときの自分の涙を思い出した。「きみは友だちとの約束を守ったんだ」

ジャニスは何も言わずに顔をそむけた。

9

レイクシティ・レクリエーション・センターは、かつてはテイラー図書館だった十九世紀の建物で、テイラー公園を望む高台に不規則に広がっている。芝の敷地には、野外ステージと回転木馬がある。その光景は、まるで健全な人造物が本物の健全さをもたらすと言っているようで、トニーにフランク・キャプラの映画セットを思い出させた。近くの土のグラウンドで、アーニー・ニクスンが七歳ぐらいの子どもたちにソフトボールを教えている。

トニーはしばらく練習を見守った。アーニーからも子どもたちからも離れているせいで、サイレント映画を観《み》ているようだった。忍耐強いコーチが、投球を中断しては指示を与え、打者がボールを打つまでさらに一、二球、ゆるい球を投げる。最後に、子どもがふたり、練習を終えたくないようすで、アーニーに駆け寄った。アーニーは片方の子どもに、帽子のつばを下げて粋《いき》に見せるかぶりかたを教えてやった。それからアーニーがボールとバットを集めて布の袋に入れ、子どもたちは保護者とともに去った。

トニーはグラウンドを歩いていった。トニーに気づいて、アーニーが袋を下ろす。驚きを見せず、観念したようなそぶりから、こちらの来訪を予期していたのだと感じた。

「やあ、トニー」

「やあ、アーニー」ふたりは堅苦しいと言っていいほど礼儀正しく握手をした。「しばらくだな」

「まあね」アーニーが言う。「あんたは変わらないな。面通しの列に並んでいても、選び出せる。こんなたとえは適切じゃないか」

トニーは頬をゆるめた。「けさの新聞からすると、なんとも言えないね。とにかく、きみも元気そうで何よりだ。腹も出ていない」

「腹は出ていないけれど、髪は減った」アーニーが広い額を手で撫《な》でた。短く刈った毛に白髪が混じっている。「中年か。歳《とし》には勝てないよ。だが、あんたは時の翁《おきな》に苦戦させているようだな」

「頑張っているよ。それで、今はどうしている？」

アーニーが肩をすくめる。「子どもがふたりいる――九歳の娘と、七歳の息子だ。会えないのが寂しいよ。母親がふたりを連れて家を出て、シカゴへ戻ってしまった」視線がテイラー公園へ移り、声が穏やかになる。「そのほかには、先週、とても気だてのいい娘《こ》が殺された。どんな気持ちがするか、あんたは憶《おぼ》えているだろう」

〝殺された〟というひと言にほかの意味が込められていることがすぐにわかった。弁護士に対する、あるいはサム・ロブに対する、あるいはサムの手助けをするトニーに対する、無言の非難。だが、トニーは、はっきり口にされたことしか気づかないふりをした。

「なぜ殺されたなんて言うんだ？」

「彼女を知っていたからだ」アーニーの顔がこわばる。「マーシーのことをききに来たんだろう？ 彼女が崖《がけ》から足を踏みはずした、あるいは身を投げた方法を見つけ出そうと思って？」

トニーはすぐには答えなかった。「高校生のとき、きみは疑わしきは罰せずの原理をわたしに適用してくれたのに」

アーニーが両手を腰に当てる。「あのときはあのときだ。それに、対象があんただった。あんたはとてもいいやつだった。あんたがアリスンの事件をどう思っているのかわかっていたし、あんたは男らしくふるまっていた。今、あんたはうまくやっているようだ――金はあるし、ステイシー・タラントを奥さんにしたし、何もかも手に入れた」言葉を切り、落ち着きのある声に戻って、「今では、あんたは誰かの弁護士で、そいつを助けるために働く。いや、誰かの弁護士じゃない。サム・ロブの弁護士だ」

長年の訓練によって、トニーは穏やかな態度を保った。「何か、サム・ロブに気に入らない点があるのか？」

アーニーが顔をしかめ、公園をじっと眺める。「あんたとサム・ロブ、ふたりのビッグ・スターは仲がよくて、自分だけが相手にふさわしい人間だとみなしていた。あいつのほうが、あんたよりも、その傾向が強かったね。だが、あいつのろくでもない傲慢《ごうまん》なけつを救うために、あんたがすばらしくいい娘を実際と違ったふうに描くのを、手助けするつもりはない」

トニーはすばやく考えを整理した。アーニーの目に映ったサムとの友情をおもしろく思い、アーニーが攻撃的態度をとってこちらの質問をかわしたことを心に留め、コールダー夫妻と同じような、サムに対するひそかな感情に不安を覚え、アーニーがマーシーに強い憐憫《れんびん》の情をいだいていることを感じとった。最後の点だけを、遠回しに探ろうと決める。

「マーシーはどんな娘だった?」トニーはきいた。

長いこと、アーニーは答えなかった。それから、はっとするような緑色の目をトニーに向け、静かに言う。「けがれのない娘だったよ。まったくけがれがなかった」

「彼女を気に入っていたようだね」

「そう言ってもいい」レクリエーション・センターのほうを顎《あご》でしゃくる。「この仕事をしていると、ときどき子どもの生気に触れることができる。だが、それがどれぐらい長く続くものなのかはわからない。マーシーに関して、俺は何か役に立てるんじゃないかと思った。彼女はとても気さくで素直な子だった。誰か大人が、一方的に彼女に話すんじゃなく、ちゃんと彼女の話に耳を傾けてやればね」冷たい声で、「サム・ロブもそれに気づいたんだと思う。あいつなりに」

「どうしてそう思う?」

アーニーが顔をそむける。「ご両親に会ったか?」しばらくしてから、きいてきた。

トニーはふたたび、故意に会話の方向が変えられたのに気づいた。「ああ。会った」

「マーシーには、話を聞いてくれる人物が必要だった。そして、あの父親はそういう人物じゃなかった。ついでに、男女同権主義者でもなかった。あの男に何回か会えば、だいたいはわかるよ。女はビジネスの世界では成功しない、なぜなら、女が欲しがっているのは子どもで、その次には産休を望むからだ、とか言う男さ」冷笑的な笑みを口もとに小さく浮かべる。「女どもはどこかの〝グループ〟のように〝特権〟を欲しがっている、とかね。あの男はマーシーを、教師やカウンセラーみたいな〝女の仕事〟に就かせたかったんだ。亭主が死んだ場合は収入を得られて、しかも夏は子どもと過ごせるような〝本格的でない仕事〟に。あの男は世の中を怖《おそ》れ、自分のおとなしい娘が彼女自身の考えを持つことを怖れた。だから、そんな考えを聞かなくていいように、声を荒らげたんだろう。それはうまくいって、今では聞きたくても聞けやしない」

トニーは、テイラー公園を眺めるアーニーの隣りに立った。その位置からは、公園のはしと、その向こうの二本の青い帯——水と空——が見えた。

「だから彼女はきみのところへ来たのか？」トニーは尋ねた。

アーニーがうなずく。「ときどきオフィスに立ち寄った。子どもたちの子守りに来たこともあって、俺たちが帰宅して、妻のディーがベッドへ行ってしまうと、しばらく話をしたものだ」

「何について？」

「彼女が考えていることはなんでも。作家になりたいという話が何回か出た。大人のじゃなくて、子どもの本の。自分で挿絵を入れたいなんて言ってね。絵がじょうずだったんだ。一度、俺の絵を描いてくれたよ。行きたい大学の話も出た。大きくて、ここから離れていて、教会が運営していない大学がいいって。都市の大学に行きたかったんじゃないかな」あざ笑うような声で、「父親はマーシーをとてもおとなしい娘だと言っていたが、俺といると、何時間でもしゃべれたよ。必要なのは、耳を傾けてやることと、ひとつふたつ質問をはさむことだけだった。サム・ロブもそれに気づいたんだと思う」

ここではじめて、トニーは単なる怒り以上のものを感じとった。「マーシーがサムについて話したことはあるか？」

「名前を挙げたことはない」アーニーは言葉を切り、それからしぶしぶと付け加えた。「最後のころ、あるひとと〝親しくなった〟と言っていた。俺には、言った意味がわかった」

「セックス？」

「ああ」

「彼女はセックスの話をきみとしたのか？」

横顔を向けたアーニーが、小さく口もとをほころばせる。「子どもはいるかい、トニー？」

「息子がいる。十七歳だ」

「俺のようにいつも子どもたちといっしょにいると、近ごろの子どもはほとんどなんでもしゃべることに気づく。ワイドショーでだってしゃべるよ。たぶん、親が聞いていなければな」首を横に振る。「俺たちは子どもにそれだけの性教育をしているんだ、とときどき思う。スポーツカーのキーを与えて、運転してみろと頼んでいるようなものさ。それに、『ビバリーヒルズ青春白書』でいつもそういう話題をやっているからな」

トニーは忍耐の限界を感じた。「よくわからないんだが、それがサムとどう関係するのかな？」

アーニーがトニーのほうを向く。「死ぬ一か月ほど前、マーシーが俺のところに来た。ふらりとオフィスに入ってきて、ドアを閉め、相談があると言ったんだ」

一瞬、マーシーが恥ずかしそうにドアを閉め、話があると言ったというサムの説明が、トニーの頭をよぎった。

「何があったんだ？」トニーは尋ねた。

マーシーの背後でドアがかちりと言った。アーニーが語ったところでは、彼の頭に最初に浮かんだのは、これが他人にどう思われるかということだった。やがてマーシーが「相談に乗ってほしいの」と言い、その口調を聞いてアーニーは自分の心配をするのをやめたという。

「どうした？」アーニーはきいた。

マーシーが椅子《いす》に座り、じっと彼を見た。なんでも話せる友人のアーニー・ニクスンを。

「最近、セックスをするようになったの」マーシーが言う。

彼女の声は低く、決然としていた。しかしアーニーは、言葉に悲痛さが含まれているのを感じた。少女は純潔を失い、ある意味では途方もなく大きな寂しさを覚えていて、アーニーに語らずにはいられないのだ、と感じた。思わず、アーニーは尋ねた。「それはいい考えかな？」

マーシーがゆっくりとうなずく。「彼が大好きなの、アーニー。彼にわたしのすべてをあげたかった」

一瞬、アーニーはそれ以上聞きたくないと思った。「学校の子なんだね？」

「ううん。年上」アーニーの表情を見て、マーシーが言葉を切り、それから急いで付け加える。「そのほうがいいの、絶対。わたしは何も知らないから、教えてもらえる」

アーニーは心のなかで顔をしかめた。「もう少し待ったほうがよかったんじゃないかな。経験をすると、いろんな感情が湧《わ》き起こり、すごく混乱する。準備ができていないと、受け入れるのが大変なんだ」

驚いたことに、マーシーは腹を立てなかった。「準備ができていたかどうかはわからない。でも、彼が望んだから、今だと思ったの」

マーシーの顔を見て、アーニーは打ちのめされたように感じた。できるのは、耳を傾けることだけだった。「俺はどうしたら力になれるのかな？」

「教えて」マーシーが視線を落とす。「どんな気持ちだか。つまり、彼の気持ちよ」

その言葉はアーニーにとって平手打ちのようだった。穏やかに言う。「俺だったら、すぐにセックスはやめる」

マーシーの目が見開かれ、そこに涙が浮かんだ。「コンドームが破れたの」

「なんだって？」

「コンドームが破れたの」マーシーが意志の力で先を続ける。「彼にとって、それにわたしにとって、何を使うのがいちばんいいのか迷っているの」

アーニーは息を呑《の》んだ。「俺にはむずかしい質問だよ、マーシー。ご両親は知らないんだろう？」

「もちろん」警戒する顔になる。「あのひとたちが知ることは、絶対にない」

「だったら、医者に相談するべきだ」アーニーはふと考えた。「その男がこれまでどんなところに出入りしていたか、知っているかい？　それに、どんな人間と付き合っていたか？」

マーシーの顔が赤くなる。「その点は心配ないわ。だいじょうぶ」

アーニーは椅子の背に体を預けた。やがて言う。「その男にとって何を使うのがいちばんいいかなんて、俺の知ったことじゃない。だが、きみにとって何がいちばんいいかはわかる。病気をもらわないこと。妊娠しないこと。やめることだ」

マーシーの目から涙がこぼれそうになる。「できない」

アーニーはしばらく少女を見つめた。彼女はのろのろと顔から長い髪を払い、泣くまいと努めている。彼は静かに言った。「何を使うかについては、医者のほうが俺よりよく知っている。だが、きみ自身のために、そして俺の心の平和のために、約束してくれ。相手の男にはいつでもコンドームを使わせる、と」

まだ涙ぐんでいるマーシーの目が、感謝で輝いた。アーニーが彼女を見捨てず、心配していることへの感謝。どう表現していいのかわからないほど、それがアーニーを悲しませた。

マーシーはそれに気づいたのかもしれない。突然立ち上がると、机のわきを通ってアーニーのもとへ行き、彼の頭のてっぺんにさっとキスをした。

「アーニー、大好き」そう言って、立ち去った。


しばらくのあいだ、トニーは口を開かなかった。「マーシーのご両親には話さなかったんだろうね」

「話せばよかったと思うよ」アーニーが公園のほうへ目をやる。「だが、それはマーシーを裏切る行為だし、ほんとのところ、俺がティーンエイジの娘とそんな話をしていたとなると、一部の人間は大いに神経をとがらせるだろう。彼女の両親だけじゃなくてな」

「彼女はきみに恋心をいだいていたと思うか？」

「おそらく」声がとげとげしくなっている。「おそらく、その意味では、俺が最初だったんだろう。だが、ほんとうの最初の相手は、俺のような人間じゃだめなんだ」トニーのほうを向いて、「マーシーは優しい子だった」と、少し穏やかな声で言った。「自分が十六歳で、十六歳のものの見かたができれば、とこちらに願わせるような子だった。だが、まともな心の持ち主なら、自分は十六歳じゃないとよくわかっている。俺のような人間は、とくによくわかっていたよ」

覚めていて、ややあきらめの混じった口調だった。「なぜこの町に戻ってきたんだ？」トニーは聞いた。

アーニーはふたたび小さく口もとをほころばせた。「なぜひとはこのような場所に来るのか？　安全だからさ——学校はかなりいいし、麻薬に関してはほとんどの場所よりもずっとましだし、子どもたちが、交通事故にあったり誘拐されたりすることなく、通りを駆け回れ、自転車を走らせられる」言葉を切り、肩をすくめる。「五年ほど前かな、ジョニー・ダブルーツィが電話をしてきた。俺はシカゴにいて、仕事にも、街の環境にも、稼ぎにも不満を持っていた。その後、あいつと連絡をとり続けていた。そしてあるとき、あいつは町長だったダグ・バーカーに話をして、俺が不動産価値を低めるような男じゃないと納得させた。だから、就職の面接を受けにこっちに来て――」

「ダグ・バーカーが町長？　きみを〈ランサーズ〉に入れまいと画策したのと同じ男か？」

「ああ。今は教育委員長さ。ダグはついに長年研鑽《けんさん》を積んできたもの――平凡な考えかたしかしない偉ぶった中年おやじ――になったんだ」首を横に振る。「俺は考えた。今じゃ町のようすも変わり、子どもにとって、俺たちのころよりも暮らしやすい場所になっているだろう、と。じっさい、ましにはなっていたが、すごくましというわけじゃなかった。ディーはついに言ったよ。黒人の子どもを育てるのに都合のいい場所なんかない、とくに、黒人だという自覚のない夫といっしょに、黒人に対するまともな口のききかたも知らない人間だらけの町に住んでいる場合は、って」ふたたび声にとげが混じる。「だから女房はシカゴに、なつかしの環境に戻ってしまった。学校は劣悪だが、トラック何杯ぶんもの黒人がいる場所に。女房の計算能力を非難するわけにはいかない。なにしろ、家族が帰ってしまって、俺はまた、町でただひとりの黒人になったんだから」

トニーは無言でうなずいた。かつてアーニー・ニクスンが漂わせていた孤独感を思い出した。それが今、感じとれる。だが、アーニーの結婚の幕切れがこれほど単純なものだったのか、疑問にも思った。と、べつの思いが頭に浮かぶ。マーシー・コールダーは、その気さくさゆえに、用心深い黒人の男には、ある意味で心を許せる相手だったのかもしれない。もしかすると、彼の妻よりも……。

「マーシーのことは、とても残念に思う」トニーは言った。

アーニーがトニーに顔を向けた。「トニー、あんたは残念の意味を忘れている。ここへ来たければ、来ればいい——思い出話をしよう。だが、マーシー・コールダーの話題は二度とごめんだ」

モーテルの部屋で受話器を持ち上げながら、トニーは、時刻が六時をだいぶ回っていることに気づいた。

「ステラ・マーズ」きびきびした応答があった。

「ステラ、トニー・ロードです。残業かな?」

「自分のためにじゃないわ」じゃまが入るのを歓迎しない、切り捨てるような口調。

「何かご用かしら?」

「検死報告書が来たかどうかと思ってね」

間があった。「じつを言うと、ちょうど読んでいるところ」

返答を聞いて、トニーは神経をとがらせた。声に、敵意に近いものを感じたのだ。

「何か新しくわかったことは？」

「少なくとも、ひとつ。マーシー・コールダーはあの晩、性交渉を持っている」

今度はトニーが間をおいた。サムがうそをついたか、ほかの誰かがいたのか、だ。

「精液をDNA鑑定できますね」

「精液はないわ。検死官は、流通しているコンドームの銘柄に使われている潤滑油を検出しました」ステラの声は抑揚がなかった。「〈アダムのあばら〉という名です。畝《うね》から、そういう名が付いているのね」

トニーはすぐには答えなかった。「それは知らなかった」

「そう」ステラがためらう。「潤滑油は肛門《こうもん》で検出されたの」

トニーは椅子に深く座り直した。「アナルセックスの場合のように」

「ええ」

「強制されたもの？」

ステラは黙っていた。「擦過傷があった」冷静な口調で言う。「でも、はじめてだったからでしょう。ミスター・ロブにきけばいいわ」

トニーの耳に伝わってきたのは、怒りだった。「ほかの人物の可能性もありますよ、ステラ。強姦《ごうかん》されたのかもしれない。精液がなければ、断定はできない。陰毛が合致すればべつだが」

ステラがふたたび黙り込む。体毛は発見されなかったのだ、とトニーは察した。誰がマーシー・コールダーと肛門性交したにしろ、この点で、その人物は運がよかった。とくに、その人物がサムだった場合は。

トニーは慎重に沈黙を破った。「ほかに何かあるかな？」

「ＤＮＡの結果が出るまでは、ないわ。ところで、例の血液の件は説明がつきました？」

「まだ」

「それは残念」ステラがそう言い、電話を切った。

10

「サムはランニングに出てるわ」スーが言った。「あなたを見て、体を絞らなきゃって思ったの」

電話線を伝ってくる彼女の声にとげがあった。トニーはスーの顔を見たいと思った。「あいつと話をしたいんだ」

短い間があった――不安によるものだろう。「電話させるわ」スーが言った。「来てくれてもいいけど」

トニーはちょっと考えた。「行くよ」

家の前に車を着けたとき、あたりは薄暗くなっていた。通りの先で、黒っぽい人影が街路樹の下を走っている。三十年たった今でも、歳月を経て重さを増した肉体に、かつてキャッチボールをした少年のしなやかな優美さが認められた。人影がサムになり、街灯の下で立ち止まった。汗が赤らんだ顔を伝っている。呼吸のたびに胸が上下する。

「心臓発作を起こすぞ」トニーは言った。「ジョニー・ダブルーツィはそうだったんだろ」

サムの目が細まる。「ジョニーはぶくぶく太ったから、あんなふうに死んだんだ。俺はこの休暇が続くんなら、なんとかしてみせる」言葉を切り、目の汗をぬぐう。「おまえはどんなことをしてる？」

「おもにエアロビクス系の運動をたくさんやっている。ウエート・トレーニングも少し」

サムがじろじろと見る。「あまり体重は増えてないな。球技は？」

トニーは肩をすくめ、不安から来るいらだちを隠そうとした。「ときどきバスケットを……」

「なら、やろう。ここにいるあいだ、俺とトレーニングしよう。六時半に、ジムでどうだ？　迎えに行くよ」

〝おまえはまだ後ろ足から投げてる〟とサムが言ったのを、トニーは思い出した。「考えておくよ、サム。だが、今は、話があるんだ」

サムが頭を下げて両手を両膝《ひざ》に置き、力をとり戻そうと、ゆっくりと数回、深呼吸をする。「どこかに座ろう」と、トニーは言った。

ふたりは無言で裏庭へ行った。かつてスーとトニーがサムを寝かせたのと同じ場所に、まだハンモックがあった。腰を下ろしたトニーは、酒を飲むサムの姿を見ていないことに気づいた。「禁酒したのか？」

「いや。だが、マーシーが死んでから、飲む気がしないんだ。それだけじゃなくて、あまり食欲もないし、眠けも起こらない」トニーのほうを向き、「おまえもそんなだったか？　アリスンが殺される前の自分の人生が、他人のもののように思えたか？」

「ああ、そんな気がした」

サムが大きく息を吸ってから、言った。「スーもかわいそうに。この一週間で、マーシーのことを知ってしまった――少なくとも、推測するのに足りるぶんは。そして、彼女の手元にあるのは、うそをついてる、あるいは頼りにならない亭主だけ」声が鋭くなる。「あいつはおまえのところにも行けないんだろ、トニー？」

トニーはサムの言った意味を読みとろうとした。「きみがすでに指摘してくれたように、わたしはきみの弁護士だ。いずれにしても、スーはきみを当てにしないことに慣れていたんじゃないか？ それとも、きみはマーシーとスーを切り離すことができて、どちらといっしょのときも、何ごともないって顔をしていられたのか？」

サムがトニーをじっと見る。夕闇《ゆうやみ》が濃くなり、トニーは相手の表情を読めなかった。サムの沈黙の長さから、そのまなざしの重みを感じた。「努力しなくちゃならない」サムが落ち着いた口調で言う。「気が変になりたくなければな。だが、それでも、俺が経験したように、どうしようもなくなるんだ」ハンモックに大きくもたれ、退屈したように、組んだ手に頭を載せる。「それで、何があったんだ？ ジョニーが心臓発作を起こしたのはもう知っているから、ほかに何かあったんだろ」

「ああ。誰かがマーシー・コールダーにアナルセックスをした」

サムがわずかに頭を上げる。「つまり……？」

「彼女が死んだ晩、誰かが彼女の肛門《こうもん》を使って性交したんだ。合意の上かもしれないし、強姦《ごうかん》だったのかもしれない。きみが彼女と会ったあとだったかもしれないし、会っているときだったかもしれない」

サムは身動きもしない。「あの女検事補はどう思ってるんだ?」

「彼女は何でも受け入れる気だよ。男はコンドームを使った。〈アダムのあばら〉という銘柄だ。だから、精液をDNA鑑定できない」

長いあいだ、サムは黙っていた。「コンドームのことはどうやって知ったんだ?」

「なぜきく?」トニーは穏やかに尋ねた。「銘柄が間違っているのか?」

サムが身を起こす。手で頭を支えたまま、トニーの存在を忘れたかのように、前方をにらんだ。キッチンに明かりがついた。窓にスーの顔の輪郭が浮かび、流しに体を傾けて、皿を洗っている。ときおりこちらをうかがうそぶりをする。サムがそれに気づいているのかどうか、トニーにはわからなかった。

トニーは無言で感情の整理をした。やがて言う。「話したほうがいいぞ。よその州でコンドームを買ったんでなければな」

「彼女はこんなことする?」マーシーがきいた。

サムは口の渇きを感じた。「いや」

マーシーは彼の車の後部座席に裸でうつぶせになっていた。「やって」ささやくような声で言う。「やってほしいの。何もかも経験したい」

こんなことはすべきでない、とサムは知っていた。来た目的どおりに、話をすべきなのだ。

月明かりのなかで、マーシーのほっそりした背中は大理石のようだった。今後、自分の人生で、このような瞬間は決して訪れないだろう。サムの胸が高鳴った。

マーシーがゆっくりとみずからを差し出す。一瞬、スターティング・ブロックに足を置いて体を前傾させた彼女に、はじめて欲望の鼓動を感じたときが思い出され……。

次のひとときの映像は鮮明で、早送りで流れた。マーシーの小さな叫び声。痛みを伴う緩慢な進みと、やがてついに彼女を征服した快感。だいじょうぶ、とマーシーはくぐもった声で言い続けた。だいじょうぶ。

事が終わって、サムの下でマーシーが寝そべっていた。サムは孤独感と恥ずかしさに身震いした。

「結婚したい」と、マーシーが言った。

サムの話を聞きながら、トニーは窓辺のスーを見た。今この瞬間が、よけいに不快に感じられた。

「話せなかったんだ」サムが言った。

「話せなかった？」

「きまりが悪かったんだよ」トニーに顔を向けずに、サムが立ち上がる。「関係を打ち切るつもりで行ったのに、十六歳のきれいな娘に、俺がしたことがないことをしたいと望まれて」

「ほかのみんなから聞いたよりも、かなり進んだ娘だったんだな」

「その件は話しただろ？　前に。あの子は、俺が何がしたいか尋ねて――」サムが言葉を途切らせた。スーをじっと見ている。低い声で、話をしめくくった。「コンドームのことだが、どうしてわかったんだ？」

「近ごろの地方は結構進んでいるのさ。検死官も同様。科学の発達やら、何やら……」

「次には」サムがささやくように言う。「次には、なんとかマーシーに打ち明けられる、と俺は自分に言い聞かせた。そのとき彼女が結婚したいと切り出して、話がおかしくなった」トニーに視線を戻す。「そのあとは、話したとおりだよ、トニー。俺は殺していない。それに、この部分はどうでもいいことだと思ったんだ――おまえには。気にするのは、俺と教育委員会だけだと」

トニーは立ち上がった。「ジャニス・ダブルーツィによると、マーシーはジャニスに居場所をごまかしてくれるよう頼んだそうだ。きみと大事な話をしなくてはならないからと言って」

サムが首を横に振る。「結婚のことについてだとしか思えないね」声を落として、「あるいは、たんに俺を喜ばせたかったのかも……」

窓のところでは、スーが明かりを消した。

トニーの声は低くなっていた。「わたしはきみに、うそをつかないよう頼んだ。おそらく、聞こえなかったんだろう。だが、頼むのはこれが最後だぞ」

サムが腕を組む。「俺は殺してないよ、トニー。これを言うのは、これが最後だ」

トニーはしばらく何も言わなかった。依頼人が友人のサムでなかったら、これほど幻滅し、憤慨することもなかっただろう。だからといって、サム・ロブが殺人犯になるわけではないが。やがて言った。「マーシーがほかの誰かと関係を持っていた可能性はあるだろうか？」

サムが鋭い目つきでトニーを見る。「ほかの誰か？」

トニーはためらった。「ひょっとすると、アーニー・ニクスンとか。アーニーを慕っていたらしいから」

サムが首を振る。「ありえないよ、トニー。ありえない」

「なぜ？」

サムが背筋をのばす。「そんな子じゃないからだ。いいのか悪いのかわからないが、マーシーが求めていたのは俺だけだ」

トニーは相手を見た。声を殺して言う。「まいったな、サム」

九時半、トニーは、ジーンズだけという恰好《かっこう》でベッドに横になり、天井を見上げていた。

ドアでノックの音がした。応対に立ち上がりながら、来訪者は記者だろうか、サムだろうか、もしかするとアーニー・ニクスンだろうかと考える。しかし、ドアをあけながら、彼女が来るのを予期していたことに気づいた。

スーは、ジーンズとセーターとデニムジャケットといういでたちだった。モーテルの廊下の薄明かりのなかで、実際よりも小さく、若く見えた。昔愛した少女を突然目にした気がして、トニーは一瞬言葉を失った。

「ごめんなさい」スーが言った。「都合が悪かったかしら?」

「いや」トニーは答えた。「びっくりしただけだよ。さあ、入って。何か着るから」

トニーがワークシャツのボタンを留めているあいだに、スーはすみに腰を下ろし、部屋を見回した。「がらんとした感じね」

トニーは口もとをゆるめた。「殺風景だろ。子どものころの部屋みたいだよ」

スーが顔を上げてトニーを見る。「あのころよりは暮らしがよくなったわよね。少なくとも、あなたは」

トニーはうなずいた。「いろいろな意味でね。わたしは過分についていた」

スーが立ち上がり、ジャケットのポケットに両手を入れる。しばらくしてから言った。

「あなたと過ごしたあの晩以降、サムはとても努力した。お酒の量に注意し、前にも増してあたしを思いやってくれるようになった。まるで、あなたとあたし——いっしょにいるあたしたちを想像するだけで、サムはあせって、自分の情けなさを認識するみたいだった。結婚したら……」言葉を切り、肩をすくめる。「結局、また飲むようになった。だいたいは、ひとに見られない家でね。でも、子どもたちはいやがった——お酒を飲むと、いつものサムではなくなるから。あのひとにとっては、失望感をやわらげるすべだったんでしょうね」

トニーはスーを見守った。まるで、ほんのきのうかおとといに中断したままの旧友との会話を、寂しさから再開したかのようだった。「あいつは、先週から一滴も飲んでいないと言っていた」

スーがうなずく。「何か恐ろしいことがあると、あのひとはやめるの。たぶん今度は二度と飲まないかもしれない」トニーを見て、「あの夜に飲んでたことを、あなたに言った？」

トニーは驚いて首を傾《かし》げた。「どれぐらい？」

「目がぎらぎらするぐらいは。あの目つきは知ってるでしょ」

「ああ」

「あたし、あの夜のことをずっと考えてるの。心の奥底では、わかってたんじゃないかって。あのひとを止められたんじゃないかって。家に戻ってきたときのようすといったら……」声が途切れる。

トニーはひそかに不安を覚えた。「どんなぐあいだったんだい?」と、ようやくきいた。

スーが顔をそむける。「後悔してて、びくびくしてた。恐ろしい目にあって、酔いが醒《さ》めたかのようだった。家を出たときとはべつの人間になってたわ」

スーがこちらを見たくないことが見てとれた。トニーも同様に、彼女に質問したくなかった。やがてスーが顔を向ける。「これからどうなるの、トニー? サムは言おうとしないの」

「言えないんだよ。それに、あいつにもわたしにもわからないんだ」声をやわらげて、「こんな状態から抜け出せたらと思うよ。今でもきみの友人であるわたしのために、だが何よりもきみのために。弁護士としてではなく、きみを助ける方法があったらいいのに」

「あなたを弁護士として呼んだのはあたしよ。サムに必要なのは弁護士だもの。あたしのためにこの状況を少しでもよくしたいのなら、あのひとを助けて。サムは今でも子どもたちの父親だし、あたしが選んだひとなの。あたしの願いは、これが終わってくれることよ」言葉を切り、トニーの腕に触れる。「それに、あなたのためにできることがあればいいと思ってる。あなたに心配されるお荷物じゃなくてね」

「きみはそんなんじゃない。問題はわたしのほうだ。依頼人の弁護をすることは、個人的感情をわきに置くことでもあるんだ」いったん口を閉じ、さらに穏やかな声で続ける。「だが、それはわたしにとってむずかしい——アリスンが、サムがからんでくるし、それに何よりもきみがからんでくるから。ときどき思うんだ。トニーとスーは、今でもサムに用心しているって。ただ、今回は、きみと過ごせる晩はないし、きみの相談に乗ることさえできない」笑みを作ろうと努力した。「つまり、今のわたしはきみに理解を求めることしかできないんだ」

「理解？」スーの笑みはつかの間だった。「それはあたしの得意分野よ。いずれにしても、頼まれなくたって、あたしはあなたを理解するわ」

スーはトニーの頬に軽くキスをし、さよならを言った。

彼女が行ってから、トニーは、なぜ自分がこんなにも寂しく感じるのか、そして誰のために寂しく感じるのかを突き止めようとした。

11

トニーは言った。「わたしの知らないことをあなたが知っていると感じるのは、なぜなんだろう」

「たぶんそうだからでしょう」ステラ・マーズが答え、ホットドッグをひと口かじる。

スティールトン広場のピウスーツキ元帥《げんすい》像のそばに、ふたりは立っていた。さわやかな春の一日だった。まわりでは、空調のきいた墓場から解放された会社員たちが、ホットドッグやプレッツェルを買って食べたり、近くを歩き回る鳩《はと》にパンくずをやったりしている。公判の最中のステラには、一時間しか時間がなかった。トニーに与えられたのは、食事のあいだの十分間だ。「なんなのか、当てなくちゃならないんだろうか?」トニーはきいた。

「いい、トニー、わたしには、サム・ロブについて知っていたり怪しんでいたりすることを、すべてあなたに言う義務はないの。レイクシティ警察やメディアが望んでいるからといって、起訴する義務がないのと同じように」一拍おいてから、「あるいは、ステイールトン・プレス紙に、アリスン・テイラーの検死報告書の写しを与える必要がないのと同じように」

「そんな要求があったんですか？」

「ええ。未解決の事件だからと、断ったけれど」

トニーはポケットに手を突っ込んだ。「助かる」

ステラが肩をすくめる。「テイラー夫妻はまだわだかまりを持っているのね」

トニーは少し待ってから言った。「サムについては、知らないことは話せない」

ステラがトニーのほうを向く。「ここでもまた、ほかのひとたちの感情がからんでくる。わたしとあなただけではなく」

「マーシーの両親のことか」

ステラがナプキンで口を拭《ふ》く。「電話がじゃんじゃんかかってきている――あなたは、コールダー夫妻に、アーニー・ニクスンに、マーシーの友だちのジャニスに会った。さらには、アリスン・テイラーの両親にまで。だから、おおすじはわかってきたでしょう？　マーシー・コールダーは、自殺をするような子じゃない。彼女は、年上の男と性的関係を持っていた。死んだ晩、その男に何かを話す必要があった。そして、死ぬ前か、あいだか、あとに、肛門《こうもん》性交をした」ふたたびトニーのほうを向いて、「新たに確信を持てたことがひとつあるので、教えましょう。サム・ロブの車のハンドルに付いていた血は、マーシーのものでした」

心の準備はできていたものの、トニーは動揺した。「DNA鑑定の結果が戻ってきたんだね」

「彼女の血液のね。ええ」

トニーはネクタイをゆるめた。「強く感じたんだが、マーシーの両親は、サムが彼女とセックスしていたと固く信じているようだった。それがその肛門性交だったんだろうか？　なぜかと言うと、あの両親は、自分たちのティーンエイジの娘が既婚の男と寝ていると簡単に信じるようなひとたちではないからね。ほかに選択肢がないかぎりは」

ステラがトニーをじっと見る。「なら、あのひとたちを気の毒に思うべきね。ほんの一週間前には、あのひとたちには無垢《むく》な、生きている娘がいたんですから」

ほかに何があるにせよ、ステラは話さないだろう。確信が持てないのかもしれない。

「起訴するのかな？」トニーは直截《ちよくせつ》にきいた。

「まだ」ステラの顔は何も明かしていない。「そのときは、事前に知らせます。理由も」

まだ足りないものがあるのだろう、とトニーは推測した。かつてのトニーのときと同じように、検事事務所は事件がいちだんと有利になるのを待っている。トニーは、今感じている不快さのどの程度がサムのせいで、どの程度が忍び寄ってくる記憶から来ているのだろうかと思った。

「わたしにはどのぐらい時間があるんだろう、ステラ？」

ステラがトニーから顔をそらし、鳩を見つめる。しばらくしてから言った。「あなたが彼の助けになるものを見つけられたら、すぐに起訴します」

若い女はメモ用紙から顔を上げ、ワイヤーフレームの眼鏡を押し上げた。「これほど似た事件でレイクシティへ戻ってくるのは、妙な気分ですか？」

トニーの目は怒りも驚きも表わさず、凝視を続けた。「アリスン・テイラーは絞殺《こうさつ》されたんです。わたしが発見したんですから、確かです。しかし、マーシー・コールダーのほうは、崖《がけ》から落ちて死んだ可能性が高い」

その言葉に女はまごついたようだった。スティールトン・プレス紙の殺風景なカフェテリアで椅子《いす》に深く座り直し、視線をさまよわせる。「いいでしょう。でも、アリスンもマーシーも疑わしい状況で死に、当時のあなたもサム・ロブも現場にいました」

「わたしは現場にいるところを発見された。サム・ロブのほうは、現場へ行ったんです」トニーは冷静な声を保った。「あなたがサムとわたしをメネンデス兄弟と引き比べて記事を書くのは自由ですが、サム・ロブが自発的に警察へ行った事実を忘れないでもらいたい。あなたが今熱心に書いているらしい記事には、わたしのほうが標的としてははるかに向いていますよ。わたしのほうがはるかに怪しい容疑者だったんですから」

女の顔が赤くなる。殺人者とコーヒーを飲んでいるのかといぶかる相手を、トニーは見守った。彼女の不安を軽くしてやるつもりはなかった。

「彼を信じていますか？」女が尋ねる。

トニーは目を見開いた。「二十八年前、アリスン・テイラーの父親は、娘の死体のわきで、わたしを見つけた」無愛想に言う。「あなたのように探求心旺盛《おうせい》だったこの新聞のひとたちは、わたしたちの関係がうまくいっていず、わたしが彼女を強姦《ごうかん》する過程で殺したのかもしれないという記事を書いた。彼らはわたしの人生をだいなしにしかけた。しかも、記事のために、良心を捨てて」声を穏やかにする。「もし、わたしが潔白で、あなたのような記者たちにされたことから完全には立ち直っていないと言ったとして、あなたは信じますか？　こんなことを言うのは、あなたが同じあやまちをくり返し、しかも今回はサム・ロブをわたしの道連れにしそうに思えるからです」

女が髪の毛をいじり始める。「あなたと同じように、彼も潔白だとおっしゃるんですね」

「わたしはもっと大事なことを言っているんです。サム・ロブは、法の下では、潔白だ、と。わたしを悪く言いたいのなら、ご自由にどうぞ――ほとんど気にならなくなりましたから。しかし、言論の自由のために、サム・ロブの評判を犠牲にするのはやめてもらいたい」ここではじめて、トニーは口もとをゆるめた。「気に障《さわ》ったら、言ってください。どうもわたしは、自分の経験を、サム・ロブと彼の家族の今の苦しみに重ねて見てしまうようです。そして、わたしと同じように、サム・ロブはなんの罪でも告発されていない」

女は、トニーが少し緊張をゆるめたのに安堵《あんど》して、椅子の背に体を預けた。「わかりました」彼女が言った。「わたしは公平でありたいと思っています」

「こちらの願いはそれだけですよ」間をおいて、「もし、ドナルド・ホワイトがレイクシティにやってこなかったら、アリスンはまだ生きていたかもしれません。そしてもし、ソール・ラヴィンがやつの罪を暴《あば》かなかったら、わたしはこうしてほかの誰かの潔白を訴えていないかもしれない」

女が猛烈な勢いでペンを走らせたとき、トニーは自分がしめくくりの文章を書いてやったのだと知っていた。自分の冷たさとそれに続く温かさが、計算どおりにうまく働いたのもわかっていた。彼女は知らないが、冷たさのほうだけが本物で、どう努力しても、トニー・ロードは、彼女が生まれてもいないときにほかの記者たちから受けた仕打ちと彼女を切り離せないのだった。

ソールがまわりに皮肉るような視線を向ける。「ドナルドに」と言って、ウィスキーをぐいと飲んだ。

トニーが自分の人生を続けられるという救いの言葉を、二十八年前にソールから聞かされたのと同じ波止場の酒場に、ふたりは座っていた。驚いたことに、トニーはここをよく覚えていて、ほとんど変化がないことを見てとった。新しいものは、当時はまだなかったライトビールの張り紙と、ビデオゲームぐらいだ。食べ物のにおいも、薄暗さも、カウンターやテーブルの鈍い輝きも、以前と変わらない。

トニーは低い声で言った。「大金を積んだと思いますよ。この目でドナルド・ホワイトを見られるのなら。やつがアリスンにしたことや、アリスンが苦しんだかどうかを知るためなら」

「終わったんだよ、トニー。マスコミを除けば、終わったことなんだ」

トニーは首を振った。「あなたはかつて言いましたよ。一部の人間にとっては、決して終わらない、と。わたしがそのひとりだとは、言い忘れていたようですが」言葉を切り、自分のスコッチをひと口飲む。「タイムワープしたような気分ですよ。アリスン、スー、サム……。いまだに、あいつはわたしと競争せずにはいられない。身についてしまっているんだ」

「きみが彼女と寝て、それからステイシー・タラントを妻にしたことも、助けにはならんのだろうな。きみが彼をみじめな立場に置き去りにしたことを、思い出させるだけなんだ」

トニーは顔を上げた。「あいつはそれを知りませんよ、ソール。それに、あなたも」

「いや、知っているさ」ソールが口もとを小さくほころばせる。「サムみたいな男には、きみが彼女と寝たことがわかるものなんだ。たとえ、事実ではなくとも。ところで、近ごろの旧友をどう思う？」

トニーはグラスのふちを何気なく指先でたどった。しばらくしてから言う。「わからないんです。ときにサムは、感受性が鋭く、勇敢にさえ見える——なんと言っても、自分から警察に行ったんですからね。またべつのときには、無神経で、自己中心的なまでに身勝手に見える。あいつの説明によるマーシー・コールダーは、素直な、性の冒険者という印象で、ほかのひとたちから得たマーシー像と一致しない。それがうそなのか、弁解なのか、サムのゆがんだ目で見た現実なのか、はたまた、わたしの望みとは裏腹の、彼を信じたくないという気持ちによるものなのか、はっきりしません。でも、あいつとマーシーの情事に驚かされるたびに、わたしの心の一部は、それに至った事情や、あいつが今感じている恥辱をほぼ理解できるんです。それから、わたしは告解室で贖罪《しょくざい》の祈りを捧《ささ》げる自分の姿を思い出す。胸の思い——同情心でしょうか——がサムに対するものなのか自分に対するものなのかはわかりません。今や、状況はだんだん悪化し、サムはどうやら窮地に追い込まれている。となると、本能的にあいつを弁護したくなるんです」

「たとえサムが彼女を殺していても？」

「いえ。その場合はしません。でも、わたしにはわからないんです」

「しかし、殺したかもしれんと思っている」

トニーは手を組み合わせた。「あの晩、あいつは飲んでいた、とスーに聞きました。衝動的になり、自制心を失っていた」

「殺人を犯すほど？」

椅子の背に体を預けながら、トニーは、友が手に持った石で、写真に写ったかわいい娘をしたたかに殴り、草の上に倒す場面を想像した。やがて、首を横に振る。「子どものころのあいつしか知らないんです、ソール。あれからどうなったのかはわからない」

ソールがトニーをじっと見る。「飲酒は弁護の役に立つ」

「サムが殺しを認めた場合だけです。あいつは認めていないし、これからもそうすることはないでしょう」

ソールが周囲に視線を向けた。鉱石運搬船の船員がふたり、ビールを飲みながら、ビデオゲームに興じている。それを除けば、店内は静かだった。「ステラが何を待っているのか、心当たりは？」

「さあ。検死官はすでに、頭蓋《ずがい》骨折は事故によるものではないとの見解を出しています。だから、鑑識による何かほかの結果なんでしょう。最新技術を使って、石からサムの指紋をとり出そうとしているとか。だとしたら、こちらの助けにはなりません」

ソールが肩をすくめる。「こちらはこちらで専門家を見つけられる。向こうを攻撃する方法はいくらでもあるんだ」

トニーはスコッチを飲み干し、おかわりを頼んだ。「もうひとりドナルド・ホワイトがいてくれたら、ありがたいんですがね」

ソールが懐疑的な笑みを向ける。「ありがたいことに、あいつらは木に生《な》っているわけじゃない」唐突に口を閉じ、トニーの顔を覗《のぞ》き込んだ。

トニーはその視線を受け止めた。「アーニーは可能性があります。なんらかの欲望なしに、ひとりのティーンエイジの娘のために何時間も割く男はほとんどいません。サムが一線を越えたのなら、あの男だって越えたかもしれない。大学教授たちの実態を考えれば、むちゃな推論ではないでしょう」

ソールが皮肉るような笑みを顔に浮かべる。「連中はセックスするだけだよ、トニー。殺しはしない。それに、あの晩、彼は友だちと出かけていたかもしれんぞ」

「サムがもう一台の車のなかに見た男かもしれません」

ソールの笑みが消える。「何をしようとしているのか、承知しているんだろうな」

トニーは胸の痛みを感じた。アーニー・ニクスンについては、弁護士の鎧《よろい》が感情を麻《ま》痺《ひ》させてくれることはないのだとわかった。「もちろん、承知しています。あなたがそんなことを言うとは思いませんでした」

ソールがゆっくりとグラスを下ろす。「ゆがんだものの見かたをするのはやめたんだ。もう、その必要がなくなったんでね」

「だから、そのかわりに飲むんですか？」

ソールの視線がきびしくなる。「わたしが飲む理由は山ほどある。そのすべてを理解するほど、きみがわたしを理解することはない」

トニーは息を呑《の》み、やがて言った。「すみませんでした」

ソールがしばらく彼を見つめる。「いいんだよ。きみはいずれ後ろめたく感じるはずだから……」

「あなたはよくわかっているはずだ。わたしが果たすべき義務がなんであって、わたしの感情がそのじゃまをしてはいけないことを。わたしがサムの弁護士であるかぎり、わたしが忠誠を尽くす相手は彼だけです。弁護手段を見つけなければ、無能と言われてもしかたありません」

ソールが一方の口のはしをほころばせる。「レイク・くそ・シティでただひとりの黒人か。すばらしいよ、トニー。ほんとうに」

トニーの頭はずきずきし始めていた。「わかっています」穏やかな声で言う。「とにかく、私立探偵を見つけてください」

ソールが首を横に振りながら、きびしい目をトニーに向け、それから公衆電話をちらりと見る。「二十五セント硬貨はあるか？　わたしが酔っ払って正体をなくす前に、アーニーを破滅させられるかもしれん」

12

横から見るサムの顔はこわばっていた。「ジャック・バートンがきのうの夜、電話してきた。校長だよ」

ふたりは車でジムへ向かっている。朝の六時半ごろだった。空には筋のような雲が浮かび、淡い黄色の光が灰色からしみ出している。右手には、テイラー公園が、闇《やみ》からひっそりと姿を現わしつつあった。

「憶《おぼ》えているよ」トニーは答えた。「ハーヴァードへの推薦状を断られたからね。ジョン・テイラーの差し金だと、常々思っていた」

「まあ、今度もやってくれてるみたいだ」

「どうやって？」

「教育委員会に申し立てをしてるんだ――マーシーの両親とテイラー夫妻が。俺を即刻首にしろ、と」

トニーは驚いてサムのほうへ体を向けた。「テイラー夫妻が？　彼らは隠遁《いんとん》生活を送っているものと思っていた」

「すっかり引きこもってるわけじゃないんだ」サムの声が小さくなる。「俺を首にするためなら、世間に顔を出す価値はあると思ったんだろう」

「バートンは自分の態度を明らかにしたか？」

サムはすぐには答えなかった。「あいつは俺を支持しないよ。『ときとして、見た目が現実である』とぬかしやがった」

窓の外に目をやりながら、トニーは、こんな早朝のレイクシティを見た最後の春を思い出した。脚に軽く置かれたスーの手を感じながら、彼女の家へ車を走らせ、玄関の階段で待つサムを見つけたのだった。「きみはどうしたいんだ？」トニーは尋ねた。

「俺たちは金が要る」サムがこちらを見たがっていず、声に自己嫌悪《けんお》が満ちているのがわかった。「親は家を残してくれたが、ほかにはあまりない。しかも、その家を担保に、子どもたちを大学に行かせたんだ――ふたりともデニスンに行って、学費がかかった。給料をもらえなくなったら、スーと俺にはほとんど何も残らない」

自分の行為が引き起こした一連の結果に直面して、サムがけさ、どういう気持ちでいるのか、トニーは想像しようとした。「遅かれ早かれ、きみは仕事の問題を何とかしなければならないいんだよ、サム」

サムが息をつく。「せめて、猶予《ゆうよ》をもらえないか？ 今、この問題でスーを悩ませたくないんだ。勝手な言いぶんに聞こえるだろうが……」

最後まで言う必要はなかった。恥じ入る気持ちと必死の思いがトニーに伝わってきた。通り過ぎる光景に目を向けると、湖岸にあった古い家々――スティールトンの富によって建てられた、やたらに広い木造の家や別荘――がとり払われ、かわりに、ある人間にとっては申しぶんない生活の具現であるチューダー様式ふうやコロニアル式もどきのもっと大きな家が建っていた。なぜかトニーは、リヴァーウッド戦からの時の経過に思いを致した。

「それはわたしの専門分野じゃないが、公聴会なしにきみを首にはできないと思うよ」

サムが唇を嚙《か》む。「公聴会で証言はできない。マーシーとの関係を話すわけにはいかない」

「なんとか時間稼ぎをしてみるよ。そのあいだに、何か取引きができるかもしれない――依願退職とか、退職手当とか、年金の継続とか」間をおいてから、低い声で付け加える。「前にきみが指摘してくれたとおり、マーシーは死んでいるんだ。きみが話さないかぎり、向こうは性的関係の告白を得られない」

サムは前方をじっと見ている。「ひとはおまえに最悪のことを言う」ようやく口を開いた。「それから、おまえはその人間を助けるために奮闘する。それでおまえは、神のように感じるのか、それとも鼻持ちならない男のように感じるのか？」

その問いは、弁護士の人生におけるいくつかの真実を突いていた。依頼人の無力。弁護士の、力を有する感覚。トニーが頻繁に感じて居心地悪く思う、同情と軽蔑《けいべつ》の混じった気持ち。弁護人としての務めが、人間としての個人的良心よりも優先されねばならないありかた……。「神のように感じるときもある」トニーは答えた。「ひとでなしのように感じるときもある。たいていは、どちらとも感じない。そして、自分は何をやっているんだろうといつのまにか自問しているときは、自分に起こったことを思い出すんだ。もちろん、なぜか濡《ぬ》れ衣《ぎぬ》を着せられた、ほかの多くのひとたちのこともね」

「で、今は？ 俺を弁護することになって、どう感じている？」

トニーはサムのほうへ上体を向けた。「残念ながら、きみには、プロとしての公平な目を向けることができない。だが、これで慰めになるかどうかわからないが、きみの十六歳の少女との関わりは、間違ったことだろうが、救いがたいこととは言えないだろう。こんな考えは、弁護士にとって、とりわけ後悔の念をかかえた弁護士にとって、不都合きわまりないものなんだろうがね」話を明るくしようと努める。「だいたい、わたしは、二十八年も痛悔の祈りをさぼっているんだ。図書館の延滞料みたいなものでね——一定期間が過ぎると、料金を知りたくもなくなる」

サムがトニーの顔をじっと見る。「おまえは何を後悔しているんだ、トニー？」

「あの晩、アリスンが戻ってくるのを望んだ以外に？」いったん言葉を切り、サムを以前のように友だちとして扱うべきかどうか迷ったすえ、そうするのが親切だろうと決心した。「ひとつには、最初の妻を裏切った。お決まりの情状酌量すべき事由はあったんだ。結婚生活はぐらついていたし、わたしはカースン事件の最中だったし、相手の女性はいつも身近にいるような気がした。わたしはある選択をし、その結果、妻を失い、かなりのあいだ、クリストファを失った。あれから十二年たつが、あのときのことを考えると、いまだに身が縮まる。だが、あとで良心の呵責《かしゃく》にさいなまれても、してしまったことはとり返しがつかない。せいぜい、次回の戒めになるぐらいだ」

「おまえらしいな」サムの声は妙に穏やかだった。「ことに、良心のくだりが」

一瞬、トニーは、友の発言にスーとの件は含まれているのだろうかといぶかった。ジムに到着した。飛行機の格納庫を思わせる、波板の屋根の付いた現代的な建物が、かつて古い農場があった場所に建っていた。サムは車を降りようとしない。

「教育委員会の件だが、トニー。なんとかできるか？」

「努力するよ。だが、ジャック・バートンが鍵《かぎ》を握っているだろうな」トニーはためらった。「バートンにつつかれるような問題はほかにないか？　生徒への性的いやがらせや、虐待《ぎゃくたい》や、おどしと受けとられるようなできごとは？」

サムの目が冷淡になる。「何もない。身に覚えなどまったくないよ」

トニーは相手の顔をじっと見た。「じゃあ、委員会について話してくれ」と、やがて言った。

サムの目に、ひねくれた喜びが宿る。「まず、おまえの旧友のダグ・バーカーが、今は委員長だ。部屋んなかでいちばんのくそったれだ、とおまえがやつに言った晩を憶えてるか？」

トニーがサムと喧嘩《けんか》した晩のことだ。トニーは答えた。「あのあと、わたしがアリスンを殺したのか、ときみは尋ねた」

サムの目がきらりと光る。「それがどれほどきつい言葉か、知らなかったんだ、トニー。今はよくわかるよ。だが、ダグ・バーカーはいまだにくそったれだ」

トニーは小さく口もとをほころばせた。「わたしがなぜ町を出たと思う？」

ふたりは無言でジムへ歩いた。


午後二時、トニーは前触れなしにレイクシティ高校に現われた。ふたたび幽霊になったような気分で、数分のあいだ、校内をぶらついた。かつての自分のロッカーの前を通り過ぎ、アリスンのロッカーの前でちょっと立ち止まる。時は学校に対して優しく接しておらず、二十八年の歳月――体育館の垂れ幕には、サム・ロブの名前の下に、二列の名前がある――が、公共の建物に共通の殺伐とした雰囲気を強調していた。だが、トニーが過去に囚《とら》われた感覚をおぼえるのは、そのせいではない。突然、できるだけ早く用件を済ませたくなった。

校長室の前の机から、ジェーン・ムーアが顔を上げ、驚きを見せた。

「トニー・ロード」彼女がなんとか声を絞り出す。

「やあ、ジェーン」トニーは彼女の前を通り過ぎ、ジャック・バートンの執務室のドアをあけた。

バートンが目を凝らす。トニーが見守るなか、認知の最初のしるしが現われ、目が大きく開き、動きが止まった。バートンの髪は薄く、白くなっており、顔はさらに細くなっていたが、澄んだ茶色の瞳《ひとみ》には、トニーが読みとることを学んだ、信頼できない油断のなさが見えた。

「何か用かね、トニー？」

「わたしは、あなたにあの推薦状を書いてもらいたかった」

バートンが目をしばたたかせる。「あのときはきびしい状況だったんだ。ずっと悔やんではいたのだよ」

「なら、これからは、もっとましな行動をとり始めるんですね」言葉を切り、相手の周囲に目をやる。「あなたも知ってのとおり、この前、この校長室に来たとき、ジョージ・マークスはわたしを学校から追い出そうとした」

バートンが椅子《いす》に深く座り直す。「言うまでもなく、きみはサム・ロブの件で来たのだろう」

「ええ」

バートンが手を組み合わせる。「サムは、夜間、女生徒といっしょにいたのを認めている。その状況が、彼女の死につながっており――」

「そして、『ときとして、見た目が現実である』でしょう？」

バートンの背中がこわばる。「そのとおり。彼は、不適切なふるまいというものを承知している、責任ある大人――教師であり、管理する立場にある人間――なのだ」

親としてなら、この男と意見を戦わせはしない、とトニーは思った。穏やかな声で言う。「でも、生徒とふたりきりでいたからといって、あやしいと言い切れますか？　わたしはそうは思わない」

「彼はあそこにいるべきでなかったと、きみはよく知って――」

「そして、あなたは、現実に何があったのかを、まったく知らない。わたしのときに知らなかったのと同じように」

ジャック・バートンの目に、追いつめられたあせりが見える。「何が望みだ、トニー？」

「あなたが知っていることを話し合いたい。サムは教頭を九年間やっていますね？」

「おおよそ」

「サムの行動に、生徒から苦情があったことはありますか？」

バートンが眉《まゆ》をひそめる。「これまでは、ない。だが、今度のようなことは、教頭が二度もやるようなことではないよ」

「サムがやったかどうか、あなたは知らない。この九年間、サムの勤務評定をしてきましたね？」

「ああ」

「どんな評価を彼に与えたんです？」

バートンの青白い肌に、はじめて、わずかな赤みが差す。「サム・ロブはこれまで、きちんとした教頭だった。ときには生徒に怖《おそ》れられ、ときには慕われた――全体としては、彼らをうまく指導していた。だが、酒を飲み過ぎるきらいがあるし、かんしゃく持ちだ」

「評定書でそれに言及したことは？」

バートンがためらう。「ない」

「サムはどうやってあなたの補佐役になったんです？　あなたの反対にあったわけでは

ないでしょう」

「ああ。だが、わたしが推薦したわけでもない。彼は教育委員会に友人がいるのだよ」

トニーははじめて口もとをゆるめた。「で、あなたは、サムの前に、どうやって教頭になったんです？」

バートンが背を向け、窓の外に目をやる。「検討会が開かれたのだ。候補者が、学区外の四人を含めて、六人いた。わたしが教育委員会に推薦されて、採用された」

トニーはその言葉をしばらく漂わせておいた。「検討会には、テイラー夫妻のどちらがいたんです？　ジョン？　それともキャサリン？」

バートンが向きを戻し、トニーに顔を向ける。「キャサリンだったと思う。だが、二十年前のことで、よく憶えては――」

「あなたがわたしにひどい仕打ちをしてから、たった八年後だ――テイラー夫妻はそのことをよく憶えているはずですよ」トニーの声が冷たくなる。「夫妻とのあいだで、その件を話し合ったことはない、なんて言わせません。今度のサム・ロブの件を話し合っていない、ともね」

トニーは冷静な目で、自分の意図どおりにバートンが恐怖を味わうのを見守った。バートンの弱点を徹底的に吟味して、憎むべき相手を喜びとともに攻撃したのだった。

「もし、免職の決定が下されたら、サムはあなたに対して訴訟を起こします。テイラー夫妻および教育委員会と共謀し、正当な手続きなしに彼の権利を侵した、として。あなたを校長として保護している保険証券を読んだところ、故意の不法行為は保障外になっている。となると、サム・ロブは、あなたの家や貯蓄や年金から賠償してもらうことになります。サムが首になった場合に、彼とスーが失うのと同じ資産から。釣り合いがとれていると言えなくもない」

バートンがてのひらを開く。困り果てて、泣きつくようなしぐさに見える。「わたしに何をさせたいんだ？」

「ここでわたしに言ったことを、そっくりそのまま、みんなの前で言ってもらいたい。サム・ロブの勤務評定は文句なかった、と。教師として、管理者としての九年間に、違法行為の訴えはなかった、と。そして、あなたから見て、サムとマーシー・コールダーとの関係が不適切であることを示すものは——じっさい、見た目とは反対に——何もない、と」トニーは間をおいた。「それから、法的手続きによって、サム・ロブが犯罪を犯したかどうかの決定が下されるまで、彼はこれまでどおり有給の休職扱いにされるべきだ、と」

「で、もしわたしが、そうするのは正しくないと真心から感じる場合は？」

「その場合、わたしは考えうるかぎりの法的手段を使って、依頼人の利益を増やさなくてはならない。かつてあなたが、あなたの利益を増やすために、わたしを破滅させようとしたのと同じように」トニーの声が穏やかに、皮肉っぽくなる。「あなたの動機がなんだったにせよ、忠義立てのほんとうの価値を知るのに遅すぎはしませんよ」

バートンが視線を落とす。「わたしよりも強硬な意見の持ち主だっているのだぞ」

トニーはふたたび口もとをゆるめた。「今、わたしたちが心を砕いているのは、あなたの救済だ。だから、学校付きの弁護士に相談するときは、保障してくれるのかどうか尋ねるんですね」

「もちろん、相談するとも」

「結構」トニーは唐突に立ち上がった。「なぜなら、あなたがサム・ロブを引きずり下ろす手助けをするのなら、あなたも彼といっしょに落ちていくことになるからです。そうなれば、正義がなされたという感覚ぐらいは、わたしにもたらされる」

実際には、そんなふうに感じられないだろう、と、立ち去りながら、トニーは思った。スーを助けられたことを除くと、サム・ロブを守るために殊勝顔をした利己的な男をおどしたことで満足感を得られそうにはなかった。とりわけ、今回はジャック・バートンが——動機がなんであるにせよ、そして、行動がどれほど恣意《しい》的であるにせよ——真実に基づいて行動していると、わかっている場合は。

13

しゃがれ声にもかかわらず、ジョン・テイラーの第一声は集会室にこだました。「三十年近く前、この同じ部屋で、わたしは娘アリスンの殺人事件について話をしました。今回、悲しいことに、ふたたび死について話をします」

彼の前のステージ上には、男三人、女ふたりから成る教育委員会の面々が座り、町民や記者やカメラで満員の狭苦しい部屋のほうを向いていた。外には大勢のひとが詰めかけ、マーシー・コールダーの写真付きのプラカードを掲げている。プラカードは、〈われわれの子どもを忘れるな〉と訴えている。トニーには、この夜が現実とは思えなかった。ジョン・テイラーも同じ気持ちだろう。

しかし、町は昔と同じではなく、政治の仕組みも変化していた。サムの話では、三人のメンバーが十一月に再選をめざしていた。このかろうじて過半数となる三人は教育長を支持しており、レイクシティの学校が、町と同様に、今のままでいいと考えている。残るふたりは、以前にも増してスティールトンのベッドタウンと化したレイクシティへ、ここ十年のあいだに越してきた人間で、この町の学校が自己満足の状態にあり、硬直化しているという、近年増加しつつある意見の代弁者だ。トニーには、この反目する派閥のリーダーふたりが分裂を具現しているように見えた。今や二重顎《あご》のダグ・バーカーは、べっこう縁の眼鏡を掛け、キワニスクラブの記章と、地方の名士らしい重々しさを身につけている。反乱派のリーダー、ケイ・マーストンは、不自然なほどあざやかな金髪で、耳からゴールドのイヤリングを垂らし、きびしい表情が、進歩のためには、ダグ・バーカーの口から――頭からではないとしても――生まれるたわ言に耳を傾けるのもやむをえぬ苦行だ、と言っている。今夜は、どちらの派閥も、サム・ロブを辞めさせなければ自分たちの路線が危うくなると怖《おそ》れているようだった。トニーの仕事は、それより自分のほうを怖れさせることだった。

トニーは最前列に座り、隣りに、サムとスー、それに、同情と当惑の入り混じった思いをいだいているとおぼしき友人が二、三人いた。サムは地味なグレーのスーツを着て、苦渋に満ちた顔をしている。誠実な妻の役を務め、やはりつらそうな顔をしているスーを見て、トニーは、彼女に殺人事件の裁判を経験させたくないと思った。

中央通路の演台に向かって立つジョン・テイラーが、委員たちに話しかける。

「しかし、これは同じ事件とは言えません。わたしはそう理解しています。しかし、彼自身は確かに、サム・ロブは夜間、十代の少女とふたりきりでいました。しかし、彼自身は十代ではない。

彼は四十六歳で、レイクシティ高校の生徒の安全と幸福を任せられた人間だった。それなのに、愛すべき十六歳の少女と夜、公園でふたりきりで会った」

サムはアリスンの父親を見つめていた。恥じ入るあまり、視線をはずせないでいる。トニーがスーを見ると、ちょうど目を閉じるところだった。

「どのような主張がなされるかは、わかっています」ジョン・テイラーが続ける。「マーシー・コールダーが殺されたことは証明されていない、あるいは、サム・ロブに〝合理的な疑いをはさむ余地がないほど〟の罪はない、と言うものでしょう。わたしにとっては、うんざりするほど熟知している主張であり、長年、身にしみてきた主張でありま す。

しかし、それと、サム・ロブが教頭であり続けるのがふさわしいかどうかということに、何か関係があるでしょうか？

何もない。なぜなら、サム・ロブは自分で自分を責める言葉を口にしているからです」

ジョン・テイラーが憔悴《しょうすい》した顔をサムに向けたとき、トニーは、これまでよりもはっきりと、憎しみが老人に成し遂げたものを見た。ゆっくりとジョン・テイラーが糾弾の指を上げ、声を震わせる。「なぜ、みずから釈明しないのだ？　なぜ、そこに座り、黙って、弁護士の陰に隠れているのだ?」声に侮蔑《ぶべつ》が混じる。「アントニー・ロードの陰に?」

サムが怒りに顔を赤くする。トニーはジョン・テイラーを凝視しながら、自分の怒りを隠した。委員たちはさりげなく沈黙を守っていたが、緊張し、注目しているのは明らかだった。

唐突に、ジョン・テイラーがふたたび委員たちのほうへ顔を向ける。「今夜は、サム・ロブにみずからの弁護をしてもらおう。そうでなければ、彼はわれわれの金を、信頼を、手にする資格がない」

ジョン・テイラーはそこで言葉を切り、向きを変えると、コールダー夫妻の隣りの席に腰を下ろした。なんと奇妙な組み合わせだ、とトニーは思った。人生の敗残者と、かつてカトリック教徒を毛ぎらいした裕福な男が、喪失感と悲しみによって結びつき、憎しみによって苦しんでいる。ジョン・テイラーがもっと思いやりのある人物だったら、彼は年下の男に、憎しみに用心するよう忠告しただろう。

ダグ・バーカーが、頭痛を覚えたみたいに、眼鏡の奥の目を細めたように見えた。彼が言う。「委員会は、ジョン・テイラーが示してくれた他者への気づかいに感謝します。長く忘れられない言葉となるでしょう」

「我慢するんだ」トニーはサムにささやいた。「わたしがあとで出れば、状況はよくなる」

『ロバート議事規則』を確認してから、ダグ・バーカーが、痩《や》せた、鳥を思わせる女性を演台に招いた。元ＰＴＡ会長のジェーン・ホイットマン。アリスン基金をはじめとする、関心ある市民団体の代表として選ばれたのだ。

「ひとびとは怖れています」単調な声で、ホイットマンは話を始めた。「それを、誰が責められるでしょう？　わたくしたちの高校の教頭が、マーシー・コールダーの不審な死における唯一《ゆいいつ》の容疑者なのですから。

サム・ロブがなぜまだ起訴されていないのか、わたくしには理解できません。おそらく、警察と郡検事長が、止めるには遅すぎた殺人事件に勝つために、万全の態勢を整えているのでしょう。しかし、だからと言って、教頭を雇っておく口実にはなりません。いくらかでも礼儀をわきまえた人間なら、面目がなくて辞職しているはずなのですけれど。

もし教頭がこの職に留まったら、面目がなくなるのはわたくしたちです」

突然、元ＰＴＡ会長はスーとサムのほうに顔を振り向けた。「この男をレイクシティから去らせることは、わたくしたちにはできません。できるのは、彼に、二度と、わたくしたちの娘を任せないことだけです」

スーが反射的に手をのばし、サムの手を包んだ。それに愕然《がくぜん》としたのか、ジェーン・

ホイットマンが援護を求めるようにコールダー夫妻のほうを向き、ナンシー・コールダーの顔に涙を見つけた。「あなたを気の毒に思っているのよ」かつて教師だったことを思い出させるような、優しい声になる。「みんなが残念に思っている。気がついてあげられればよかった」

ジェーン・ホイットマンは言葉を切り、ふたたび委員たちのほうを向くと、ひとりひとりに訴えるような視線を投げた。「どちらが大事なのでしょう――この男の〝権利〟と、わたくしたちの子どもの安全と？　あなたがたがフランクとナンシーのコールダー夫妻だったら、答えはすでに知っているはずです。

ここでの基準は合理的な疑いではなく、教師や管理者たちの道徳的な適切さです。そして、その基準によると、サム・ロブが二度とわたくしたちの子どもを導くべきでないことは明らかです――夜の公園にも、そのほかの点でも」

彼女が座ると、ふぞろいな拍手が起こった。次に、薬剤師、ガソリンスタンドの経営者、ロータリークラブの会長が発言した。三人とも、サムの解雇を求めた。それから、フランク・コールダーが、額の汗をハンカチで拭《ふ》きながら、立ち上がる。彼の声はこもっていて、中西部なまりがあった。それが、簡素な言葉に品位を与えているようだった。

「フランク・コールダーです。マーシーの父親の」

ダグ・バーカーの顔に、正真正銘の苦悩が現われた。「わかっていますよ、フランク。

委員会を代表して、お悔やみ申し上げます」

フランク・コールダーがうなずき、頭を下げる。「わたしらは学校が理由でこの地へ来ました。三人の娘に、最良の公教育と最も安全な土地を与えられるようにと思って。それが、わたしら夫婦、ナンシーとわたしが娘たちに与えたいと願ったものなんです」

「まいったな」サムがつぶやいた。心配するのも当然だ、とトニーは思う。何を言おうと、あるいはどう言おうと、フランク・コールダーは、サムが住む土地の希望と不安の象徴となっていた。この悪夢のくり返しを、トニーはつらい気持ちで見守った。

「予想もしなかったことに、わたしらの純真な娘はうそをつきました」フランク・コールダーが直截《ちょくせつ》に言う。「公園でサム・ロブと逢《あ》い引きするために。

マーシーに話があると言われたと、この男は言っています。執務室ではいけなかったんでしょうか？　テイラー公園で、夜間に会わなくてはならなかったんでしょうか？」

言葉を切って、つばを飲み込む。「わたしらはみんな、この男の考えていたことを知っています。それに、マーシーに起こったことも知ってます。そうでしょう？

そういうことが起こるのを、わたしらは学校に防いでもらいたいと願っているんであって、後押ししてくれと思っているんじゃない。この男を信頼してたのに……」喉《のど》にこみ上げるものがあり、一瞬言葉が出ない。「この男を信頼してたのに、あなたがたを信頼してたのに、こんなことになってしまった。

まあ、今は知ってます。みんなが知ってます。ナンシーとわたしは、テイラーさんの意見に賛成です――この男に話をしてもらいましょう。あるいは、まともな世の中だったら、この男を即刻首にしてくれ……」

フランク・コールダーは手を震わせていた。もう一度しゃべろうと口を開いたが、自分自身の考えに圧倒されたのか、しゃべることができなかった。委員たちを見据えたまま自分の席へ後ずさる。ナンシー・コールダーが立ち上がり、夫の腕をつかんだとき、トニーは、その行為に部屋のざわつきがすべて吸い込まれるのを感じた。

ダグ・バーカーがサムのほうをちらりと見て、「ロブ教頭の代理をするかたは、おられますか？」

トニーはサムに敵の戦法を警告してあった。サムに面目をなくさせて、自分から辞めるようにしむけるか、あるいは、少なくとも、話をするようにしむけるかだ、と。サムがこらえる姿を見て、トニーは代理をする責任の重さを感じた。マニラ紙の封筒を携えて演台に向かうとき、てのひらが湿っていた。

「やあ、ダグ」トニーは落ち着いた声で言った。

ダグ・バーカーが驚いた顔をする。「やあ、トニー」

封筒を前に置きながら、トニーは、ケイ・マーストンに興味深そうに見つめられているのに気づいた。「わたしをご存じないかたのために言っておきましょう。わたしはトニー・ロード――サム・ロブの弁護士で、友人です。以前、ここに住んでおりました。そして、多くの理由から大変残念に思っているのですが、悲しいできごとが起き、ふたたびこの地へやってきました」

予想どおり、控えめな自己紹介は、世間での評判と結びついて、注目を集めることができた。部屋がまたしんとしたようだった。

トニーは続けた。「二十八年前、アリスン・テイラーが同じ公園で殺されました。わたしはその公園で、アリスンがテイラー邸から忍び出てくるのを待っていました。かつて少年少女がそうしていたのと同じように。それ以降の少年少女もきっとそうしていることでしょう。アリスンが現われないので、わたしは探しに行きました。その夜、公園にはほかの人間がいました。今と同じです。わたしは足音を、誰かがテイラー邸の裏庭から来る音を聞きました。そして、アリスンがそこに横たわっているのを見つけた。その直後に、ジョン・テイラーがわたしたちを見つけました」いったん言葉を切り、委員たちの驚愕の表情を見据える。「以来、その場面が頭から離れません。今後も、生きている限り、離れてくれないでしょう。愛していたアリスンが殺されたからだけではなく、この町の多くのひとが証拠もないのにわたしを犯人だと考えたからです。

その筆頭は、理由はわかりますが、ジョン・テイラーでした。だが、わたしたちふたりには、もうひとつ、共通の思い出があります。先ほど、テイラー氏はそれをほのめかしました。二十八年前、テイラー氏はわたしを放校処分にするよう、教育委員会に求めたのです。わたしの弁護士がここに来て、わたしの代弁をしてくれました。今晩、わたしがサムの代弁をするのと同じように。そして、委員会は採決を見送り、わたしの卒業を許可してくれました。

おかげで、わたしはハーヴァード大学とそのロースクールの卒業生となりました。おかげで、幸せで成功した人生を送っています。誰にも、殺人犯ではないかと疑われることなく——この町ではべつかもしれませんが。

あれから何年もたち、今回、わたしに課せられた仕事は、委員会に、以前と同じく慎重に行動するよう求めることです。それに、サム・ロブが高校に捧《ささ》げた長い歳月を思い出してもらうことです。

そのためには、一通の手紙が役に立つでしょう。レイクシティ高校校長、ジャック・バートンの手紙です」話を中断し、ダグ・バーカーに封筒を渡す。「みなさんそれぞれに手紙の写しを用意しました。内容は、議論の余地のないことです。サム・ロブは、レイクシティ高校に奉職してきた二十年間、生徒からいかなる抗議を受けたこともなく、生徒に対する不適切な行為を疑わせるような事実も、これまでのところまったくなかった、と書かれています。参考にしていただくには、もってこいの書類でしょう」

それは請け合う、とトニーは胸の奥でつぶやいた。ジャック・バートンに、公共の場での発言はおろか、文書の作成さえ任せず、トニーみずから手紙を書いたのだから。そして、どの文章からも、バートンが署名したときの複雑な表情を見抜くことはできない。今のトニーの気持ちと同じように複雑な……。

「残念ながら、バートン校長は今晩、体調がすぐれないそうです。しかし、校長の手紙は、サム・ロブの、汚点のない、りっぱな経歴を伝えています。そして校長はみなさんに、とにかく公平な立場に身を置き、事実が認定されるまでは、ロブ氏を休職扱いにするよう勧めています」

トニーはひと息つき、ダグ・バーカーが手紙から顔を上げるまで待った。「一方、辞職を支持するかたがたは、この経歴を無視して、マーシー・コールダーに起こったことから、サム・ロブを危険な男、おそらく殺人を犯した男と仮定している。しかし、バートン校長が認めているように、もしこのような評価を、サム・ロブの友人に、同僚に、生徒に、あるいは誰でもいいから彼を知る人物に教えたら、そのひとたちは、それがサムに当てはまらないと思うでしょう」マーシーの両親をちらりと見て、トニーは穏やかに付け加えた。「そのひとたちのなかに、コールダー夫妻も入るはずです。

夫妻は、悲劇の答えを求めています。しかし、夫妻が味わい、今後もずっと味わう苦しみは大変お気の毒だと思いますが、この場に答えはありません」間をおき、ダグ・バーカーに直接話しかける。「マーシーがどうやって死んだか、あるいは誰に責任があるのかを、この委員会が決めることはできない――あなたがたにわかっているのは、マーシーが行方不明になってすぐ、サム・ロブが責任ある行動をとったことだけです。だから、法廷が結論を下していないことを決めるのは、あなたがたの知識、あるいは権限を超えています。あなたがたは、サム・ロブに対する自分たちの責任を念頭に置き、道徳的、法的、財政的に健全な、レイクシティの学校の運営のため、むやみな行動は慎むべきです」

遠回しなおどしに、ケイ・マーストンが居住まいを正す。トニーは続けた。「委員会はすでに、不適切かもしれない行為があったことを、法に定められた義務に基づき、当局に報告しています。法的機関が見解を述べるまで、わたしたちがよく知るサム・ロブとはほど遠い、この危険な男の亡霊を、魔女狩りの口実にすべきではありません。サム・ロブのマーシー・コールダーとの関係が不適切だったという憶測については、わたしの返答は単純です――次にあれこれ憶測されるのは、あなただ。

われわれは、火あぶりの刑や――発言者のひとりは残念に思っているようですが――追放という制度を廃止したのです」トニーの声がふたたび穏やかになる。「あなたがたがコールダー夫妻に対して負っている義務は、マーシーの思い出を大事にすることです。もうひとつの人生をだいなしにするという贈り物で、ふたりを慰めようと思ってはいけません。そんなことをしても、悲劇的な喪失の埋め合わせにはならないし、時がたつうちに、ふたりは娘のためにそんなことを求めたのを後悔するでしょう。そのずっと前に、あなたがたがきっと後悔するように」

それ以上は言わずに、トニーは腰を下ろした。椅子《いす》で小さくなっているサムが、トニーの肩をぎゅっと握り、疲れ果てた顔を見せる。トニーも急に疲れを感じた。

委員たちは緊張し、肚《はら》を決めかねた顔をしている。仲間の委員たちのほうを向いたダグ・バーカーの目に、トニーは迷いを見た。「動議の採否を決定する前に、意見を述べて、記録に残したい委員はおりませんか？」

一瞬の間をおいてから、バーカー派のひとり、地元で人材教育会社を経営する、ひと当たりのよさそうなアラン・プロクターが、マイクに顔を近づけた。

プロクターが口を開く。「わたしは仕事で多くの美辞麗句を耳にします。思うに、今耳にした発言は、いかに技巧が凝らされてようと、われわれを惑わす文句であり、中身のないおどしだ。ロード氏は、われわれに待つべきだと言ってる——法廷が犯罪行為についてのなんらかの決定を下したあとで、ちゃんとした公聴会を開くようにと」向きを変え、サムに軽蔑のこもった視線を送る。「だが、サム・ロブが公聴会でまともに話をするとは思えません。観念してマーシーと何をしてたかを話すか、あるいは話すことを拒むかのどちらかしか方法はないんだから、いずれにしても、罪を認めることになります。よって、可及的速やかにこの男を首にしても、べつに問題はないでしょう」

痛いところを突いている、とトニーは胸の奥で言った。自分にできるのがサムに弁明の機会を与えることだけだとしたら、もはや万策尽きたと言える。なぜならサムは憲法修正第五条（訳注　被告人は自己に不利益な証言をすることを強要されない）に頼らざるをえないからだ。しかし、ケイ・マーストンがプロクターに向けるきびしい表情は、疑念を表わしていた。「その考えをロード氏と話し合ったんですか？　あるいは、われわれの弁護士と？」

プロクターが口をすぼめる。「いや」

「その予定は？」マーストンが鋭い口調で言った。「つまり、われわれがロブ氏を首にする前にってことですけど？」

「みんな思ってることじゃないか、ケイ……」

「では、あなたの〝考え〟では、ロブ氏は首にされたあと、学校のやりかたを訴えるかわりに、公聴会の手間を省いてくれたことでわれわれに感謝するだろうというのね」ケイ・マーストンがトニーのほうを向く。「それについて、どうお思い、ロードさん？」

トニーは立ち上がった。「ふたつあります。第一に、そちらの弁護士が必ずや同意するとおり、サムには正式な公聴会を受ける権利があります。第二に、サム・ロブを今首にすることは、彼の評判を正当な理由もなくだいなしにし、多額の損害賠償につながります」

ケイ・マーストンがすばやくうなずく。「翻訳すると」と、プロクターに向かって言う。「ぜんぜんありがたくないってこと」

つかの間、ふたりのあいだの緊張によって、場が静まった。やがてプロクターがサムのほうを向き、疑問の言葉を投げかける。「なぜすんなり辞めないんだ？　どのつら下げれば、女生徒を公園に連れ込み、それから両親やわれわれを今夜みたいなつらい目にあわせられるんだ？」

思わずサムが立ち上がりかける。トニーはサムの胸に手を当て、顔を向け、小声で言った。「だめだ」サムが顔を赤くし、トニーの手を胸で押したが、やがてふたたび腰を下ろした。

ようやくダグ・バーカーが自分の役割を思い出し、秩序ある会合を保とうとして、言う。「ここからの委員会の進めかたについて、提案のあるかたは？」

ケイ・マーストンとアラン・プロクターの両者が手を挙げた。小さな町の策士としての抜け目なさから、ダグ・バーカーは敵対者にまず意見を言わせることにした。「じゃあ、ケイ、どうぞ」

トニーは口の渇きを覚えながら、マーストンを見守った。「今晩、多くのかたが表明された深い懸念《けねん》と悲しみを、わたしも胸にいだいています」マーストンが口を開いた。「女性に対する、ましてやこの町の少女に対する、間違った行ないに関して、それがどんなものであろうと、わたしほど断固とした気持ちを持つ者はいないでしょう。でも、われわれには、公聴会なしに免職にする法的権限がありません」聴衆を見回す。「われわれの弁護士が、待つようにと支持しています」

「言い換えれば」アラン・プロクターが口をはさむ。「何もするな、か」

トニーは緊張しながらふたりの対立を見守った。サムとスーの近未来が、どっちつかずの不安定な状態にあった。「いいえ」ケイ・マーストンが言い返す。「ばかなことは何もするな、よ。起訴が決まれば、あらためて集まって、公聴会を開きます。あなたが今しようとしているのは、負けが確実だとわかっている訴訟を招く行為だわ。でも、そうしたら、主導権はスティールトンの判事に渡され、判事はそれをサム・ロブと彼の弁護士に渡す。有権者から事実を隠すのは、よくないことよ」

アラン・プロクターが腹を立てて身をこわばらせる。ダグ・バーカーはほかの委員たちを見た。「決を採りましょうか？」

トニーが目をやると、ジョン・テイラーは椅子から身を乗り出すようにし、コールダー夫妻は手を握り合っていた。「マーストンさんの動議に賛成のかた」バーカーが言う。「手を挙げてください」

ケイ・マーストンが手を挙げ、それから、同じ派閥の、スティールトンに通う化学工学技術者が、テーブルに視線を落としたまま、手を挙げた。

「ふたり」ダグ・バーカーが落ち着いた声で言う。「反対のかたは？」

アラン・プロクターがさっと手を挙げ、続いてダグ・バーカーの第二の盟友、縮れた白髪頭の元教師が手を挙げた。トニーは思考が停止した状態で、ダグが最後の票を投じ、結果を出すのを待った。

「ふたり」委員長が険しい顔で告げる。サムが椅子の肘《ひじ》掛けを握り、スーがふたたび目を閉じた。

ダグ・バーカーが鼻梁《びりょう》を揉《も》む。「今夜は委員会に出なければよかった」ようやく言った。「わたしは、言葉では言い表わせないほど、マーシーの死を悼《いた》んでいます。しかし、トニー・ロードの意見に賛成しなければならない――われわれは軽率に判断してはならないほどサム・ロブを長年知っており、ここは分別を働かせて、法律にみずからの務めをさせるべきです」サムに顔を向け、しめくくる。「この行為を後悔することがないよう、願っているよ、サム。マーストンさんの動議は、三対二で可決されました……」

はっと息を呑《の》む音がした。ダグ・バーカーが、自分のしたことに驚いたかのように顔を上げ、それから騒がしくなった会場に向かって小さな声で言う。「これで閉会します」

混乱して暗い表情のひとびとがのろのろと立ち上がる。ほっとしながらも本能的な同情を覚え、トニーは複雑な気持ちで、ひとけのなくなったステージを見つめるコールダー夫妻を見た。

サム・ロブが椅子に座ったまま上体を倒し、泣いていた。

14

サムが手で顔を覆《おお》っている。安堵《あんど》と慚愧《ざんき》に包まれた男の大写しの映像に心を奪われ、トニー・ロードは自分が今していることを忘れた。

「ちょっと待っていてくれ」ステイシーにそう言って、受話器を置いた。

テレビに近づき、音量を上げると、映像はサムから、ソファーにひとりで座る二十代前半の細身の女性に替わった。「ニュースで教育委員会の会合を見たとき」女性がカメラに向かって言っている。「みんなに知らせなくては、と思ったの。どんなにつらくても」

画面では、化粧っけのない彼女の力強い顔が、誠実で大いに苦悩している印象を与えている。「ほかにも女の子がいたかどうかは知らないわ。でも、マーシー・コールダーが最初じゃないことはわかってる」一瞬、声が詰まった。「わたしが最初だったのかも……」

トニーは驚愕《きょうがく》してつぶやいた。「いや、まさか……」

画面の外から、女の声が尋ねた。「どんなふうに起こったのか、話してくれる、ジェニー？」

女性は何度もうなずき、心を落ち着かせようとした。「わたしは十七歳で、マーシーと同じように、陸上部に所属してた。彼は、わたしはほかの子と違うと言って……」

「それで、肉体関係を持った？」

「ええ」女性がためらう。「彼の執務室で一度、モーテルで一度」

「六年もたった今になって、公表したのはどうして？」

女性は気力を振り絞っているようだった。「もし、当時こうする勇気があったら、マーシー・コールダーはまだ生きてると思う。これ以上、サム・ロブが女の子に手をつけるのを、許すべきじゃないわ」

カメラが迫って、唇を噛《か》み、平静を保とうとする女性を映し出す。トニーは胃にぽっかりと穴があいたような気がした。

「『ヘッドライン・ニュース』のタマラ・リーでした」女性報道記者の声が言った。

トニーは呆然《ぼうぜん》として電話のところへ戻った。「すまない、ステイス。すぐにサムに電話しなくてはならないんだ」

桟橋からエリー湖を眺めるサムの顔は、苦悩の色をにじませている。「あの娘《こ》はうそをついてるんだ、トニー。俺の人生を壊したいんだよ」

依頼人の口からこういう言葉が発せられるのを、トニーは何度耳にしたことだろう。「これで女の子がふたりだ」トニーは強く言い返した。「で、今度の娘はなぜうそをつかなくてはならないんだ？」

サムが息を吸い込む。その反応は重苦しく、つらそうだった。まるで、この新たな辱《はずかし》めによって、サムの表面的な顔が剝《は》ぎとられ、根本的な自己だけが残って、本能から運命に抵抗しているかのようだった。「六年前だ」弱々しい声で言う。「俺はあの娘を陸上部から追い出した。ロッカーにマリファナを隠してたからだ」

トニーはぼんやりと考えながら、夕陽が湖へ下降し、暗紫色の水面に淡い光を散らすのを眺めた。「じゃあ、ほかにもそれを知っている人間がいるな？」

サムがゆっくり首を振る。「あの娘の口からやめると言わせたんだ。ひとつには、部内でそんなものを広められちゃ困るから、ひとつには、放校であの娘の人生をだめにしたくなかったから」トニーに苦笑いを向けて、「退学処分にするんだったよ。だが、そのときは、あの娘の歳《とし》に、自分が車のトランクにウィスキーのボトルを入れてたのを思い浮かべてね」

それを聞いて、トニーは言葉に詰まった。これは、サムが一時間足らずで練り上げたうそかもしれないし、ジャック・バートンが誠実そうな仮面をかぶって十七歳のトニー・ロードに寄せたよりも深い同情心から、サムが行動したということかもしれない。「この告発は、きみにとって大きな痛手になる可能性がある」ようやく口を開いた。「教育委員会に、きみが情緒不安定だという根拠は与えないにしても、道徳的にいい加減だという見本を示してしまう。それに、ステラ・マーズがジェニーを使って、きみが警察にうそをついたことを、いや、それればかりか、十代の娘に大いに興味を持っていることを証明しようとするかもしれない。腑《ふ》に落ちないのは、六年もたっているのに、この問題を持ち出すほど、ジェニーがいまだにきみを憎んでいる理由だ」

サムが唐突にトニーに顔を向ける。「ジェニー・トラヴィスには気弱なところがある。こっちが強く出れば、ぺしゃんこにできる」

態度の変化に、トニーは驚いた。サムの目は怒りに燃え、口調は残酷で実際的だった。「彼女を打ち負かせられるかどうかきいたんじゃない。どうしてうそをつくのかと……」

「なあ、トニー、ジェニー・トラヴィスには、当時でも、いろんな男と寝てるって評判があった。のちには、陸上部の女の子とのうわさもな」唇をきゅっと結ぶ。「わけがわからない相手に、理由を見つけようとしたってむりさ」

必死なサムの目を見て、トニーは、教育委員会の会合のあいだじっと耐えていたスーのことを思い出した。「スーはこの件をどう受けとっている？」

「スーがどう思ってるかって?」スーの話が出て、サムの激しさが絶望に変わった。「おまえに言ってるのと同じことを話したんだ——ジェニー・トラヴィスはうそつきだって。なんとかスーに信じてもらえなかったら、あいつは俺のもとを離れちまう」言葉を途切らせ、首を横に振る。「そんなこと、想像できないよ。とても想像できない……」

「わかった」気が進まぬ思いが声にも現われていた。「ジェニー・トラヴィスと接触してみるよ。だが、危険な行為だということを理解してくれ。もし話がうまく行かなかったら、ジェニー・トラヴィスはこのことも証言するかもしれない。傲慢《ごうまん》な弁護士が、罪を犯した依頼人のためにおどしをかけてきた、と。そうなったら、われわれどちらにとっても、状況はずっと悪くなる」

ソールが見つけてくれた私立探偵、サル・ルッソは有能だった。二十四時間以内に、トニーは、ジェニー・トラヴィスに関する情報を得た。リヴァーウッドでエアロビクスのインストラクターをしていて、この二年間、エレン・フォックスという女とアパートメントをシェアしている。レイクシティ高校を卒業して以来、犯罪歴もなければ、民事訴訟に関わったこともない。歳は二十三。結婚歴なし。クレジットカードで問題を起こしたこともなし。サルの調べたところでは、彼女にも、託児所職員のエレン・フォックスにも、ボーイフレンドはいない。

トニーは、オフィスの狭い仕切りのなかに座って、ジェニー・トラヴィスを待ちながら、彼女が教えるエアロビクスのクラスの最後の五分を見守った。ジェニーは、ラップ音楽の過激なビートに合わせて、陽気だけれどもまじめな口調で、教練指導官みたいに命令を発している。体型も力量もさまざまな受講生たちが、インストラクターの色っぽかったり滑稽《こっけい》だったりする動きを一生懸命追っている。こんなときでなかったら、トニーは、若手弁護士たちとのバスケットボールでの、老体に鞭《むち》打つような自分の努力を思い浮かべただろう。元ハイスクールのスターが、仕事のしすぎで青白い顔をした、自分と同じように勝負に熱くなっている彼らに圧倒される図を。そして、自分たちの織りなすその喜劇に口もとをゆるませたことだろう。だが、そんな甘ったるい思いは、サムに対して責務のある今のトニーには、ふさわしくなかった。

クラスが終わった。受講生たちは、放課後の子どものように、おしゃべりに興じている。ジェニーはほとんどの受講生に声をかけ、肩をぎゅっとつまんだり、励ましの言葉を与えたりした。その態度は熱がこもっていて、まるで、将来身に降りかかる何かの攻撃に備えて親衛隊を確保しているかのようだった。何人かが抱擁を返すのを見て、彼らが過去を明らかにしたばかりのジェニーを力づけているのだろうか、とトニーは思った。

やがて、ジェニー・トラヴィスは、手の甲で額の汗を拭《ぬぐ》いながら、オフィスに足を踏み入れた。トニーを見て、驚きに目を見開く。

「トニー・ロードね」ジェニーが言った。「テレビで見たことがある」

見せかけだけの好意を示す気もないらしく、声はきつく、冷たさと少々のおそれが混じっている。これは、ほかの部分とも調和していた。瞳《ひとみ》は澄んだ青で、化粧っけのまったくない肌は青白く、くすんだ茶の髪とあいまって、色彩が欠けたような顔に見える。細すぎるといっていいほど痩《や》せていて、きびきびした動きと挑むような視線の背後に、構えるようなところがあるとトニーは感じた。

トニーは相手と視線を合わせた。「今度の件がどの方向へ行くのか、行き着くところへ行く前に知っておいたほうがいいと思ってね」

望んでいたよりも威嚇《いかく》的な、思っていたよりも積極的な口調になった。「マーシー・コールダーは死んだわ」ジェニーが言い返す。「だから、彼女はもう行き着くところへ行っちゃったのよ」

「そのとおり。だから、今度の件はどこかに行き着く。きみはすでにマスコミに追いかけ回され、今では教育委員会による公聴会がふたたび話題になっている」

ジェニーのすぼめられた目は、気がかりそうで、自分がいだくトニーのイメージを嫌《けん》悪《お》し、トニーの道徳的立場の不透明さを軽蔑《けいべつ》していた。「そして、あなたは、サム・ロブがほかの生徒とも性的関係を持ったのを、とっくに知ってる。おそらく、教育委員会の会合の前から、知ってたんでしょう」

ジェニーは、自分の言葉が真実であることを、トニーも当然受け入れるべきだと言わんばかりだった。トニーは言った。「わたしが知っているのは、きみがチャンネル・セブンで話したことだけだ。しかも、全部を聞いたわけではないし……」

「で、あいつはなんて言ってるの？」

「話が真実ではなく、公聴会に出るつもりだ、と」

ジェニーが眉《まゆ》をひそめる。「あいつはほんとのうそつきね。それに、ひと殺しだわ」身を乗り出して、「サム・ロブがマーシー・コールダーを殺したと、どうしてわたしが知ってるのかわかる？」

その発言に、トニーはぎょっとなった。「いや」

「なぜなら、あいつはわたしにセックスを強要したからよ。女をむりやりものにするのが好きな男は、命だって奪える」

すぐに返事はせずに、トニーは感情を抑えた。ここでジェニーをおどせば、取り返しがつかない。穏やかで低い声に切り替えて、言った。「何があったのか、教えてくれないかな」

ジェニーがいぶかるような表情をしてから、しょうがないわね、というふうに肩をすくめる。「この先、何度もしゃべることになるんだったら、あなたに言っても構わないわね。どうせこの六年間、ずっと思い出してたんだから」

ということは、サムが四十になるかならないかのころだ、とトニーは気がついた。それに、サムの娘のほうのジェニーは、この女性とだいたい同じ歳だ。「ジェニー・ロブとは学校でいっしょだった？」

ジェニー・トラヴィスが目を凝らしてトニーを見る。「同級生よ」

「知り合いだったってこと？」

「誰だって彼女を知ってたわ——クラス委員だったから。でも、グループがべつだった」

嫌悪、おそらくは敵意がほのかに感じられた。だが、この点をくわしく知るには、ジェニー・ロブと話をしなくてはならない。この女性の告発が真実だとしたら、娘の同級生と性的関係を持つ教頭のうかつさが、トニーには信じられなかった。

「サムに〝むりやりものに〟されたと言ったが……」

ジェニーが脚を組む。背後では、またクラスが始まるのか、タイツ姿の女たちが数人集まりだした。トニーは静けさを強く感じた。ガラスの向こう側の女たちの静けさと、目の前の女の静けさを。

「ロッカーに麻薬を隠し持ってるのが、見つかっちゃったのよ」ジェニーがやっと口を開いた。

ジェニー・トラヴィスは後ろ手にドアを閉めた。

ロブ・コーチがデスクに向かって座り、険しい目でこちらを見ていた。やがて、抽斗《ひきだし》から二本のマリファナ煙草《たばこ》をとり出し、デスクの上に置いた。

ジェニーは心臓の鼓動が速まるのを感じた。ここは何も言わないほうがいい。

「退学になるかもしれないぞ」サムが言った。「役目上、きみのことを報告しなければならないからな」

ジェニーは黙ってうなずいた。

ロブ・コーチが、不快な務めをしなくてはならない男らしく、落胆に顔をしかめた。声を穏やかにして言う。「座りなさい、ジェニー」

言われたとおりにし、情けない気持ちで煙草を見つめた。

ロブ・コーチが身を乗り出し、まだ若々しいがたるみの出始めた顔のなかで最も若い部分、あの澄んだ青い目で、デスク越しにジェニーを見つめる。「きみは可能性に満ちてるのに……。陸上選手としても、ひとりの人間としても。なぜ、それをだいなしにする？」

ジェニーは肩をすくめ、コーチの態度から、まだ自分の運命が決まっていないかどうか見極めようとしながら、返事を探した。なんとか口から出たのは、「わかりません」という言葉だけだった。

「突きつめてみる必要があるな、あらゆる点で」ロブ・コーチが間をおき、両手を組み合わせる。「きみは試験はよくできるが、成績は並みだ。トラックでは、力のかぎり走らない。そして、今度はこれだ」言葉を切って、デスクに目を据える。「一度、ご両親に会うべきかもしれないな。きみが娘のジェニーだったら、俺はそれを望む」

コーチが退学処分以外の方策をはじめてほのめかした。しかし、それはジェニーを暗《あん》澹《たん》たる気分にさせる方策だった。口をへの字に曲げた母親と、頭に血が上って怒鳴り散らす父親の姿がまぶたに浮かぶ。マリファナを吸うのは、そういう現実から逃れ、頭のなかに秘めた空想とうねる音楽の世界に入り込むためだった。「お願いです」ジェニーは言った。「両親は怒るだけです。わかってくれません」

ロブ・コーチがジェニーを見上げる。「俺だってわからないよ、ジェニー・トラヴィス」

今までになかった親密さをジェニーは感じた。ロブ・コーチはひとりの大人に対するように話しかけていた。コーチに魅力的なところがあると常々思っていたけれど、軽口や、高校時代に優秀な運動選手だったことから来る自信たっぷりの態度の奥に、自分とはほど遠いものを感じていた。彼という人間を知っているという感覚がなかったが、今は知ろうとすべきときだ。「ときどき逃避したくなるんです」ジェニーは言った。「どうしてなのか、疎外感《そがいかん》を覚えて」

その言葉を検討するかのように、コーチがぼんやりとデスクを見つめる。コーチの姿を見ながら、ジェニーの半分は、感謝の気持ちに満ちた。もう半分は、その存在自体が驚きだったが、コーチの態度は見せかけで、実際には彼女のことをまったく気にかけていない、と突如として感じていた。やがて、コーチが例の澄んだ青い瞳を上げ、ジェニーの思いを見抜くような視線を向ける。「きみはすばらしい人間になれるんだよ、ジェニー。だが、マリファナを吸うことでその人間を見つけることはできない」

まだ話は終わっていないのだ、とジェニーは胸の奥でつぶやいた。希望と恐怖と当惑によって、涙が浮かんでくる。「お願いです」ジェニーは言った。「両親がどんなだか、コーチは知らないから……」

ロブ・コーチが、どうしようもないというように肩をすくめた。不承不承言ってくる。「相談に乗ってやれるかもしれない」言葉を切り、片方の手で目を覆《おお》う。「ちょっと考えさせてくれ……」

ジェニーはじっと静かに待った。この均衡状態に影響を与えるのがこわかったし、午後六時とはいえ、誰かが執務室に入ってきてデスクのマリファナ煙草を目にするのではないかと心配だった。コーチは苦悩しているようだ。「こんなことを言うべきじゃないんだが」穏やかな声でロブ・コーチが言う。「問題を起こしたのがよりによってきみなのが、よけいに事をむずかしくしてる。教師はえこひいきしてはいけないんだが、俺はずっときみを気に入ってた」

ふたりのあいだに変化が起こったのを、ジェニーは突然知った。自分がつばを飲み込むのが感じられた。「ずっと逃げ続けることはできない」コーチが言う。「男友だちからも、麻薬からも、その他もろもろのことからも。わかってるだろ？」

ジェニーはうなずいた。何を言われようが、うなずいただろう。

ロブ・コーチが無言でマリファナ煙草を抽斗にしまう。「いいだろう」ゆっくりと言った。「力になってあげよう」

ジェニーは当惑の笑みを浮かべた。「どうも……」

立ち上がると、ロブ・コーチも立ち上がった。

ふたりは見つめ合った。ジェニーがとまどっていると、コーチが腕を広げる。ジェニーはためらいがちに近づいた。

力強い感じがした。ジェニーに何も感じさせない男の子たちのようなもろさがなかった。「だいじょうぶ」コーチがさらに強く抱きしめる。「ふたりで切り抜けよう」

ジェニーが身を引き、感謝を込めた目でコーチの顔を見ると、相手は妙な笑みを向けて首を振った。「だめだよ、ジェニー……」

声に、明らかにねばりがあった。胃がすぼむのを感じると同時に、キスをされた。

ジェニーは抵抗もしなければ、積極的になることもなかった。信じられぬ思いと、恐怖と、驚きに捕らわれ、体から自分が抜け出てしまったかのように思えた。コーチが舌を差し込んでくる。

ジェニーはされるがままになりながら、両親の顔を思い浮かべ、身を引くのを怖《おそ》れ、抽斗のマリファナ煙草によって凍りついていた。やがて、コーチが額に額を寄せてきて、「だいじょうぶだね？」ときいた。

ジェニーは肯定も否定もしなかった。ジェニーの額にキスをしてから、ロブ・コーチが彼女を放し、ドアへ歩く。そのときジェニーは、練習後に、誰も執務室にいない時間に、ここへ来るよう言われたのを思い出した。

デスクに顔を向けたまま、ジェニーはドアがロックされる音を聞いた。

背中に体を押しつけられ、手で腰を撫《な》でまわされる前から、やがては胸をさわられるのがわかった。

目をつぶった。コーチが薄いコットンのTシャツ越しにジェニーの乳首を探り当てると、ジェニーの脳に警報が送られ、体の芯《しん》に震えが走った。うなじに、熱い息がかかる。

その後は、次から次へと展開した。すでに知っているダンスでありながら、なぜかジェニーは傍観者となっていた。大胆な手がジーンズのボタンをはずし、指が湿り気をさぐる。コーチは急《せ》いていない。のしかかられて体を曲げても、ジェニーは拒否できたのに、あえて拒否しなかった。後ろから挿入されると、顔の両側から垂れた髪の毛が、デスクを掃いた。コーチが突くのを感じ、やがて身震いするのを感じながら、この危うい状況も彼が興奮する理由のひとつなのだろうかと考えた。

優しい、落ち着いた声で、ロブ・コーチがささやく。「これきりじゃないよ、ジェニー」ジェニーは、自分が囚《とら》われの身になったことに気づいた。


話がほんとうかどうか迷いながら、トニーは、少なくともいくつかの点で、マーシー・コールダーに〝誘惑された〟というサムの話とそっくりなことに動揺した。そこで一瞬言葉に詰まってから、きいた。「当時、このことを誰かに話した？」

ジェニーが腕を組む。「いいえ」

トニーはためらった。ジェニー・トラヴィスを思い止《とど》まらせても、ステラは彼女を召喚できるし、彼女の意に反してむりやり証言させることもできるだろう。だが、トニーがここで手を打たなければ、ジェニーの証言――許可されたとして――は致命的なものになる。それに、トニーの意志に関わりなく、すべてを聞く必要があった。「彼とはもう一度関係を持ったんだね？」

「ええ。〈モーテル6〉で。ここから、二キロほどのところよ」

少なくとも車のなかではなかった、とトニーは皮肉るように胸のなかでつぶやいた。

「何があったのかな？」

「彼にフェラチオをしたわ。終わるまで、頭を押さえつけられてた」

ジェニーの体はこわばり、抑揚のない声は、よく抑えられながらも、嫌悪をにじませていた。「きみの話は、気持ちのいいものではない」トニーは注意深く言った。「だが、立場の乱用——いや、たとえ強姦《ごうかん》であっても——それと、殺人には開きがある」

ジェニーの頬にはじめて赤みが差した。「わたしは要求されたものを差し出したの。そうしなかったら、どうなったと思う？」

「わからない」

ジェニーが立ち上がり、ガラスの窓のほうを向き、ほかの女性たちのフォームを眺める。やがて、背筋をしゃんとさせて、ふたたびトニーに顔を向けた。「あいつはさらにわたしを望んだ」ジェニーが言う。「二度めのときは、ベッドにうつぶせに寝かされたわ。あいつの下から這《は》い出ようとしたけれど、そのまま組み伏せられて、やられた。あいつにひどく傷つけられたわ」軽蔑に満ちた声。「そして、終わると、あいつは謝った。『俺はこんな男じゃないんだ』と、言って」

ジェニーは射るような視線をトニーに向け、なぜこんな男の弁護ができるのだと問い詰めている。トニーは変わらぬ口調で尋ねた。「何をされたんだ、ジェニー？」

ジェニーがとっさに疑問に満ちた目を向け、それから憤然と首を横に振った。「あなたが考えるような行為じゃないわ。ただ、安っぽくて、けがれてて、食い物にされた女って気持ちにさせられたってこと。あなたみたいな人生を送っていれば、たいしたことじゃないんだろうけど」

トニーは自分の複雑な心境に気づいていた。ほんとうのサムはどんな人間なのかという不安、スーの結婚生活はなんだったのかという不快な疑問、ジェニー・トラヴィスにとっては、トニーと依頼人を区別したくない気持ちが、サムに対する怒りよりも、あるいは弁護士一般に対する嫌悪《けんお》よりも強いという直感……。まだ語られていないことがあり、それがなんなのか、トニーは今推測できた。その瞬間、ジェニー・トラヴィスに深く同情し、サム・ロブの弁護士として、ステラが告げなかった事実——裁判に入ると、その進行はステラの意のままにはならない——をあえて告げなくてはならないことに怒りを覚えた。

「わたしの人生でも、それは大変なことだよ」トニーは答えた。「だが、わたしは依頼人の代理を務めている。そして、彼に公正である立場から、きみの発言がいかに影響が大きいものかを言っておく必要がある。サムに殺人を犯す可能性があるという指摘も深刻だが、性的強要という点でさえ、こちらの打撃は大きい」トニーは平静な口調を保った。そうすれば、続く言葉があまり重要ではないと、相手が思ってくれるかもしれない。

「それゆえ、わたしはきみの証言をいかなる殺人がらみの裁判からも遠ざけておくことができると確信している——殺人の証明になるというより、サムに対して偏見をいだかせる要素のほうがずっと大きいからね。

　となると、残るのは教育委員会の公聴会だ。しかし、サムはすでに休職となっている。こう言えば気が休まるかどうかわからないが、彼がレイクシティ高校に戻ることは二度とないと断言できるよ」

　納得がいかないというように、ジェニー・トラヴィスが首を横に振る。「いかにも弁護士って感じの口調ね。だけど、わたしは被害者だし、マーシー・コールダーもそう。六年ものあいだ口をつぐんでたけど、それでどうなったかと言えば、傷ついただけ。わたしがこうするのは、マーシーのような女の子たちのためであり、自分のためでもあるの」

　全部話さないかぎり、この女性を止めるすべはない、とトニーにはわかった。気乗りしない心に鞭《むち》打ち、先を続ける。「では、サムに、そしてきみに公正であるために、どんな弁護士でも尋ねないわけにはいかないことを話そう。きみは陸上部をやめたんだね？」

　ジェニーがぶっきらぼうにうなずく。「モーテルの一件のあとでね。あいつを見ることもできなかったのよ」

「きみの話がほんとうだと認めてくれる、あるいは、サムの弁護士としてのわたしを納得させられる目撃者はひとりもいない。なるほど、サム・ロブにされたときみが言うことには、つねにその問題がつきまとう。だが、サムが主張しているように、ドラッグを理由にきみを放校にするかわりに、親切心からきみを辞めさせなかった、と言うひともいないんだよ。あるいは、きみの話はすべてうそっぱちだと言うひとも……。典型的な水掛け論で、真実を突き止めるのはむずかしい」

ジェニーがにらむ。「それは六年前にわかってたわ。だから、口を閉じてた。その結果、マーシー・コールダーはわたしと同じ罠《わな》に掛かった。今回はなんとしてもサム・ロブと対決するつもりよ」

トニーの一部は、ジェニーのために、これが彼女が感じているとおりの単純なものであればいいと願っていた。だが、実際は違う。やがて言った。「それによって行き着くのは、信頼性を問う争いで――」

「じゃあ、サム・ロブは信頼できるというの？　こんな事件のあとで？」

それがこの件における最重要点だ、とトニーは知っていた。「確かにそれが問題だ」認めて言う。「つまるところ、サムの弁護士は、きみを追いつめざるをえない。きみという人物ゆえに、きみの言葉を疑う理由がある、と指摘しようとするだろう」

ジェニーの顎《あご》が引き締まる。先ほど気づいた構えるようなところは、心の奥底から来るものだと、トニーははじめて確信した。「何を根拠に言ってるの？」ジェニーが詰め寄る。

「きみの正直さ、あるいは客観性に影響を与えるものすべてだ」目の前の女性の顔を見ながら、トニーはできるだけ穏やかな声で言った。「ドラッグの使用や、誰とでも寝るということだけじゃない。きみに関するすべてのことだ」唐突に言葉を切り、相手の凍りついた目を覗《のぞ》き込む。低い声で言った。「エレンの両親は知っているのかな？」

　ジェニーの肌は前よりも青白く見えた。同じように低い声で、ジェニーが答える。

「ひとでなし」


「それで」ソールがきく。「彼女は撤退するかね？」

「たぶん」トニーは疲れた声で答えた。「ステラがそうさせてくれれば、ですが。ジェニーは明らかにこのエレンを気遣っていますし、証言が自分にどのように影響するのか気づいていませんでした」

　電話線の向こうで、ソールが一瞬ためらう。「彼女は真実を言っていると思うか？」

「もちろん、可能性はあります――たしかにサムを憎んでいますからね。しかし、不正に対する怒りよりも、個人的な心理に影響されているように思える。こちらがそう願っているからかもしれませんが」トニーは言葉を切り、側卓の上のマティーニに手をのばした。「正直言って、ソール、自分が腐った人間になったような気がしてなりませんよ。まともな恥の感覚が残っていたから、リベラルなサンフランシスコでステイシーとわたしがディナーに招待したゲイやレズビアンの友だちのことを、かろうじて彼女に話さずにいましたが」

これを聞いて、ソールがふんと鼻を鳴らす。「きみはその娘に真実を告げただけさ。それに、おおやけの場でそれをしていたら、もっと気分が悪くなったはずだ。あるいは、誰かほかの人間がそうすると知ってもな」

まさにそのとおりだ、とトニーにはわかっていた。「わたしをいちばん悩ませているのは、サム・ロブがどんな人間になったのか知らないということでしょう」いったん言葉を切ってから、「わたしの旧友は、不運と、まずい判断と、あまりにもふじゅうぶんな道徳の犠牲者なのかもしれないし、マーシー・コールダーを殺すほど異常な人間なのかもしれない」

大胆な告白をして、トニーはさらに落ち込んだ。しばらくしてソールが言う。「現状では、きみがこれで元気づけられるかどうかわからんが、アーニー・ニクスンに関するきみの推測は、結局のところ、当たっていたかもしれん。少なくとも、彼に疑惑の目を向けさせる程度には当たっていた」

ぜんぜん気分が改善されなくても、トニーは驚かなかった。「トニー・ロード」声に出して言う。「黒人とレズビアンを足蹴《あしげ》にする男。長年のあいだ、ぜひともそうなりたいと願っていた」マティーニを飲み干し、しめくくった。「では、アーニーのことを話してください」

15

セアラ・クロフの家の窓から、トニーはアーニー・ニクスンの家をかなりはっきりと見ることができた。一九二〇年代ごろに建てられた質素な木造家屋で、ポーチと日よけ用の樹木がある。花壇は今は顧みられなくなったらしく、芝は伸び放題だ。トニーの視線を追って、セアラが非難がましく言う。「あのひと、なんでもほったらかしなのよ」

別居のつけだな、とトニーは推測した。さんさんと輝く朝日のなかでさえ、アーニー・ニクスンの家は打ち捨てられた感じがした。セアラ・クロフに向かって、「訪問者が来ると、よく見えますね」

「もちろん。おたくのルッソさんに言ったとおりにね」

トニーの鈍さにいらついているかのように、不満げで見下す口調だ。これは癖であって、七十がらみの年齢のせいではないだろう。薄くなった白髪の下にある顔は、狭量のせいで老《ふ》けているように見えた。こけた頰、への字に結ばれた口、笑いじわが寄ることなど想像できない鋭い目……。振り返って、ふたたび老女に目を向けながら、なぜこんなにも見覚えがある気がするのだろうか、とトニーは考えた。

老女の後ろのカウチに座るソール・ラヴィンから、わずかにおどけたような視線が送られてきた。この婆《ばあ》さんはきみにまかせたぞと、その視線はトニーに告げている。わたしは自分の好奇心を満足させたくてここにいるだけだからな。

トニーは穏やかな声でセアラ・クロフに言った。「サルにおっしゃったことは、大変重要なものになる可能性があります。だから、直接お目にかかりたいと思ったんです」

機嫌を直したセアラ・クロフが、カウチのほうへ顎《あご》をしゃくり、ソールの隣りに座るよう促す。「サム・ロブはちゃんとしたひとだ、とわたくしは常々思っていたんですよ。十六歳ごろのあのひとを覚えています。早天礼拝ですばらしいお説教をしたのよ。亡《な》くなった主人とわたくしは、たいそう感激しました」

これだ、とトニーは気づいた。依頼人がこの女性を必要としていなければ、トニーは大笑いしたことだろう。説教を終えたばかりのサムを、ミサに行く約束だからと言って、その場から引きずり出したとき、トニーを非難の目で見た反カトリックの女が彼女だったのだ。あまりに多くの人間に非難の目を向けたせいで、老女はそのことを忘れているらしい。だが、今の表情から、アリスン・テイラーの殺人事件を覚えているのは明らかだった。

「わたしはサムをよく知っています」トニーは言った。「高校時代は、親友でした」

「あなたは殺人の嫌疑もかけられていたわね。あのかわいらしいお嬢さんを殺した黒人が見つかって、晴れたけれど」

声が嫌悪《けんお》に満ちていた。暗に何をほのめかされたのか、トニーはすぐにわかった。黒人の悪事が暴《あば》かれてトニーは救われたのだから、サム・ロブにも同様のことがあってしかるべきだと言いたいのだ。「ええ」トニーは答えた。「わたしはついていました」

「神のご加護よ。それにしても、マスコミというのは、興味本位に騒ぎ立てるわね。サム・ロブとご家族が気の毒でたまらないわ」

スティールトンの、ポーランド人が住む地区出身のカトリック教徒だったトニー・ロードに対してよりも、ずっと気の毒に思っているのは間違いない、とトニーは感じた。無言でソールの隣りに腰を下ろす。居間は、鉄道車両ほどの広さだったが、十九世紀に由来するリトグラフがそこいらじゅうにあった。田園画、膝丈《ひざたけ》のズボン姿の男たちが馬に乗って狩りをする図、マストのたくさんあるスクーナーの絵……。彼女はこれらに違和感を覚えていないにちがいない。ここは白人のための神殿だ、とトニーは辛辣《しんらつ》に思った。セアラ・クロフは、自分の家系に民族の悲惨な体験が織り込まれているわけがないと確信して、メソジスト派や長老派の祖先を何世代もたどった経験があるような女に見えた。老女への嫌悪感があらたに増して、トニーをうならせる。好むと好まざるとにかかわらず、レイクシティはいまだに彼の胸のなかに存在していた。

「アーニー・ニクスンについて、話してもらえますか」老女に依頼する。

そっけなくうなずいて、セアラ・クロフが、向かい側にある籐《とう》の背の椅子《いす》に腰を下ろした。「驚いたのは、あのかわいそうな女の子、マーシー・コールダーですよ。スティールトン・プレス紙であの子の写真を見るまで、名前は知りませんでしたけれどね。ニクスンさんの奥さんが出ていくとすぐ、あの子が来るようになったわ」口をすぼめる。「最初のころは、ポーチに座って話をしていました。そのあとは、なかに入るようになったの」

その意味するところを考えたくはないが、そうせずにはいられないというような、慎みのある口調だった。「何度ぐらいやってきましたか？」トニーはきいた。

「四、五回見たわ。たいていは週末に。しばらくすると、目にするのはあの子の車だけになった。種類はわからないけれど、赤い小型車だったわ」腕を組み、身構えるような視線を向ける。「わたくしは穿鑿《せんさく》好きな人間じゃないのよ、ロードさん。でも、思ったの——年頃の女の子が、奥さんに出ていかれて、ひとりで住んでいる男に会いに来る。不思議に思わずにはいられないわ」

あなたならそうせずにはいられないだろう、とトニーは心のなかでつぶやいた。トニーの心を読んだかのように、セアラ・クロフが付け加える。「でも、結局、わたしの口出しすることじゃありませんからね」

この老女はばかではない。「わかります」トニーは注意深く言った。「それに、隣人を悪く思いたい人間はいませんからね。避けられない場合を除いては」

セアラ・クロフは椅子に座ったまま背を曲げ、細い体に、顔の表情と同じ憂鬱《ゆううつ》そうな雰囲気を漂わせた。「あの晩までは、そういう気持ちだったんです」

ソールが好奇心を湧《わ》かせて身じろぎするのを感じながら、トニーは老女に慎み深い沈黙を許した。「話してください」トニーは言った。

老女のひからびた声に耳を傾けながら、トニーは彼女の説明する場面を想像した。


夕暮れ時だった。居間のカーテンを閉めようとして、セアラ・クロフは隣人の家の私道にマーシー・コールダーの車があるのに気づいた。

セアラは一瞬、動きを止めた。夜に車が駐《と》まっているのを見るのは、これがはじめてだった。女の子の両親はどこにいるのだろう、とセアラはいぶかった。と、玄関のドアが開き、マーシー・コールダーが出てきた。

アーニー・ニクスンがマーシーのすぐ後ろに現われた。マーシーは顔に髪をなびかせながら、後ろを振り返らず、急いでいた。やがて、私道に通じる石畳の道で、アーニーはマーシーに追いついた。

マーシーは急に足を止め、アーニーを見た。声が聞こえないため、ふたりはパントマイムで喧嘩《けんか》を演じているように見えた。アーニーの体は苦悩で張りつめているようだった。遠目には、マーシーのかわいらしい顔はつらく、迷っているような表情をしており、涙を我慢しているようだった。

突然、マーシーがアーニーに背を向け、急ぎ足で車のほうへ歩いていく。アーニー・ニクスンがマーシーの腕をつかむと、セアラは身を固くした。マーシー自身も体をこわばらせ、自分の腕をつかむ黒い指に目を向け、それからアーニーの顔を見た。マーシーの唇がつかの間動き、アーニーの手が持ち主の体のわきへ落ちる。

優しさが感じられるようすで、マーシーはアーニーの肩に触れ、それからゆっくりと車へ歩いた。

アーニーはその場に立ったまま、赤い車がバックで私道を出ていくのを見守った。車が見えなくなると、アーニーのなかで何かがぱちんと音を立てたようだった。あわてて車庫をあけ、ステーションワゴンに乗り込むと、バックで車を出した。急ぐあまり、タイヤが芝生を踏みつけた。セアラ・クロフが最後に目にしたのは、夕暮れのなか、マーシー・コールダーを追う赤い尾灯だった。

「わたくしはカーテンを閉めました」セアラ・クロフが言っている。「夜、ひとに居間を覗《のぞ》かれたくありませんから。でも、あれは正しいことじゃなかった。率直に言って、あの恐ろしいO・J・シンプスンの事件を思い出しましたわ」

まるで、悲劇の前兆を見たのだと、今になって感じているかのように、老女の目は正真正銘の恐怖を宿している。トニーでさえ、戦慄《せんりつ》を覚えた。

「それは、彼女が死んだ夜のことですか？」トニーはきいた。

「ええ」セアラ・クロフが目を閉じる。「翌日、彼女の顔写真を目にしましたわ」

重心を代えて、ソールが身を乗り出す。「なぜ、警察に電話しなかったんです、クロフさん？」

老女が身を固くした。「わたくしは、でしゃばりな女じゃありません」鋭い声で答える。「警察が自分で何とかすると思っておりました」

では、彼女は承知しているのだ、とトニーは胸の奥で言った。この女は人種差別主義者で、自分が偏見を持っていて、隣人の黒人の家を執拗《しつよう》に監視していることを、知られたくないのだ。その恐怖が彼女の行動をゆがめ、しばらくのあいだ、アーニー・ニクスンは恩恵を受けていた。だが、それもこれまでだ。

セアラ・クロフがおどおどとソールからトニーに視線を移す。「わたくし、証言をしなくてはならないのかしら？」

いんですが」

一瞬、トニーは老女に同情しそうになった。優しい声で答える。「そうならないとい

外で、トニーは車のかたわらに立ち、さんさんとした陽光を浴びて、セアラ・クロフの居間のかび臭さを払っていた。「ああ、マーシー」トニーはつぶやいた。「きみはなんて忙しい娘だったんだ」

「これはどういうことだと思う？」ソールがきく。

「彼女の貞淑さが疑われること以外に？　アーニー・ニクスンにとって、悪いことだらけです。もしかすると罪のない説明があるのかもしれないが、アーニーがわたしに聞かせたことだけではふじゅうぶんです」

ソールが今出てきた家を振り返る。「あの婆さんに証言させろ、トニー。恋人同士の喧嘩みたいに思わせてくれるぞ。もしアーニーにその晩のアリバイがなかったら、彼女は間違いなく神からの贈り物だ」

トニーはうなずいた。「これからアーニーに会ってきます。せめて、それぐらいはしてやらないと」

「お優しいことで」ソールが冷淡に言う。「サル・ルッソにアーニーの奥さんを見つけてもらうことも、お望みだろうな」

トニーは車のキーを取り出した。「しかたないですね」そう答えて、車を出す。

16

アーニーは野球のグラウンドわきのベンチで、茶色い紙袋に入ったランチを食べていた。隣りに座りながら、トニーは、ストラットフォードとの試合があった午後、アーニーとひとけのないベンチに座ったことを思い出した。だが、あのとき、アーニーはトニーを慰めに来たのだった。トニーにとってその思い出は、サム・ロブに対する義務と、その義務によって生じたこととの対立を強めていた。

アーニーが振り向き、何も言わず、冷淡な顔でトニーを見た。トニーの来訪を予想していて、しかも、それを歓迎していないことを、暗に伝えている。「最初からやり直そうか？」トニーは言った。

突然、アーニーの顔に、昔からおなじみの、自衛のためのあいまいな表情が現われた。

「どういう意味だ？」

トニーがサムの弁護士だという事実が、最初からふたりを敵同士にしていたことを、トニーは今知った。あのとき、アーニーはトニーを欺《あざむ》き、今は、トニーがどの程度知っているのか探っている。その願いをかなえてやらずに、トニーはただきいた。「彼女を殺したのか、アーニー？」

アーニーの顔がゆがむ。一瞬、自制心を失い、積もりに積もったような恐怖を込めて、トニーを見つめた。立ち上がって離れていくアーニーの苦悩の表情は、限界まで太陽を見させられた人間を思い起こさせた。アーニーがマウンドのわきに立ち、腕組みをして地面を見つめる。

「このことを検事補に伝えなければならないんだ」トニーは言った。「わかっているだろ」

アーニーがゆっくりとトニーを見る。目に、苦々しさが現われている。「恐ろしい隠し事があるから、あんたにも、当局にも言わなかったと思っているだろう。裁判になったら、すてきな話になるんだろうな。アリスン・テイラーの事件では、おかげであんたは助かった。サムの場合も、試す価値はあると――」

「受難者ぶるのはやめろ」トニーは言い放った。「きみはマーシー・コールダーについて、うそをついた。そして、わたしは、それを突き止めた」

アーニーが背筋をのばす。「うそをついた？　なぜあんたに〝真実〟を話さなきゃならないんだ？　俺をはめたいからか？　どんな真実を求めているんだ？　もしサム・ロブが〝ほんとうの真実〟を話していて、それでもあんたがまだレイクシティにいるんだとしたら、あんたは弁解できないほどたちの悪い人間になったってことだ」

トニーはアーニーをじっと見た。穏やかな声で言う。「ここに来て、二分になる。これまでのところきみは、わたしの人種差別と、道徳観念のなさと、少女の殺人犯を狩り出すための意図的な試みを責め立てた。きみがこんなに感情的になるとわかっていたら、まっすぐステラ・マーズのところへ行っていたよ」

アーニーの口が、怒りとあざけりの笑みを形作った。「なんのためにだ、トニー？ 気にかけていた十六歳の娘をファックした罪で、俺を訴えるのか？ どこかの婆《ばあ》さんが通りの向こうからちょくちょく見ていたからな。おかげで、ふたりでポーチに座っていられなくなったよ。いつも監視されているんじゃな。そのことを、あんたは探り出した。そして、あんたが探り出すのはそれで全部だ。探り出そうったって、それ以上は何もないんだから。だから、さっさと検事補のところへ行けばいい。わざわざ俺に構うな」

ひそかに疑念が湧《わ》き、トニーはためらった。「全部じゃない」と、言った。「たとえば、マーシー・コールダーが死んだ夜はどこにいた？」

アーニーの笑みが消えた。「家だ。寝ていた。アリバイはまったくない」首を傾《かし》げ、ささやくようにきく。「じゃあ、婆さんは、あの夜も覗《のぞ》いていたんだ？」

「あの老女を責めるんじゃない、アーニー。それに、わたしも。きみは、マーシー・コールダーが死んだ夜、マーシーに会っていながら、わたしには何も言わなかった。わたしがその情報を使って、優秀な弁護士がすべきことをしたときは、その前にきみのところへ来ていたことを思い出してくれ」

アーニーの目から怒りが消える。「幸運を祈る」トニーは言って、背を向け、歩き去ろうとした。

「わかったよ、トニー。実際、何が起こったのかを知りたいんだな」

トニーは向き直り、無言のままポケットに手を入れた。陽光のなかで、アーニーの目は半ば閉じているように見えた。

「トラブルだとわかったよ」アーニーが話を始める。「あの子の顔を見た瞬間にね」

マーシーは戸口に立っていた。顔が青白く、途方に暮れているようだった。弱々しく、活力を欠いていて、宿なし子のような感じがした。あまりの変わりように、アーニーは顔に平手を食らったような衝撃を受けた。

「入ってもいい？」マーシーが尋ねる。

その断りも、後ろにトラブルを引き連れているかのように、妙だった。だから、アーニーは「もちろん」と言う前に、一瞬ためらった。だが、彼女の、一心に室内《なか》に入りたがる気持ちと、アーニーを必要とする気持ちに心を動かされた。なんと言ってもアーニーはマーシーを気にかけていたし、妻と子どもたちがいなくなったあとでは、彼女といっしょにいると、なぜか心がなごんだ。いつものようにマーシーが向かいのカウチに座ると、アーニーは言いようのない不安を抑えつけた。

「どうした？」アーニーはきいた。

マーシーは神経質そうに指で髪を後ろにやると、自分をむち打ってアーニーに目を向けた。低い声で答える。「妊娠したの」

アーニーは自分の精気が抜けるのを感じた。ディーが残していったもの――カウチが一台に、椅子《いす》が一脚に、子どもたちの写真が一枚――以外、ほとんど何もない居間に座りながら、アーニーは自分たちが地球最後の人間のように思えた。一瞬後、アーニーは椅子から立ち上がった。部屋のまんなかで、マーシーがアーニーにもたれる。

アーニーは、娘の柔らかな髪を顔で感じながら、黙って相手を抱きしめた。ふたりがたてる音は、マーシーの押し殺した泣き声だけだった。傷ついた実の娘のように、アーニーはマーシーの髪を撫《な》でた。

「ご両親は知っているのか？」アーニーはきいた。

マーシーがまだ額をアーニーの肩に当てたまま、首を横に振る。「誰も知らないわ。お医者さん以外は。ジャニスでさえも。それに、彼も」

その言葉にアーニーは心を打たれるのと同時に、ひどく悲しくなった。「どうしたいんだい？」

「わからない」顔を離したマーシーの目は、まだ濡《ぬ》れている。「今夜、彼に言うわ」

「家族には？」

「まだ。だって、きょうの午後、赤ちゃんがいるってはっきり知ったばかりなの」つばを飲み込む。「彼はこれで身を滅ぼすかもしれない。それに、相手が誰だか知ったら、両親は何をするか――」

「マーシー」アーニーは優しくさえぎった。「自分のことを心配すべきだよ。しばらくは、マーシー・コールダーの話をしよう」

マーシーをふたたびカウチに座らせ、これがはじめてだったが、彼女の手を握った。マーシーは膝《ひざ》を揃《そろ》えて座り、床をじっと見ている。「きみには選択肢がある」アーニーは言った。「わかっているだろう？　必ずしも窮地に追いつめられたわけじゃないんだよ」

マーシーが目を見開いて、アーニーのほうを向いた。「どういう意味？」

「ひとつには、お医者さんがたぶんもう言ったことだ」

マーシーが泣くまいと、下唇を噛《か》む。「できない。赤ちゃんは生命だもの」

「きみもそうだよ、マーシー。もう決して犯さないとわかっている一度のあやまちに、そんな代価を払う必要はない」

マーシーは今では彼を見つめていた。その真剣さは、アーニーの胸を引き裂いた。「でも、赤ちゃんよ――わたしの。わたしのあやまちで、赤ちゃんを殺すわけにはいかない」

アーニーは絶望が体にしみ込むのを感じた。「この件には、いろんなことが関わってくるんだよ、マーシー。たとえば、子どもが生まれたら、誰が面倒を看《み》るか、とか」

「わたしが看るわ」

きみ自身が子どもじゃないか、とアーニーは言いたかった。だが、そんなことを言っても通じないだろう。目の前には、生物学的事実が人生経験を追い越してしまい、そのふたつを一致させようと背伸びしている、一見大人の少女がいた。「きみは両親と住むことになる。きみは、退学するか、お母さんに子どもを育ててもらうかのどちらかを選択しなければならず、両親には、時間をとられることや、お金がかかることや、時代遅れの恥辱感で責められるだろう」話をしながら、彼女のきびしい未来の生活が思い描けた。「そんな状況で、多くの善意を受けられるとほんとうに思っているのかい？　赤ん坊だって、むりだよ」

マーシーが視線を落とす。「お願い。何があろうと、わたしの友だちでいて」

アーニーは打ち負かされたような気がした。低い声できく。「赤ん坊の父親はきみの助けになれるのかい？」

マーシーの目に、ふたたび涙がにじむ。「いいえ。できないと思う」

おそらく、これがもうひとつの問題のはじまりだろう。「じゃあ、その男のためにも、あらゆる選択肢を考慮したほうがいいな」

マーシーが背筋をのばす。これまでとは違う、はっきりとした断固たる声で言った。「彼に表に出てくれるよう頼むつもりはないわ。彼がそうする気にならないかぎり、相手が誰だかは言わない」

その思いはマーシーに重荷を背負わせたようだった。生気がなくなり、ふたたび青白く、弱々しくなったように見えた。これ以上は何もできず、アーニーは尋ねた。「最後に何か食べたのはいつ？」

マーシーがふたたび床に視線を落とす。「昨晩、だと思う。朝は、気持ちが悪かったから」

「少なくとも、食べる努力をしなくちゃな」アーニーは言った。反論が来ないので、キッチンへ行く。

朝食の皿が流しに残っていた。家族に出ていかれてからの、彼自身の無関心さのシンボルだ。冷蔵庫を覗くと、ホットドッグと牛乳とビールのほかにあるのは、ツナ・サンドの材料ぐらいだった。突然、自分の人生が冷蔵庫と同じように空っぽに思え、マーシーの人生はこうなってほしくないと願う。

沈んだ気分で、マーシーにツナ・サンドを持っていった。「はい、どうぞ。ちょっとだけでも食べてごらん」

マーシーが微笑《ほほえ》もうとする。「そうよね。何しろ、ふたりぶん食べなくちゃいけないんだから」

知り合いの、しかも気にかけている少女の口からこんな不釣り合いな言葉が出て、アーニーは急に怒りを覚えた——彼女の運命に、彼女の両親に、とくに、赤ん坊の父親に。マーシーが早く大人になろうと、淡く想像しかできない人生を生きようと、懸命に努めることなど、あってはならないことだ。自分の不在で自分自身の子どもを構ってやれないアーニーは、誰もがこの子どもを構っていない事実に我慢がならなかった。

無言で、マーシーが食べるのを見守った。やがて、ためらいがちに言う。「もう少し、話ができるんじゃないかな」

その言葉がきっかけで、マーシーは思い出したようだった。サンドイッチを置いて、腕時計を見る。「たいへん。会いに行かなきゃ」

すでにマーシーは心ここにあらずで、新しい不幸せな人生へ飛び込もうとしている。

「そいつに会う必要はない」アーニーは主張した。「今のところは。きみが決心を固める前に、全米家族計画連盟へ行こう。その男に会うのは、いろいろな選択肢を理解してからがいい」

マーシーがだしぬけに立ち上がる。「あなたはいつも話を聞いてくれた――だから、あなたに話したかったの。でも、おなかにいるのはふたりの赤ちゃんだから、彼に会わなくちゃ」ふたたび、マーシーの目が涙でいっぱいになった。「彼を愛しているの、アーニー。それに、生まれてくる赤ちゃんにも、愛を感じると思う」

アーニーはマーシーをじっと見た。不満がふくれあがるのを感じ、考えたいと思わなかった嫉妬《しっと》の存在に気づいた。マーシーが近づいてきて、アーニーの額にキスをする。優しい声で、彼女が言った。「友だちでいてくれて、ありがとう」

友だちでいてくれて、ありがとうか、とアーニーは胸の奥でつぶやいた。生徒年報の、二度と会わない人物へ宛《あ》てた言葉のように、それは意味がなかった。戸口から出ていくマーシーに、アーニーは言った。「俺は友だちじゃないよ、マーシー――」

マーシーの背後でドアが閉まった。

アーニーは部屋を横切り、ふたたびドアをあけて、急いでマーシーを追った。

玄関からのびる小径《こみち》でマーシーに追いつき、彼女の腕をつかむ。「俺は友だち以上の存在だ」もう一度、言った。「俺は大人で、きみのことを気にかけている」

マーシーが腕をつかむ手を見て、それからアーニーを見た。「わかっている」穏やかな声で言う。「だって、わたしもあなたを気にかけているもの。でも、あなたは赤ちゃんの父親じゃない。彼が父親なの」

アーニーは手を離した。「きみに人生を捨ててもらいたくないんだ」マーシーがアーニーの肩にそっと触れる。「捨てたりしない。べつの人生を始めるだけよ」

その言葉はあまりに率直で、それに込められた純真な思いはあまりにいじらしく、アーニーは反論する気持ちをすっかり失った。突っ立ったまま——動けなかった——マーシーが去るのを見守った。

自分は誰なんだろう、とアーニーは自問した。

体の奥で、何かがぱちんと鳴る。何も考えずに、車庫をあけ、車に乗り込んで、マーシーを追った。

前方でマーシーが左折した。テイラー公園へ向かっているようだ。

アーニーは、警察を探すかのようにバックミラーをちらちら見ながら、マーシーを追った。だが、突然目に入ったのは、恋人でも娘でもない少女を追う中年の黒人の顔だった。しかも、その少女に必要とされているのか判然としなかった。

車を縁石に寄せて停め、マーシーの車の尾灯が暗闇《くらやみ》に消えるのを見守った。

「そして、家へ戻り、いつものように、ひとりで夜を過ごした」アーニーはいったん言葉を切ってから、毒々しい笑顔で付け加えた。「だが、俺は間違っていた。マーシー・

コールダーは自分の人生を捨てなかった。あんたの友だちのサムが、あの子に代わって捨てたんだ」

アーニーの話に心を揺すぶられて、トニーはすぐには返事ができなかった。サムが説明した、世間知らずだが自分本位な少女と、アーニーに想像するよう求められた、利他的な少女との違いをじっくり考える。もしこの話が真実でないとしたら、アーニーはうまく語ったことになる。だが、もし……。

「あんたの目を見ればわかる」アーニーが穏やかに言う。「あんたはいまだにクォーターバックの目を持っているよ、トニー。俺のしわざにできるかどうか、まだ迷っているな。だが、それは無理だ。なぜなら、俺は父親じゃないから」突然、陰気な笑みを浮かべて、しめくくる。「あの子の死体が見つかった日に、警察とステラ・マーズに言ったようにな。父親が誰だか、すぐにぴんと来たよ」

「まいったな」ソール・ラヴィンがそう言って、ふたたびウィスキーをぐいと飲んだ。

トニーはソールのオフィスの外にちらりと目をやり、スティールトンの街が夕闇に消えていくのを見た。「それが、コールダー夫妻が口にせず、ステラ・マーズが教えようとしなかったことなんです。ステラとわたしは猫と鼠《ねずみ》の追いかけっこをしていましたが、ステラが猫だった。

マーシーが死んだ翌日には、彼女が妊娠していたことを、ステラは知っていた。アーニーがいたし、検死でそこまでは調べがついた。でも、胎児のDNAを調査し、父親を見つけるには時間がかかる。それを、ステラは待っていたんです」

ソールがうなずく。「彼女は動機を待っていたんだ、トニー。表に出るのを怖《おそ》れた父親か。もし、父親がサムだと判明したらだが」

弁護士としての良識と、サムが無罪であってほしいという無意味な願いが頭のなかで衝突し、トニーはその混乱を振り払えなかった。きょうは、サムに会ってアーニーの話を問いただす気にはなれない。「それは、アーニーが真実を言っていればの話です」ようやく答えた。「もしサムが真実を言っていれば、赤ん坊は彼の子ではなく、アーニーの子なのだから、マーシーはサムに話していないでしょう。アーニーの子をサムの子だとは言えないし、その逆も同じです」

「ステラ・マーズがまもなく話してくれるよ。少なくとも、彼女が殺人罪で起訴するつもりならね」ソールが書類を机の向こうから滑らせる。「そうそう、サル・ルッソがアーニーの奥さんの離婚申立書を見つけた。きみの予想どおり、アーニーが中流白人の町に住むことを選んだというほかに、ちょっとした事情が絡《から》んでいる」

「どういう内容なんです？」

「わくわくするようなことは何もない。われわれ以外の人間にとってはね。もっとも、マーシーを問題としている記述はまったくない」ウィスキーを飲み干しながら、ソールがはじめて冷酷な笑みを見せる。「ニクスン夫人によると、アーニーは夫人を殴ったそうだ」

17

「ロードさんでしょ」ディー・ニクスンが言った。

玄関ポーチに立ち、目の前の女性を見ながら、トニーは驚きを隠そうと努めた。第一印象としては、知性があって、いくぶん高飛車で厳格な女性に見えた。茶色の髪は短く刈られ、ワイヤーフレームの眼鏡の向こうの目は笑っていず、ほっそりした顔はどことなく女王のようで、ブルージーンズ姿の細い体が挑むように突き出されている。判断が速く、こうと決心したらなかなかその決心を変えたがらない印象を受けた。

「ろくでもないことのために、はるばる来たわね」

トニーは通りに目をやった。近所には、かろうじて中流に見えるテラスハウスと、みすぼらしい雑貨屋と、乱杭歯《らんぐいば》のように生える、手入れのされていない芝生があった。

「ひとのことは言えないでしょう」

トニーがほっとしたことに、彼女は率直さに価値を認めているのか、この言葉を少しはおもしろがったようだった。「ここは、学年が終わるまでよ」ディー・ニクスンが言う。「終わったら、自分たちの家に落ち着く。でも、オハイオ州レイクシティじゃないから、それはたいしたことなのよ」

ディー・ニクスンは〝オハイオ〟をはっきりと三音節に区切って、あざけるように言った。どうやら、議論においては、あまり手心を加えたり、情にほだされたりするタイプではないらしい。そう言えば、トニーはまだなかに入れと言われていなかった。眉《まゆ》をつり上げ、彼女の向こうにある居間を無言で見つめる。

「ああ」ディー・ニクスンがそっけなく言う。「忘れていたわ。入って」わきにどいて、トニーが入れるぶんだけの空間を作り、それからドアを閉めた。

居間は狭くて暗かった。部屋を明るくしているのは、女の子ふたりと男の子の写真ぐらいで、どうやら、ディー・ニクスンが身を寄せている妹の家の子どもたちのようだ。トニーの向かいに座ったディーが、脚を組み、指を組み合わせる。優雅さを感じさせるほどむだのない動きで、トニーは代数を教える彼女の姿を容易に想像できた。

「手間を省いてあげるわ」ディーが言った。「そこに座りながら、わたしがどんな人間だか探り出さなくてすむように。あなたが電話をしてきたあと、まずアーニーに電話をした。これで、わたしが彼をきらっていないことがすぐにわかるでしょ。そして、あなたが何をもくろんでいるのか、わたしはすでに知っている。わたしの子どもたちの父親が殺人犯かどうか見極めようと、あるいは、サム・ロブが起訴されるのを食い止めるため、アーニーを殺人犯らしく見せることだけでもできないかどうか判断しようとしているのよ。それでいろいろ調べているうちに、わたしの離婚申立書を見つけ、わたしと話す価値があると思ったのね」

気がつくと、トニーは微笑《ほほえ》んでいた。「おかげで、最初の三十分が省けましたよ」

「あなたのもくろみも省けたわ」笑いもせずに言う。「でも、いいから、きいてちょうだい。わたしがうそをつかないことは、アーニーが保証する」

皮肉が込められた言葉だったが、それがアーニーに向けられたものなのか彼女自身に向けられたものなのか、トニーにはわからなかった。「では、あなたの離婚申立書にもうそはないのですね」

ディー・ニクスンの肩が少し下がったように見えた。「ええ。でも、真実にはいろいろなものがある。わたしが話さなければよかったと思うものも含めて。そのうちのいくつかはアーニーに向けたもので、その件もそう」

トニーは相手の顔を見守った。はじめて、悲しみが現われた。「家庭内暴力では、自分をごまかしても、あまり益はないと思いますよ。わたしが扱った最近の事件では、殴られ続けた妻が、ある晩、自分をごまかすのをやめて、夫を殺してしまいました」

ディー・ニクスンは一瞬言葉に詰まった。「とにかく話を聞くといいわ、ロードさん。判断はそれからにして」


ふたりは、ジョニーとリンのダブルーツィ夫妻といっしょに、食事と映画に出かけた。ジョニーの最後の、そして命取りとなった心臓発作の少し前のことだった。マーシー・コールダーが子どもたちを看《み》てくれた。いつものようにアーニーがマーシーを家に送っているあいだに、ディー・ニクスンはベッドに横になって、自分がオハイオ州レイクシティにほとほとうんざりしている――いや、単に、気持ちが離れているのだ――という思いに、諦念《ていねん》とともに浸っていた。アーニーが寝室に入ってきたときには、言うべき言葉はほかに思い浮かばなかった。「もう我慢できない」

ベッドの裾《すそ》のそばに立ったアーニーは、なんの話なのかじゅうぶん承知していた。この白人だらけの町での生活のことを言っているのだ。その白人たちは非常に礼儀正しく、善良で、ディーの経験とはまったくかけ離れている存在だった。アーニーが穏やかな声で言った。「いい晩だったと思うよ」

「今晩はあのとおりの晩だったし、あのひとたちはあのとおりのひとたちよ」ディーは冷ややかな声で言った。「ねえ、ジョニーはたしかにいいひとだし、あなたたちが昔から友だちだということは知っている。でも、あのひとの頭にはスポーツ以外のことはほとんど入っていないし、あなたたちの友情だって、あなたがアフリカ系アメリカ人じゃないというふりを、あるいは彼とまったく違わないというふりをすることに基づいている。わたしは一生かかってもそんなふりはできないだろうし、子どもたちにもしてほしくない」声が高くなり、怒りが爆発するのを感じた。「ちょっと、アーニー、リン・ダブルーツィの言ったことを聞いた？　パット・ブキャナンはいくつか〝いい意見〟を持っている、ですって。どの意見よ？　彼女に問いただしたかったわ」

「中絶に関して言ったんだよ。あいつらはカトリックだから」

「あの夫婦は考えなしなのよ。あなた、子どもたちにあんなふうになってもらいたい？　だとしたら、人種差別も悪くないわね。なろうと願ったって、なれないんだから」声を穏やかにして、「ドルーとトーニャには、わたしたちのような、みんなの唯一《ゆいいつ》の〝黒人の友だち〟になってもらいたくない。白人に〝黙認される〟黒人にはね。ここのひとたちは、運がよければ、ほかの大勢の黒人を知ることなく、ふたりを〝例外〟と見なし、黒人のことなんか、ここに住むことによってのがれたものぐらいにしか思わないのよ」

アーニーがため息をつく。「ここのひとたちは、俺たちと同じものを望んでいるんだ、ディー。安全な土地、いい学校、子どもたちがまだ子どもたちでいられる場所を」言葉を切り、ベッドにもたれる。「この町のひとたちがどんなひとたちか、俺は誰よりもよく知っている。だけど、この地球上に、俺たちのパラダイスはないんだ。ドルーやトーニャのパラダイスもな。俺たちにここにいる権利があるのなら、子どもたちも自分たちに権利があることを知るだろう」

ディーは上体を起こした。「この話がどこに行き着くのか、わかるでしょう。わたしは黒人社会で育ったけれど、あなたは白人社会で育った。それは、あなたを殴る父親がいるようなものよ。あなたの一部は彼を憎んでいるけれど、でも、あなたが知っている父親は彼だけだから、あなたのほかの部分は自分自身を憎み、彼のようになりたいと望んでいるの。あなたは死ぬまで、父親に認めてもらいたいと常に強く願う。でも、決して認めてはもらえない」

アーニーがベッドに腰を下ろす。今では怒っているが、怒りを懸命に抑えている。そんな夫を見るのはいらだたしかった。アーニーが穏やかに言う。「きみほど俺を見下す白人は、この町にはひとりもいない。きみは、俺が子ども時代に受けた影響を明らかにするのに熱心なあまり、自分自身が受けた影響から抜け出せないでいる。きみにとっては、すべてが――いいか、すべてが、だ――黒人である事実によって限定されている。どこへ行っても自分の社会を引きずっていて、今度は、子どもたちまでそこに住まわせたいと願っている」

その言葉はディーを刺激した。「わたしたち、どうして結婚したのかしら？　あなたにここに引っ張ってこられるずっと前に、どうして気づかなかったのかしら?」

「何を?」

「わたしがあなたの残念賞だってことよ、アーニー。あなたがほんとうに望んだのは、レイクシティの卒業記念ダンスパーティーの女王と結婚して、白人のぼうやたちの友愛会に入ることだったのよ。あなたにとって、人生はじつは高校生活なんでしょ。だから、ここへ戻ってきた――ついに、友愛会に入ろうとして……」

「ばかな」アーニーのこめかみに血管が浮き出ていた。「きみの言っていることは、ばかげている」

「ばかげている?」ディーのほうも怒りを抑えられず、夫がきらっている優越感に満ちた笑みを浮かべた。「あなたの卒業記念ダンスパーティーの女王って、マーシーでしょう? だから、あんなに長々とおしゃべりをしているんじゃないの? マーシーの話に惹《ひ》かれているとはとても……」唐突に立ち上がる。「ああ、そうそう――あなたは彼女を気にかけているだけだったわね」

アーニーも立ち上がる。「なんて女だ、きみは……」

ディーは夫の顔に顔を突きつけた。「笑っちゃうわよね、アーニー。マーシーはべつのパパを必要としていて、だからあなたの白人娘の幻想に付き合う。聞き手を得たマーシーは、その代償として、あなたが空想のなかで彼女をファックするのを許し――」

夫の目に浮かぶものを見た次の瞬間、顔に平手打ちを食らった。世界が白くなる。よろよろと壁にぶつかり、衝撃の涙をまばたきで払いのけながら、ディー・ニクスンは、夫にこうしてもらいたかったのだと認めるだけの率直さを備えていた。

恥ずかしさのあまり、アーニーが崩れるようにベッドに倒れる。「悪かった。ほんとうに、すまない……」

ディー・ニクスンが首を横に振る。「彼のもとを離れたのは、また殴られると思ったからじゃない。わたしの一部が、殴られることを望んでいたからよ。わたしの父が母にしたように」声が、悲しみと自己嫌悪《けんお》に満ちていた。「わたしが心底怖《おそ》れたのは、自分のたちの悪さなの。だから、カウンセリングも受けた。弁護士がこの件を申立書に加えたと知って、その弁護士を首にしたわ。そして、今、あなたがここにいるわけ」

トニーは首をかしげた。「マーシー・コールダーに関する部分を信じていますか？」

ディー・ニクスンが眼鏡をはずし、レンズを拭《ふ》きながら考える。「もしアーニーがそんなふうに感じていたとしても、彼はそれに気づいていなかった。じっさい、アーニーがあの娘《こ》と寝ているところは想像できないし、あの娘を傷つけているところなんて、絶対に想像できない。自分のほんとうの気持ちをひどく怖れていたというだけの理由でそんなことをするわけないわ」

トニーはすぐには返事をしなかった。「高校のとき」と、ようやく言う。「アーニーは一度、わたしに親切にしてくれました。わたしのようになりたいからそうしてくれたのだと考えたことはありませんよ。単に、わたしを気の毒に思ったからです」

ディー・ニクスンが落ち着きを取り戻し、眼鏡をふたたびかける。「あなたのことを友だちだと言っていたわ。でも、あのひとに〝友だち〟がいたとは思えない。アーニーが言った意味は、あなたが彼にほんとうに公平だったということだと思うわ」いったん言葉を切り、身を乗り出して、「そして、今、あなたはアーニーに対して、おきまりの人種差別でも最悪のことをしようとしている。彼を暴力的な黒人に、O・J・シンプスンの後釜《あとがま》に仕立て上げようとしている。わたしの理性的な部分は、どんな理由だって、女を殴る男を擁護しない。でも、わたしは現場にいたし、夫のことはわかっている。わたしたちのあいだで起こったことは、私的な喧嘩《けんか》なの。ふたりの人間の弱さが燃え上がって、それまでにないほどの規模で爆発したのよ。人種問題でわたしたちの結婚生活は壊れたかもしれないけれど、これ以上、あのひとに人種問題の犠牲になってほしくない。だから、わたしの手助けを期待しないでね、ロードさん。あの晩、アーニーが何をしたにせよ、わたしがあなたに手を貸すほどひどいことはしていない」

シカゴからスティールトンへ戻る機内で、トニーは良心と闘った。

直観は、ディー・ニクスンが正しいことを示していた。暴力を振るう可能性はあっても、アーニー・ニクスンは本来、暴力的な人間ではない。そういう性質は、心の奥底に強い影響を与えるはずだ。だが、彼女のほうにも、罪と恥の意識があった。別れた夫との関係を平穏に保っておく理由——子どもたち——もある。人種を含めた彼女自身の問題が、マーシー・コールダーやサム・ロブの重要性を少し低めるかもしれない。

「サム・ロブ……」帰ろうとするトニーに、ディー・ニクスンが言った。「あのひととといっしょに働いていたことがある。カリスマ性に満ちていて、体格がよくて、意識してはいないけれど、自信たっぷりの魅力を振りまいていて、それが嫌みじゃない。でも、あるとき、彼の心がいかにひもじい思いをしているかに気づいた。その点は、アーニーを思い出させるわ。そんなふうにひとに認めてもらいたがっている人間を殺人者と見るのはむずかしいわね」だが、彼女がたいして気にかけていないのは、トニーには明らかだった。

サムを気にかけるのは、トニーの仕事だ。サムを見放さないかぎり……。

18

「わたしにもてあそばれていたのかと、あなたはおそらくいぶかっている」前置きもなしに、ステラ・マーズが言った。「でも、わたしだって、あなたがジェニファー・トラヴィスに何をしたのかいぶかっているの」

「わたしはもてあそばれていた」トニーは腰を下ろした。「トラヴィスについては、反対尋問を前もってやってみせただけです。名乗り出るという行為には、自分の望まない場所に連れていかれる可能性が伴うことを、誰かが正直に言ってやるべきだった。だが、その場所が刑事裁判所でないことは、自信を持って言える。真実がなんであろうと、彼女の話はこれっぽっちも殺人の証拠にならない」

ステラが、緑がかった茶色の目をトニーに向けて、思いを巡らす。「あなたはいつも無邪気そうな顔をしてみせる。それじゃあ、決まり悪く思っているのかどうかわからない」

「そちらは、決まり悪く思っているのかな?」

「いいえ。それに、コールダー夫妻にあまりつらい思いをさせるつもりもなかった。マーシーが妊娠していたことを、あなたに、あるいは誰であっても、わたしが告げるのを、彼らが望まないのは理解できました」いったん間をおいてから、「刑事訴追の証拠になるのなら、話は変わってくるけれど」

トニーは神経をとがらせて、椅子《いす》に深く腰掛けた。「それが、わたしを呼んだ理由かな？」

「ええ」ステラが指を組み合わせる。「起訴するわ、トニー。サム・ロブが父親よ」

ふだんどおりの形式ばらない口調で言われたことで、この知らせの不都合さがなぜか強調された。ステラがこの事態を予期していたことが、はっきりしたからかもしれない。

「動機をつかんでいるんだね」トニーは言った。

ステラがうなずく。「妊娠していると、マーシーが彼に告げたからよ。あなたのお友だちのサムは、わたしたちにうそをついた。彼は十六歳の少女と寝ていたし、妊娠までさせていた」軽蔑《けいべつ》を込めた口調。「マーシーは中絶をいけないものだと思っていたから、彼は逃げられなくなった。仕事も、たぶん結婚生活も、失ってしまう。だから、それを避けるために、ふたつの命を奪った」

起訴を食い止める手立てがないことを、トニーは知っていた。次のように質問したのは、単なる反射作用だった。「では、マーシーが行方不明になったとき、サムはなぜ警察へ行ったんだろう？」

「狼狽《ろうばい》、罪の意識――たぶん頭が混乱していたんでしょう。でも、六週めの胎児のDNA鑑定ができると知らなかったのは間違いないし、つかまるのを怖《おそ》れていた」

トニーは両手をポケットに突っ込み、立ち上がった。自分の苦悩を誰に見られても、構わなかった。「マーシーをそのままそこに置いておいたほうが、危険が少なかったんじゃないかな。サムが殺したとしたら。あるいは、単に、最後に会ったときに、彼女が死んでいたのを忘れたのかもしれない」

ステラが冷淡な目でトニーを見つめる。「そう主張したければ、どうぞ。もしかすると、陪審は受け入れるかもしれない。でも、受け入れてもらえなければ、どうしようもないわね。なぜなら、あなたの申し立てがないかぎり、われわれはこの件を裁判にかけるつもりだから」

トニーはもはや映像を払いのけられなかった。このことを告げるときのサムの顔が、法廷にいるスーの姿が、頭に浮かぶ。もしかすると、ふたりに金を貸して、べつの弁護士を見つけてもらったほうが、誰にとっても、好都合なのかもしれない。彼らと個人的なつながりがなく、感情の葛藤《かっとう》やもつれに振り回されない弁護士を……。やがて、トニーは言った。「申し立てとは？」

「第二級謀殺」

意外な言葉に、トニーは顔をしかめた。「それは提案とは言えませんね。いくら頑張っても、あなたがたが得られるのはそこまでだ。たとえ、サムがマーシーを殺したと、十二人の陪審員を納得させられたとしても、予謀を証明することはできないだろう」

「なら、故殺を裏付ける話を持ってきて。そうしたら、検討させてもらいます。たとえば、彼がどういうわけでマーシーを殺すつもりがなかった、とか。そうしたら、検討させてもらいます。もっとも、頭部に明らかに数発の打撃を受けている状況で、それがどんな話になるのかは、想像がつかないけれど」視線がきつくなる。「酔っていたから、かしら。でも、そうだとしたら、あなたの依頼人は、陳述を行なって、どのようにしてそうなったのかを精確に説明しなくてはならない。このような事件では、わたしは、どんな疑いも残したくありません。あなたは、誰よりもそれを理解してくれると思います」

トニーは大きく息を吸った。アーニー・ニクスンの名前を出すかどうか、決断する必要はもうなくなった。こうなった以上、決断を下すのは、裁判でだ。「この件は、なんとかできると思っている。あなたの手に、じゅうぶんな証拠はなさそうだ」

ステラがまじまじとトニーを見る。「残念だわ」しばらくしてから言った。「この事件があなたにとってどれほどむずかしいものか、わかっています。でも、裁判にかけるべきだと思う事件は、たとえ負ける可能性があっても、裁判にかけなくてはならない」しかたがないというように肩をすくめる。「この事件を裁判にかけたら、きっとわたしは何かを学ぶでしょう」

トニーはなんとか笑みを浮かべた。「わたしも、学ぶかもしれない」

ステラも笑みを浮かべ、穏やかな視線をトニーに向けて答える。「謙遜《けんそん》は、あまり似合わないわよ。でも、サム・ロブについて、あなたはちょっとしたことを学ぶかもしれない。少なくとも、まだそれを知らないのだとしたら、ね」

19

すでに苦痛と感じるほど長い一日の四時半ごろ、トニーはレイクシティ高校の野球場でサムを見つけた。

存在を気づかれてうわさされたり警戒されたりしないよう、観客席からじゅうぶんに離れた右翼の先の草地にぽつんと座り、レイクシティ対リヴァーウッドの試合を眺めている。トニーは近づきながら、サムの孤独に、サムが失ったものと失おうとしているものに、同情を覚えた。友人が、選手の声も、バットの快音も、革のグローブがボールをとらえる音もほとんど耳に入ることなく、遠い若き日を見ているのだろうと、もの悲しい気持ちで想像した。もっとも、顔を上げたサムの視線にあきらめを見たのは、トニーの目の錯覚だろう。

「何かニュースか？」サムがきく。

トニーはゆっくりとうなずいた。「マーシー・コールダーは妊娠していたよ、サム」

これが意外な知らせでないとしたら、サムには意のままに顔を青ざめさせる特技があるのだろう、とトニーは思った。サムの目が閉じられる。「俺の子だと、連中は思ってるのか？」ややあって、サムが尋ねる。

「確信しているよ」サムの目がぱっと開くと、トニーは付け加えた。「ＤＮＡ鑑定で、そういうこともできるんだ。きみは知らなかっただろうけれど」

つかの間、サムは動かなかった。思考が止まったのではなく、体が麻痺《まひ》したのだ。親の突然の死や、子どもの殺害や、恋人の裏切りや、身の破滅など、受け入れられないことを知らされると、ひとがそのような状態になるのを、トニーは見てきた。サムの唇だけが動いた。「ここでの俺は終わったな……」

「残念だが、そうだな」

「スー……」

急にこみ上げた苦悩とともに発せられたその名は、サムの思いを何よりも表わしていた。トニーは胸が痛んだ。「きみが彼女に伝えなくてはだめだ、サム。記者たちよりも先に」

サムがトニーに顔を向ける。凍りついた白目のなかで、虹彩《こうさい》は淡いブルーだった。トニーは穏やかに言った。「あす、起訴状が提出される。申し立てをしないかぎり、第一級謀殺だ。心を決めるのに、二十四時間ある」

腕を組み、サムが地面を見つめる。「スー」もう一度、ささやくように言った。

その言葉が、トニーの抑えた心を貫いた。「気の毒に思うよ」トニーは言った。「きみたちふたりを」

サムは聞いていないようだったし、トニーを見ることもできないようだった。「おまえがあいつを奪えばよかったのにな、トニー。大昔、アリスンが死んだあとに」

トニーは驚きながら、サムがどれぐらい知っているのか、あるいは推測しているのか、思いを巡らせた。落ち着いた声で言う。「そういう選択肢はなかったものでね」

「あいつもついていない。結婚生活を振り返って、最後に目にするのがこんなこととは」自分の引き起こした重大な事態に怖《おそ》れをいだくかのように、首を横に振る。「コンドームが破れたのが……」

トニーは一瞬、先を待った。「知らなかったのか？」

「マーシーは話してくれなかった……」呆然《ぼうぜん》と遠くを見るような目。「結婚がどうだの、俺の子どもが産みたいだの言ってたのは、そういうわけだったのか。知ってたら、違った対応をしてただろう。はっきりとどういう対応かは、わからないが。だが、俺は、マーシーを夜の公園へ走らせてしまった」パズルのピースがひとつひとつはまっていくように、考えが段階的に浮かんでくるらしい。「いつもとようすが違っていたのも、むりは……」

サムの目がうるむ。うそや言いのがれを見抜く本能を、サムの友人のトニーはなくしたようだが、弁護士のトニー・ロードは持っていた。今、トニーの目に映るのは、運命の苦いいたずらにはじめて直面して衝撃を受けている男か、うそつきの才能がたっぷりあり、あまりにも困惑しているため、自分自身をだますことのできる男だった。しかし、後者だとすると、サムの才能の最も優れている点は、彼が何よりも心配している対象が、妻と妊娠した少女のように見えるところだ。最後に見た存命ちゅうの少女を、今でも救えると思い込んでいる。トニーは、自分自身の悲しみと困惑から、友人の隣りに黙って座っているのがいいと判断した。

遠くで、観客のあいだから小さな叫び声があがり、見ると、レイクシティの選手が、腕と脚を激しく動かしながら、一塁を回っているところだった。レフトが、見えないボールを追いかけて、フェンスのほうへ走っていく。トニーとサム・ロブは、べつの、自分たちの世界にいた。

「おまえがさんざんな気持ちなのはわかってる」しばらくしてから、サムが言った。

「だが、おまえは精いっぱいやってくれた」

同情と、奇妙な冷静さが同居した言葉だった。まるで、誰か第三者が長い闘病の末に死んだことで、サムがトニーを慰めているようだった。「まだ終わってはいない」トニーは答えた。「レイクシティでは終わったかもしれないが、法廷では終わっていない。彼らは完全無欠な証拠をつかんでいない」

「つかめるわけがないさ」サムがこともなげに言う。「殺してないいんだから。今となっては、それが意味のあることかはわからないが」

トニーは返事をしなかった。低い声で、サムが言う。「おまえはじゅうぶんやってくれたよ、トニー。スーのためだろうが、俺のためだろうが、俺たちふたりのためだろうが、ここに帰ってきてくれた。アリスンと体験したことを、もう一度体験してくれた。俺の仕事をしばらくのあいだ守ってくれたし、気が進まないのに、俺を救おうとなんだかんだしてくれた」トニーのほうを向き、トニーの肩に触れる。「友だちとして、これ以上は望めないほどのことをしてくれた。もし、俺がまだおまえの何らかの友だちであるのなら、おまえをステイシーとクリストファのもとへ返すよ。おまえを行かせてやる頃合いだ」

トニーは、三十年前にはじめて感じたのと同じように、感情の急激な変化を感じた。サムを利己的で無神経な男だと判断するといつも、この友人は、驚くべき洗練された行為で、トニーを感動させるのだ。この人物こそ、トニーの心から去ろうとしない少年——楽天家で、ローマ・カトリック教徒で、贖《あがな》いを信じている——が常に望んでいた理想のサム・ロブであり、そんなサム・ロブがまだ存在することが、感動をさらに大きくした。

「これから、どうするつもりだ?」トニーはきいた。

「弁護士を探す。依頼料を借りようと思ってる。それが、ふつうやることだろ?」

そのとおりだと、トニーは自分の経験から知っていた。ソールから学んだ最初の教訓だ。そして、罪の意識と、これまでの関わりと、弁護士としての能力と冷静さに対する自信をべつにすれば、自分とティーンエイジの少女の距離を離せば離すほど、トニーの心の平和には好都合だった。そんな思いを見通したかのように、サムが言う。「それに、おまえは、俺が殺したかどうか、まだ迷ってるだろ?　おそらく、今まで以上に?」

うそをついてもしかたがない。「ああ」と、トニーは答えた。「しかし、どこの弁護士でもそうだ。心から閉め出すまでは」

はじめて、サムの声が高くなった。「おまえは、、、どこの弁護士、じゃない。俺を疑ってるおまえに、法廷にいてもらいたくは——」

「そのとおりだ」トニーは思わず声を荒らげた。「わたしは、どこにでもいる弁護士じゃない。ずっと、ずっと優秀で、きみはわたしの一から十までを必要とするはずだ」

サムが目を見開き、それから口もとをゆるめる。トニー自身も驚いた自負心と傲慢《ごうまん》さの爆発に、驚いたらしい。「いまだに競争好きなんだな」穏やかな声で言う。

トニーはサムをじっと見た。「わたしは完全に違う人間になったわけではないよ、サム。きみも、そうだ」

サムの笑みが消える。「俺はずっとそう言ってたよ。ここを去る前に、それだけは信じてもらいたい」

トニーは息を吐き出した。「ほかにも、言っておくことがある」と、やがて言う。「ステラ・マーズから提案があった」

サムの目がいぶかしそうに細まる。「なんだ？」

「故殺を検討してもいいそうだ。しかし、条件がある。マーシー・コールダーを殺すつもりはなく、反射的にやってしまったと、きみが彼女を納得させなくてはならない。それには、法廷で認める必要がある」

「うそをつけ、と言うんだな」張りつめた声で言って、唐突に立ち上がった。「そんな申し立てをするつもりはない。俺は、家も、仕事も、子どもたちの尊敬も、たぶん結婚生活も失う。残るのは、やってないという事実だけだ。軽い刑を手に入れるために、それを引き渡す気はない。そんなことのために、うそをつく気はない」顎《あご》が動く。「俺は闘って、勝つ。そして、俺が与えられる最高の人生をスーに与えて、これまでかけた苦労の穴埋めをする。無実だと証明されたら、俺たちの結婚生活にやり直す価値があると、スーは思ってくれるかもしれない」

草地に座ったまま、トニーはサムを見上げた。「刑務所に入る危険があるんだぞ」

「おまえの提案を受け入れたら、それ以上のものを危険にさらすことになる」声がきびしくなった。「俺たちはそんなに変わってないんだよ。おまえには今でも勝利が必要だし、俺には今でも自尊心が必要だ。だが、今回は、おまえが決める問題じゃない」

トニーは立ち上がり、サムと向かい合った。「わたしが提案したことでもないよ。それに、わたしが決める問題だとしても、受け入れられない。状況がどんなにきみに不利に見えても、誰かほかの人間がマーシー・コールダーを殺したと、あるいは、そもそも、彼女は殺されたのではないと、陪審が信じる可能性はある。このような事件には、弁護する人間が必要で、だから、ソール・ラヴィンはわたしを弁護したんだ。そういうふうに、わたしはステラ・マーズに言った」

サムが無言でトニーを見つめる。目に、涙が浮かんでいた。身の潔白を、トニーに少しでも信じてもらいたがっていることが、それを見てわかった。しかし、トニーは、なんと言ったらいいのか、あるいは、何をしたらいいのか、わからなかった。

サムが黙って手を差し出す。いとまごいをするような、妙に改まった身振りだった。そして、その身振りが、トニーのなかの、遠い昔の感情がたまった場所を揺すぶった。トニーは、自分たちが十八歳で、握手をして別れを言ったときのことを思い出した。

サムの手を握る代わりに、トニーは友を抱いた。

と、サムの腕が体に回され、ぎゅっと抱きしめられた。サムが穏やかな声で言う。

「俺たちはこの件を解決できるかもしれない、トニー。もしかすると、できるかもしれない」

20

自宅の裏口の明かりのなかで、アリスン・テイラーが身を固くした。黒い髪が、顔のまわりで揺れる。驚きに目が見開き、それから、手からハンドバッグが落ちた。

「どうして？」アリスンがきく。

この、人生の最期《さいご》にちがいない瞬間、アリスンはあまりにも無防備に見えて痛ましい。アリスンの目に涙が浮かぶ。ストッキングをはいていない脚は、根を生やしてしまったようだ。

「お願い」彼の裏切りを知って、声がかすれている。「お願い、二度とこんなことをしないで――」

トニーは、夢から覚めて、身を起こした。

額に汗をかいている。心臓をどきどきさせながら、室内を見回した。自分が誰で、どこにいるのかが、少しずつ思い出される。四十六歳、弁護士、ステイシーの夫であり、クリストファの父親。青春時代を過ごした町のモーテルの部屋にひとり。少女殺しの嫌疑をかけられたサム・ロブを守るために戻っている。その少女は、写真では、どこかアリスン・テイラーに似ていて……。マーシー・コールダーがサムの子どもを妊娠していたとサムに告げたあと、トニーはこの部屋に安らぎを求めて戻ってきて、疲れ果てて眠りに落ちた。さえぎられた日の光で白っぽいカーテンのはしから判断して、たいして時間はたっていなかった。腕時計が七時半を示している。

アリスン・テイラーが死んで、二十八年たつ。

トニーは顔に手を走らせ、その顔が震えているのに気づいた。

その二十八年間、トニーが見てきたアリスンの夢はいつも、自分が見つけた死んだ少女の夢で、彼女の顔は苦痛と恐怖にゆがんでいた。今の夢では、アリスンは生きていて、責めており、それでいながらほかの夢と違って、トニーは、カメラのレンズとしてしか、自分の存在を感じられなかった。夢のあいだずっと、カメラは近づいているようだった。最後の瞬間、アリスンの顔――青ざめた肌、高い頰骨、恐怖にゆがんだ表情――は、触れられるぐらい近くにあるように思えた。

体に震えが走る。

十七の歳《とし》に、トニーは、感情を押しやって、手もとにある仕事に集中することが、生きていくために払う代償だと学んだ。のちには、それが、弁護士として生きていくための代償になった。しかし、この行為が、潜在意識の入れ物に、意識のすみに、かすを残すことは疑わなかった。そういう場所にトニーは非常に面倒な感情を隠していて、妻も、親友も、その存在に気づくのに何年もかかる。ときどき、その代償として、夢を見るのだった。

トニーは、今見た夢に意味がないふりをするには、自分に正直すぎた。少なくともトニーにとって、マーシー・コールダーの死が、アリスンの死の不気味なこだまであることはあまりにも明白で、ふたりの少女に対する彼の両立しえない同情心、つまりサムの弁護に伴う心の奥底の葛藤《かっとう》を浮き上がらせるのに、夢の助けはほとんど必要ない。とくに、しばらくたっても、まだ熱のように体内を巡る夢は。

トニーは立ち上がって、バスルームへ行き、顔を洗った。気が静まったら、家へ電話しよう。クリストファの野球の試合は終わっているだろう。父親が息子の知らせを聞く会話は、ふつうの生活とふれあう機会を持たせてくれるはずだ。そのあと、ステイシーに代わってもらい、サムに関して自分がとる行動を告げ、できたら、夢のことを話そう。ただ、いっぽうで、その話をするのを怖《おそ》れる気持ちがあるのは、何を意味するのだろうか。

電話が鳴った。

ステイシーだろう、とトニーは思った。今、トニーは彼女を必要としていた。

「もしもし」

「トニー？」スーの声はくぐもっていて、弱々しかった。「サムが全部話してくれたわ。あなたとどうしても話をする必要があると思うの」いったん言葉を切る。それから、もはや何にも確信を持てないかのように、おずおずとした口調で言った。「いいかしら？」

自分と同じように寂しそうで、とまどっている声だ、とトニーは胸の奥でつぶやいた。だが、その理由は、スーのほうがずっと道理にかなっている。「もちろん」トニーは答えた。「きみなら、いつでも歓迎だ」

スーに会いに行く道すがら、トニーは気を引きしめた。電話をしてきたということは、スーがサムの罪を示す何かを知っているか、つかんだことを意味する。そして、気のとがめから、これ以上隠していられなくなったのだ。

ふたりで静かに食事がしたい、とスーは言った。自宅にいるのが耐えられなかったし、今の夫婦の当惑がどれほどのものであろうと、あすからは恥辱――面目を失った妻と、信頼を寄せてきた少女を妊娠させて、ことによると殺した教頭――の日々が始まり、外出はむずかしくなるからだった。事情は違うが、サムが酔っ払ってしまい、スーが頼る人物として、そして、つかの間、たぶん最も愛する人物として、トニーが残された晩が思い出された。レイクシティ・カントリークラブのドライブウェイに車を進めるうちに、その晩の思い出が存在感を増してきた。

サムがスーに打ち明けてから、三時間かそこらたつ。今、スーがどう感じているのか、想像するのはむずかしかった。

玄関前で車を停めると、トニーは外へ出て、キーを駐車係に渡した。その場で一瞬足を止め、敷地と建物を眺める。トニーには、スーに会うことを怖れている部分と、ふたりがふたたびこの場所を訪れるとしたら、夫婦としてだろうと想像した二十八年前の晩を思い出している部分があった。

マーシー・コールダーの死というプリズムを通した視線で、こんなふうに時をさかのぼるのは、妙なものだった。しかし、クラブそのものは、昔と同じ落ち着いた外観を保っていた。一九二〇年代に建てられた白い木造の大きな建物、薄暮に消えていく、十八番ホールの手入れの行き届いた芝生……。トニーが思うに、この安全と永続性の幻想は、レイクシティの名士たちを惹《ひ》きつける理由の一部であり、いるのが重要である場所にいるという偏狭な考えを彼らに与えている。トニーがここに属したいとあこがれた、あるいはここのメンバーをねたんだころから、長い年月がたっていたが、疎外《そがい》されているという感覚が、驚くべき力強さで戻ってきた。たぶん、ディィー・ニクスンの考えは正しいのだろう。心のすき間のどこかで、われわれは常に十七歳なのだ。ディー・ニクスンのことを思い、それからアーニーのことを思い、トニーはますます落ち着かなくなった。最後にもう一度まわりを見て、なかへ入った。

トニーをダイニング・ルームへ案内したのは、ふくよかで愛想のいいブロンドで、ストッキングが伝線していた。あの晩、スーと踊ったのと同じ部屋だったが、ひとつ、愉快でない違いがあった。意地悪な運命の定めか、この晩、ジョンとキャサリンのテイラー夫妻が食事をしていたのだ。

テーブルのあいだを案内されて進むトニーを、白いナプキンで口を軽くたたきながら、ジョン・テイラーが目に留める。トニーの第一の夢のアリスンみたいに、彼女の父親は動かなくなった。衝撃と怒りに満ちた目だけが、トニー・ロードという侮辱から、今のがれられない不快感をあらわにする。鼓動が速まるのを感じながらも、トニーは軽く会《え》釈《しゃく》して、友人との食事の場に向かうことに気をとられているふりをした。アリスンの母親に見られないよう願った。

「こちらです」案内係が言う。「ロブ夫人がお待ちです」

スーはすみのテーブルについていた。ダブルのスコッチがすでに前に置かれている。

これまでの年月の確かなしるしが、目にあった。強烈な光を長いこと凝視させられたかのように、その目は傷ついているように見えた。目の下によぶんに施された化粧は、サムから話を聞かされたときに泣いたことを隠していなかった。苦悩がスーを美しく見せていると感じるのは、ひねくれているかもしれない、とトニーは思った。どちらかが口を開くよりも早く、トニーはスーの腕に触れた。

スーがトニーの指先を見つめる。「またここで会えたわね」穏やかな声だった。

どれほど同情しているか、トニーは言う必要がなかった。言葉は要らなかった。

「あなたはどうするつもり?」スーがきく。

「わからない」目と目が合った。「きみは?」

スーが首を横に振る。「聞いたばかりで。あの娘《こ》が死んだときから、ほんとうはわかってたけど、今ではふたりがいっしょの光景が見えるわ」ゆっくりと顔を上げ、トニーを見る。「なんてことなの、トニー——赤ちゃんなんて……」

スーの目が涙でいっぱいになった。何か恐ろしいことを告げられるのではないかという懸念《けねん》は消えた。信じられない思いから、スーは、ひとりでいるよりもトニーといっしょにいたくなったのだろう。遠い昔、自分たち三人の人生が形成されつつあったとき、頼れる存在だったトニーと……。

「あのひとは変わったと思ってた」スーがつぶやく。「結婚したら、あのひとは落ち着くだろうって、自分に言い聞かせたわ。世界最古の願いよね。それも、常に女の願い」悲しげな澄んだ目で、トニーを見つめた。「結婚したとき、あたしの一部はまだあなたを愛してたのよ、トニー――その気持ちは決してなくならなかったんだと思う。たぶん、あのひとはずっとそれに気づいてた」

〝おまえがあいつを奪えばよかったのにな〟と、サムは言った。〝大昔、アリスンが死んだあとに〟トニーは穏やかな声できいた。「なぜあいつと結婚したの？」

「あのひとのことも愛してたのよ、違うふうに。あたしはあなたにはふさわしくないって、あなたが必要とする人間にはなれないって、知ってた。でも、サムが必要とする人間だとは確信してたの」憂《うれ》いに沈んだ微笑《ほほえ》みを浮かべる。「半分は合ってたでしょ？あなたは、必要とする人間を見つけた。あのひとは、若い娘をさらに見つけた」

トニーの手がスーの手首を包んだ。「結局、スー、ひとを変えることはできないんだ。できる人間がいるとすれば、それはきみだろうけれど」

スーが視線を落とす。「あのかわいそうな娘《こ》」と、やがて言った。「サムに幻想をいだくなんて、ばかだなって思うんだけど、それから思い出すの、もう死んじゃったんだって。だから、彼女に腹を立てることもできない。それって、腹を立てるよりも悲惨なのよ。だって、確信が持てないんだもの、あのひとに……」目を閉じる。「持てるはずがないでしょ？　あたし、自分たちの結婚についてわかってるつもりだった――欠点も、あのひとのひととなりも。でも、わかってなかった。そして、あたしはばかじゃない。あのひとは、あまりにもじょうずにうそをついた」

それは、トニーにまとわりつく疑念と同じものだった。しかし、スーからそれを聞くのは、ずっと望ましくないことだった。もしサムが彼女をだませるのなら、彼は誰でも、トニーであろうが陪審であろうが、だませるからだ。そして、サムが妻に与えた傷、口の開いた傷は、トニーが自分が受けると想像できる傷よりももっとひどいものだった。スーのそばにいること以外、トニーにできることはない。

沈黙しているふたりのもとへ、給仕人が遠慮がちにやってきた。レイクシティに秘密はなく、スーがこれ以上傷つけられることはない。トニーは自分のマティーニを注文するあいだ、スーの手首からわざわざ手を離すことをしなかった。まわりに目を向けると、テイラー夫妻はいなくなっていた。

スーがトニーの視線を追う。「アリスンのご両親がいたのよ。話をした？」

「それはむりだ。だから、さりげなく会釈をして、今週数え切れないほど思ったように、あの晩、わたしたちがきみとサムといっしょだったらよかったのにと思った。ふたりで出かけなかったら、と」

驚いたことに、スーの目にふたたび涙が浮かんだ。「あたしもそうなの、トニー。アリスンのためだけじゃなくて。そうしてたら、あたしたちみんなの人生はずいぶん違ってたと、ときどき思うわ」

トニーは手をそのままにしておいた。静かに言う。「しかし、それだと、わたしは弁護士になっていなかったな」

スーが顔を上げ、同様に静かな声できく。「サムはマーシー・コールダーを殺したと思う?」

ふたりの目がまた合った。「わたしに言えるのはこれだけだ、スー。サムに殺人の罪があるとわかっていれば、わたしはサンフランシスコに帰っている。できるだけレイクシティから離れている。とりあえず、わたしはまだここにいる」

無言でスーが自分のスコッチを見つめる。ほとんど飲んでいないことに、トニーは気づいた。「あのひとは裁判を受けるのね」

「ああ」

スーの喉《のど》が動く。「あたしは証言しなければならないの?」

トニーは首を振った。「前に言ったとおりだ、スー。ステラ・マーズは、むりやりきみを召喚することはできない。そして、サムの弁護士は――それが誰であろうと――証言させたいと思わないだろう。まさにきみが今認めた理由、サムがあまりにもじょうずにうそをついたという理由でね。まともな弁護士なら、陪審にそれを思い出させはしない」

スーがうわの空でスコッチを口にする。「でも、あたしはどうやってその事実を受け入れたらいいの、トニー？　みんなはどうやって受け入れてるの？」

「わからない」トニーは指でスーの指を包んだ。「しかし、きみはそれを直視しなくてはいけない。なぜなら、弁護士なら誰でも、夫を支える寛容な妻として、きみが法廷に来るのを望むからね。サムもそうだろう。きみがどう決断しようと、結果は気分のいいものではない」

「もし、行かなかったら？」

「きみにとっては望ましく、サムにとっては望ましくない」

スーが目を手で覆《おお》う。「あたしたちだけのことじゃないの。子どもたちのこともあるの。子どもたちは、あのひとのためにここにいたがってる」決意を固めるかのように、スコッチを飲み干した。「間違いなく言えることがひとつあるわ――サムは完璧《かんぺき》な父親じゃないけど、子どもたちを愛してるし、子どもたちもサムを愛してる。おもしろいのよ。指揮者はあたしだったのに、あの子たちはサムとどう演奏したかをまだ覚えてる」

サムとの生活を要約したのだろう、とトニーは気づいた。そして、よけいに悲しくなった。「きみという存在がいて、彼らはついているよ。サムを含めてね。きみがいなかったら、サムはもっと好ましい人間になっただろうか？」

スーの視線は、トニーの思いと同じように暗かった。「あたしのために、もっと好ましい人間になるって思ってたわ、トニー」視線を落とす。「夜、あのひとがぐでんぐでんに酔ったとき、ベッドに横になりながら、ときどき思ったものよ。あたしがこわいもの知らずで、自分本位で、あなたといっしょになろうとしてたら、どうなったかって」

トニーは胃がしめつけられる感じがした。低い声できく。「今、きみのために何ができるだろう？」

スーは長いこと無言でテーブルを見つめていた。顔を上げたとき、目はふたたび涙でいっぱいだった。「あのひとを無罪にして、トニー。もしかすると、あたしはサムのように自分本位で、ばかかもしれない。でも、ほかの頼みは思いつかない」うわずった声をもとに戻して、「あのひとを、意志が弱くて、自分本位で、愚かな、無罪の人間にして。あたしに残されたのは、それだけだから」

そして自分がきみに与えられるのは、現実ではともかく、法廷での無罪だ、とトニーは胸の奥でつぶやいた。おそらく、自分たちふたりは、そのために高い代償を払うだろう。思考が、トニーの決断の影響を受けるすべてのひとたち――コールダー夫妻、ステイシー、クリストファ、サム・ロブ、アーニー・ニクスン――に移っていく。しかし、今、いちばん胸に迫ってくるのは、目の前の女性だった。心が間違いを犯した以外は、なんの罪もない女性だった。

「わかった」トニーは答えた。「やってみるよ」

（下巻へつづく）

Title : SILENT WITNESS (vol. I)
Author : Richard North Patterson

Japanese translation published by arrangement
with Alfred A Knopf, Inc.,
through The English Agency (Japan) Ltd.

サイレント・ゲーム (上)

新潮文庫　　ハ－37－9

Published 2005 in Japan
by Shinchosha Company

平成十七年十一月一日発行

訳者　後《ご》藤《とう》由《ゆ》季《き》子《こ》

発行者　佐藤隆信

発行所　株式会社新潮社

郵便番号　一六二―八七一一
東京都新宿区矢来町七一
電話　編集部(〇三)三二六六―五四四〇
　　　読者係(〇三)三二六六―五一一一
http://www.shinchosha.co.jp

価格はカバーに表示してあります。

乱丁・落丁本は、ご面倒ですが小社読者係宛ご送付ください。送料小社負担にてお取替えいたします。

印刷・株式会社光邦　製本・憲専堂製本株式会社

ISBN4-10-216019-1 C0197